KB054827

남북한 유엔 가입

지지 교섭 3

중동, 아프리카, 그 외

남북한 유엔 가입

지지 교섭 3

중동, 아프리카, 그 외

| 머리말

유엔 가입은 대한민국 정부 수립 이후 중요한 숙제 중 하나였다. 한국은 1949년을 시작으로 여러 차례 유엔 가입을 시도했으나, 상임이사국인 소련의 거부권 행사에 번번이 부결되고 말았다. 북한도 마찬가지로, 1949년부터 유엔 가입을 시도했으나 상임이사국들의 반대에 매번 가로막혔다. 서로가 한반도의 유일한 합법 정부라 주장하는 당시 남북한은 어디까지나 상대측을 배제하고 단독으로 유엔에 가입하려 했으며, 이는 국제적인 냉전 체제와 맞물려 어느 쪽도 원하는 바를 성취하지 못하게 만들었다. 하지만 1980년대를 지나며 냉전 체제가 이완되면서 변화가 생긴다. 한국은 북방 정책을 통해 국제적 여건을 조성하고, 남북한 고위급 회담 등에서 남북한 유엔 동시 가입 등을 강력히 설득한다. 이런 외교적 노력이 1991년 열매를 맺어, 제46차 유엔총회를 통해 한국과 북한은 유엔 회원국이 될 수 있었다.

본 총서는 외교부에서 작성하여 30여 년간 유지한 남북한 유엔 가입 관련 자료를 담고 있다. 한국의 유엔 가입 촉구를 위한 총회결의한 추진 검토, 세계 각국을 대상으로 한 지지 교섭 과정, 국내외 실무 절차 진행, 채택 과정 및 향후 대응, 관련 홍보 및 언론 보도까지 총 16권으로 구성되었다. 전체 분량은 약 8천 쪽에 이른다.

2024년 3월
한국학술정보(주)

| 일러두기

· 본 총서에 실린 자료는 2022년 4월과 2023년 4월에 각각 공개한 외교문서 4,827권, 76만
여 쪽 가운데 일부를 발췌한 것이다.

· 각 권의 제목과 순서는 공개된 원본을 최대한 반영하였으나, 주제에 따라 일부는 적절히
변경하였다.

· 원본 자료는 A4 판형에 맞게 축소하거나 원본 비율을 유지한 채 A4 페이지 안에 삽입
하였다. 또한 현재 시점에선 공개되지 않아 '공란'이란 표기만 있는 페이지 역시 그대로
실었다.

· 외교부가 공개한 문서 각 권의 첫 페이지에는 '정리 보존 문서 목록'이란 이름으로 기록물
종류, 일자, 명칭, 간단한 내용 등의 정보가 수록되어 있으며, 이를 기준으로 0001번부터
번호가 매겨져 있다. 이는 삭제하지 않고 총서에 그대로 수록하였다.

· 보고서 내용에 관한 더 자세한 정보가 필요하다면, 외교부가 온라인상에 제공하는 『대한
민국 외교사료요약집』 1991년과 1992년 자료를 참조할 수 있다.

| 차례

정 리 보 존 문 서 목 록					
기록물종류	일반공문서철	등록번호	2020080040	등록일자	2020-08-20
분류번호	731.12	국가코드		보존기간	영구
명 칭	남북한 유엔가입, 1991.9.17. 전41권				
생 산 과	국제연합1과	생산년도	1990~1991	담당그룹	
권 차 명	V.12 한국의 유엔가입 지지교섭 : 중동.아프리카지역				
내용목차	1. 중동지역 2. 아프리카지역				

0001

1. 중동 리야드

원 본

외 무 부

종 별 :

번 호 : UNW-0246   일 시 : 91 0131 1700

수 신 : 장관(국연,중근동,기정)

발 신 : 주 유엔 대사

제 목 : 주유엔 예멘대사접촉

　　본직은 1.30 AL-ASHTAL 주유엔 예멘대사와 오찬을 가지고 아국의 유엔가입 문제에 관해 의견을 교환하였는바, 동요지를 아래보고함.

　　1. 본직은 우선 아국의 금년도 유엔가입 추진계획을 설명하면서 아국으로서는 그간 남. 북대화를 통한 대북한 설득을 위해 가입신청을 보류해 왔으며, 오는4 차 회담에서도 이를 계속 추구할것이나 상기 회담에서도 북한의 태도 변화가없는 경우에는 아국의 선단독 가입을 추진해야 할것임을 주지시키고 이에대한 예멘의 이해와 협조를 당부하였음.

　　2. 이에대해 ASHTAL 대사는 본직의 자세한 설명에 감사한다고 하면서 자신으로서는 한국정부의 입장을 충분히 이해하며 예멘 정부입장 역시 가입자격이 있는 모든 국가가 유엔에 가입해야 한다는 것이라고 말한후 남. 북 대화를 통한 합의가능성과 아국 가입문제에 대한 중국의 태도가 분명해질때까지 기다릴 용의가 있는지에 대한 아측견해와 입장에 관심을 표시함.

　　3. 상기 관심사항에 대해 본직은 남. 북 대화와 유엔가입문제는 기본적으로별개문제이지만 아측으로서는 가능한한 북한과의 합의점 도출을 위해 노력해오고 있으나 상금 합의 전망이 밝지 못함을 설명하고 가입문제는 어제 오늘 제기된문제가 아니라 42 년간 숙제로 남아있는 것이며 중국에 대하여는 지금까지 가입신청을 보류한 주요한 이유의 하나가 중국의 입장고려에 있었던 만큼 중국에 대해서는 충분한 시간적 여유를 주었으나 지금까지의 중국태도로 보아 아측에서 어떤 계기를 만들지 않는한 중국으로 부터 어떠한 태도변화를 기대하기 어려울것으로 보인다고 설명하여 주었음.

　　4. 본직은 상기한 상황하에서 아국의 유엔가입 실현을 위해서는 유엔 특히 안보리에서 중요한 위치와 역할을 점하고 있는 예멘의 태도가 무엇보다 중요하며특히

국기국	장관	차관	1차보	2차보	중아국	정와대	안기부

이는 중국에 대한 강한 멧세지가 될것임을 강조하면서 최근 주한 대사관 개설등
양국관계 개선 추세를 감안, 아국입장 지지에 나서 줄것을 당부하였음. 끝
　　(대사 현홍주-차관)

예고 : 91.12.31. 일반 고문에
의거 일반문서로 재분류

검토필 ('91. 6. 30)

원 본

관리번호 91-285

외 무 부

종 별 :

번 호 : IRW-0113   일 시 : 91 0205 1400

수 신 : 장관(국련,중근동)

발 신 : 주 이란 대사

제 목 : UN 가입

대:EM-0025

1. 주재국 외무부는 지난 1.21 본직의 ARBORZI 외무부 국제기구국장과의 면담에서 거론되었던 아국의 유엔가입문제에 대한 주재국의 아국입장 지지요청에 대하여 작 2.3 자 외교공한으로 아국의 유엔가입을 적극적 입장에서 검토하겠다고 통보하여왔음.

2. 동공한내용(직역) 하기와 같음(경구생략)

'THE STANCE OF THE REPUBLIC OF KOREA CONCERNING THE MEMBERSHIP IN UN IS BEING REVIEWED BY THE ISLAMIC REPUBLIC OF IRAN POSITIVELY.'끝

(대사정경일-국장)

예고:91.12.31 일반 고 에 의거 인한문서로 ...됨

검토필(1091. 6. 30)

국기국	장관	차관	1차보	2차보	중아국

PAGE 1

91.02.05   21:20
외신 2과 통제관 DO

0005

관리
번호 91-304

WUN-0243발 91020친1651 情 報

	분류번호	보존기간

번   호 :＿＿＿＿＿＿＿＿＿＿＿   종별 :＿＿＿＿

수   신 : 주   유연   대사. 총영사//

발   신 : 장 관   (국연)

제   목 : 유연가입추진

　　1. 주이란대사는 1.21. 아국의 유연가입문제에 대한 주재국 정부의 지지를
요청한 바, 이란정부는 2.3.자 공한을 통하여 아국의 유연가입을 적극적 입장에서
검토하겠다고 통보하였음 함 해 방에 참고바람.

　　2. 동 공한내용 (경구생탁, 직역): The Stance of the Republic of Korea
concerning membership in the UN is being reviewed by the Islamic Republic
of Iran positively.   끝.

예 고 191991.12.31. 일반문에
　　　　의거 인반문서로 재분립

　　　　검토필: 91.6.30)

　　　　　　　　　　　　　　　(국제기조약국장   문동석)

보 안 통 제	

앙고재	91년 2월 2일	기안자 성명		과 장	국 장	차 관	장 관	
	UN과	동영관						외신과통제

0006

관리 91
번호   -594

주 카 타 르 대 사 관

주 카타르 2031-103   1991. 2. 10.

수 신   외무부장관
참 조   국제 기구 국장
제 목   '91년도 유엔 가입 추진 대책

        대: 국연 2031 - 104

        주재국 외무성의 국제 기구 국장이 경질되어 신임
국장에게 금년 유엔 총회에서의 아국 가입을 위한 적극 지지를
유도하기 위한 설명 자료를 별첨과 같이 작성하여 동인에게 전달
하였음을 참고로 보고합니다.

첨 부: 동 설명 자료 1부.끝.

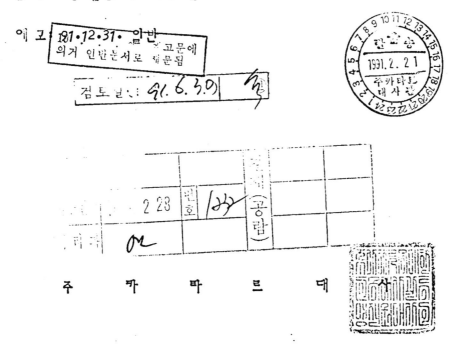

예 고 : 91.12.31. 일반
        의거 일반문서로 재분류됨
                고문에

        검토필: 91. 6. 3.0

2 23   번호

주 카 타 르 대   사

0007

EMBASSY OF THE REPUBLIC OF KOREA

DOHA

February 10, 1991

Mr. Mohamed Hassan Al-Jaber
Director of International Organizations,
  Conferences and Agreements Department
Ministry of Foreign Affairs
State of Qatar
Doha.

Dear Mr. Director,

    I wish to extend to you my heartfelt gratitude for your kindness in receiving me at your office in the morning of February 6, 1991 when I had the pleasure of exchanging with you opinions about further enhancing the traditionally friendly relations which prevail between our two countries.

    I am particularly appreciative to your deep interest on the issue of Korea's membership in the United Nations. As I mentioned during our conversation last Wednesday, I have the pleasure of forwarding to you a copy of memorandum of my Government which was circulated as a document of the United Nations Security Council in December last year. Also enclosed herein for your information are the excerpts from the national statements of GCC states, namely, the Sultunate of Oman, the United Arab Emirates and the State of Bahrain, at the previous sessions of the General Assembly of the United Nations.

    Wishing you continued good health and success in your new position, I am

                            Yours sincerely,

                            Nae-Hyong Yoo
                            Ambassador

Enclosures:
    1. Memorandum of the Government of the Republic of Korea concerning Korea's membership in the United Nations.
    2. Excerpts from National Statements of GCC States on the "Korea Question."

0008

Memorandum of the Government of the Republic of Korea concerning Korea's membership in the United Nations

The forty-fifth session of the General Assembly of the United Nations has provided a crucial momentum for membership of the Republic of Korea in the United Nations.

During the general debate of the General Assembly, nearly three quarters of the United Nations membership addressed the "Korea question" in their national statements. The majority of these speakers voiced, in an unequivocal and forceful manner, their support for the admission of the Republic of Korea to membership in the United Nations, either separately, or together with North Korea, if the latter wishes to do so.

In welcoming the admission of Namibia and of the Principality of Liechtenstein, most speakers emphasized that universal United Nations membership for all States is essential to the work of the United Nations, particularly as it is assuming a central role in the new world order.

It has also been pointed out that the admission of the Republic of Korea, preferably together with that of North Korea, can be effected without prejudice to the ultimate goal of Korea's reunification. Many speakers found, in the unification of the two Germanies and the two Yemens, the validation of the position of the Republic of Korea that the dual membership of divided nations does not constitute any impediment to their ultimate unification, but rather

0003

facilitates the process of dialogue and co-operation towards that goal within the framework of the United Nations.

These developments have led to the belief that the sense of the General Assembly has now emerged that Korea should be fully represented at the United Nations without further delay, thus ending the last remaining legacy of the cold war within the United Nations.

Special attention should be drawn to the fact that not a single country advocated the "single-seat membership" formula proposed by North Korea. The silence of the entire United Nations membership on this proposal simply demonstrates its disapproval of this impracticable North Korean formula.

The Government of the Republic of Korea avails itself of this opportunity to express deep gratitude to those Member states that expressed their support for its legitimate cause.

South and North Korea have been engaged in historic inter-Korean Prime Ministers' talks since September 1990. During the three rounds of talks held in September, October and December, both sides discussed a wide range of issues of mutual concern, particularly ways to promote inter-Korean exchanges and to build confidence in political and military areas.

Although the issue of United Nations membership is a matter between an applicant State and the United Nations,

0010

not subject to any extraneous considerations, the Republic
of Korea made use of these occasions to exchange views with
North Korea on the issue of Korea's membership in the
United Nations. This particular issue has been the subject
of several separate meetings of senior government experts
from both sides, and of other bilateral contacts, not only
inter-Korean, but also among the concerned countries.

During the course of all of these meetings and
contacts, the Republic of Korea has made every effort in
good faith to respond to the wishes of the Korean people
and the international community for the early and full
representation of the Republic of Korea, desirably together
with North Korea, as was expressed during the general
debate, and has made it clear that it will not oppose, but
assist North Korea's entry into the United Nations.

The Republic of Korea has also pointed to many
problems inherent in the North Korean formula and has made
realistic proposals towards the realization of the parallel
membership of both Koreas, in accordance with the
provisions of the Charter of the United Nations.

The Republic of Korea has proposed, _inter alia_, that:

(a) In seeking separate membership in the United
Nations as an interim measure pending unification, both
Koreas publicly pledge to work towards their reuni-
fication;

0011

(b) After both Koreas have been admitted to the
United Nations, they develop a special mode of co-
operation, as they participate in the work of the United
Nations, to facilitate and strengthen the process of
unification.

In its sincere hope to make progress in the issue of
Korea's membership in the United Nations, the Government of
the Republic of Korea has endeavoured through all available
opportunities and possible channels to persuade North Korea
to join the United Nations together with the South.

Despite the exhaustive efforts of the Republic of
Korea, however, North Korea has shown no sign of change in
its adherence to the "single seat membership" formula.

Under these circumstances, the Republic of Korea is
not hopeful about the prospects of any positive outcome
from bilateral discussions on the issue of Korea's
membership in the foreseeable future.

Though the Republic of Korea is open to any reasonable
suggestions for realizing simultaneous membership and
welcomes any discussions for this purpose, it sees little
usefulness in further considering the North Korean
formula.

While universal United Nations membership certainly
contributes to the strengthening of international security
in general, as emphasized in relevant resolutions of the

0012

General Assembly, simultaneous membership of both Koreas in particular will constitute a powerful confidence-building measure through the commitment of both parties to the Charter and will serve the best interests of all parties concerned, including the United Nations.

In this regard, the Government of the Republic of Korea earnestly hopes that North Korea will be soon forthcoming to the constructive proposal of the Republic of Korea.

However, in the case that North Korea is found to be unwilling or not yet ready to join the United Nations with the South, the Republic of Korea will exercise its sovereign right to seek United Nations membership independently, whenever the time is appropriate.

In response to the prevailing atmosphere of the world community in favour of its early admission, the Government of the Republic of Korea seeks the continued support of the Member States to ensure that Korea will be fully represented at the United Nations with the blessing of the entire United Nations membership during the course of next year.

0013

Excerpts from National Statements of GCC States

on the "Korea question"

at the forty-fourth and forty-fifth sessions

of the General Assembly of the United Nations

The Sultunate of Oman

At the forty-fourth session in 1989:

"....Last year, Seoul, the capital of South Korea, witnessed a most excellent Summer Olympiad and one most in harmony with the universality that also constitutes one of the major pillars of the United Nations.

In accordance with that principle, and because of the importance of such a step in alleviating tension and promoting the peace process in the peninsula, we should welcome any international effort made to ensure the representation of both Koreas in our Organization and to grant them full membership....."

At the forty-fifth session in 1990:

"....The situation in the Korean peninsula continues to represent a source of tension in South-East Asia. We are prompted by the hope that the progress achieved thus far in the ongoing negotiations between the two states, as well as the contacts made between the Governments of the Soviet Union and the Republic of Korea, will have the effect of establishing a basis for understanding between the two countries. We shall support any international effort for the admission of the two Koreas as Members of the United Nations...."

0014

The United Arab Emirates

At the forty-fifth session in 1990:

"....We also hope that the ongoing dialogue between North Korea and South Korea will eliminate the causes underlying their differences, and realize the desire of their people for unity...."

The State of Bahrain

At the forty-fourth session in 1989:

"....It is also our hope that relations between the two parts of the Korean peninsula will improve through a direct dialogue between them in order to realize the aspirations of the Korean people in restoring their national unity...."

At the forty-fifth session in 1990:

"....The Korean Question also occupying the attention of the international community today, due to positive developments on the political level in both Koreas. We would like to reiterate our support to all efforts aimed at reuniting both parts of the Korean peninsula and realizing the hopes of the Korean people in the accomplishment of their national unity...."

0015

관리
번호 91 -160

외 무 부

종 별 :

번 호 : YMW-0139

일 시 : 91 0218 1400

수 신 : 장 관(경이,국기,중근동)

발 신 : 주 예멘 대사

제 목 : 주재국 외무차관 면담보고

대: 경이 20615-4675(91.2.4), 국연 2031-3802(91.1.25), 국기
20333-4810(91.2.6)

1. 본직은 2.18 주재국 외무성으로 외무차관 SHAY'A MUHSEN 박사를 방문,
아국정부가 대 예멘 91 년도 무상 원조를 15 만불로 증액키로 결정한 사실을
통보하고, 이 자리에서 유엔 가입 관련 아국의 입장과 유네스코 집행 위원 후보에 대한
주재국 정부의 지지를 요청하였음.

2. 상기 무상 원조 통보에 대해, 동 차관은 미국을 비롯한 서방 및 걸프
연안국들이 대 예멘 경제 원조를 사실상 중단하고 있는데도 불구하고, 아국정부가
증액키로한 결정을 고맙게 생각한다고 말하고 동 무상원조 배정액 범위내에서 구체적
공여 희망 품목 또는 지원 사업 및 집행시기등을 알려주기로함.

3. 대호 아국 유엔 가입 입장을 설명하고 주재국의 이에 대한 지지를 요청한데
대해 동 차관(전 남예멘 외무차관)은 남. 북예멘의 유엔 동시 가입이 남. 북예멘의
통일 교섭에 도움이 되었다고 단정할수는 없으나, 남. 북예멘의 개별적 유엔 가입은
남. 북예멘으로 하여금 경제 원조를 보다 많이 받는데 도움이 되었다고 말하고 아국의
유엔 가입 관련 입장을 지지하는데 노력하겠다(WE ARE TRYING TO SUPPORT YOUR
IDEA)고 언급함.

4. 91 년도 유네스코 집행위원 입후보 지지요청에 대해서 동 차관은 아국으로부터
처음으로 그러한 요청을 닫았다는 사실을 유념하여 경합 관계 추이를 보아 주재국
입장을 결정하여 알려주겠다고 말함.

5. 동 차관은 또한 주재국 정부의 재정적인 곤경과 상주 대사관 설치에 앞선 건물
임차료등에 관한 사전 조사의 미흡등으로 주한 예멘 대사관이 공관 운영에 어려움을
겪고 있다고 설명하면서 아국정부의 특별한 지원을 요청하였는바, 이에 대해 본직은

경제국	장관	차관	1차보	2차보	미주국	중아국	국기국	청와대
안기부								

PAGE 1

동 차관의 이러한 딱한 사정을 이해 못하는것은 아니나 80 여 공관중 주한 예멘 공관에 대해서만 예외적인 지원을 제공한다는것은 현실적으로 곤란하다는점을 강조하고 동 차관의 이해를 구하였음.

(대사 류 지호-국장)

예고:91.12.31. 까지
의거 일반문서로

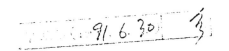 91. 6. 30

관리 91
번호 -408

	분류번호	보존기간

발 신 전 보

WUN-0329   910219 1545 BX

번 호 : _____   종별 : _____

수 신 : 주   유엔   대사.//총영사//

발 신 : 장 관   (국연)

제 목 : 예멘 외무차관 면담

　　　　주예멘대사가 2.18. Muhsen 외무차관을 면담, 아국정부의 91년도 대예멘
(91년도 : 15만불)
무상원조 증액결정 사실을 통보하면서 우리의 유엔가입 입장에 대한 예멘의 지지를
요청한 바, 동 차관(전 남예멘 외무차관)은 우리의 원조증액에 사의를 표명하고,
~~남.북예멘약~~ 유엔동시 가입이 남.북예멘의 통일교섭에 도움이 되었다고 단정할
수는 없으나, 남.북예멘으로 하여금 경제원조를 보다 많이 받는데 도움이 되었
다고 말하고 아국의 유엔가입 관련 입장을 지지하는데 노력하겠다(WE ARE TRYING
TO SUPPORT YOUR IDEA)고 언급함.　　　　　　　끝.

예 고   19 91.12.31. 일반문에
　　　　의거 인반문서로 재분됨

(국제기구조약국장   문동석)

검토필(1991. 6. 3.)

보 안 통 제	⑭

앙고재	91년2월19일	유엔과	기안자성명		과 장	국 장	차 관	장 관	외신과통제
					⑭	선결			

0018

기대학 맥음

어 울

외 무 부

종 별 :

번 호 : AGW-0097   일 시 : 91 0210 1830

수 신 : 장관(마그,국연,기정)

발 신 : 대봉령 외교특보 면담

제 목 : 연 AGW-0259

1. 본직은 금 2.10(일) SAHNOUN 대봉령 외교특보를 면담, 동인의 방한 문제, 한. 알제리관계, 걸프전쟁 및 아국 UN 가입문제등을 협의하였음

2. 본직은 먼저 양국 협력관계는 알제 개최 국제박람회 참가, 경제 사절단 방문, 대우자동차 사업조사단 방문(승용차 1 만대 수출 및 미니버스 조립면허 획득)등 순조롭게 진행되고 있으며 남북대화 경위, 노대통령의 방소 및 일.북한 접촉등 한반도를 위요한 그간의 국제관계 변동사항을 설명한 후 이러한 격동기에 처하여 한국이 국제사회 일원으로 책임있는 역할을 담당하기 위하여 UN 가입이 시급하며 금년 내 단독가입이라도 결행해야 한다는 입장을 설명하였음

3. 동 특보는 북한이 세계 조류를 외면한 체 과거에 집착하고 있음은 이해하기 어렵다고 하면서 소련, 중국, 일본 모두가 압력을 가하고 있는 만큼 조만간개방할 것으로 보며 알제리도 비동맹의 일원으로서 가능한 협조를 다하겠다고 말하고 단독가입 신청을 제출하는 즉시 알려달라고 말하였음

4. 동 특보는 자신의 방한문제와 관련, 4 월 말까지 중동전이 끝날것으로 봄으로 5 월 중에 방한이 실현되도록 노력하겠다고 하면서 자신의 방한은 비단 양국관계 뿐만 아니라 한국의 중동 진출에도 도움이 될수있을것이라고 말하였음

5. 동 고문은 본직의 2.18 일 만찬 초청을 쾌히 승락하였음. 끝 (대사 한석진-국장)

예고:91.12.31 일반예고문에 재분류됨

검토필(:91.6.30)

중아국	1차보	국기국	안기부

```
관리 │91
번호 │ -489
```

외 무 부

종 별 :

번 호 : SSW-0092 　　　　　　　　　　　　　일 시 : 91 0221 1130

수 신 : 장관(중이,경이,봉이,국연)

발 신 : 주 수단 대사

제 목 : 주요인사 면담(외무성 차관보)

　　　대: WSS-0249,0053

　　　연: SSW-0060,0069

　　1. 본직은 작 2.20. 외무성으로 ABDEL EL AHMADI 정부차관보와 EL AMIN ABDELLATIF 경제차관보를 각기 예방, 양국간 협력증진방안등을 협의한바, 요지를 보고함.(당관의 김재국 참사관과 수단측에서 아주국장대리가 배석함)

　　2. 외상방한 추진:

　　가. 본직이 대호 지침에 따라 ALI SAHLOUL 외상의 금년중 방한(가급적 9,10 월경) 추진을 제의한 데 대해, AHMADI 정무차관보는 원칙적으로 이를 찬성한다고 하면서 대통령 재가등 절차상 아측의 초청장 송부를 요청함.

　　나. 외상 방한전 현안해결을 위해 본직이 제의한 항공협정및 사증면제협정의 재추진과 관련, 정무차관보는 가서명 상태에 있는 항공협정에 대해서는 정식서명과 비준절차 이행을 위하여 교통성등 관계부처와 협의후 수단측 입장을 통보하겠다함. 사증면제협정은 경제증진의 차원에서 일반 여권을 포함한 사증면제를 적극 검토하겠다고 하였음.

　　3. 유엔가입문제:

　　가. 정무차관보는 유엔가입에 관한 아측의 남북한 동시 또는 남한 단독 가입 방안을 지지한다고 하면서, 아측이 가입신청 절차에 들어 갈 경우 즉시 알려주기를 바란다고 함.

　　나. 동 차관보는 북한대사가 남북한 단일의석 가입방안을 설명할때, 남, 북한 정부의 외교정책의 항상 통일 조성될 수 있을지, 단일의석제의 비현실성을 지적한바 있다고 하면서, 아국가입에 대하여는 중국의 태도가 가장 중요할 것으로 생각한다고 함.

종아국 안기부	장관	차관	1차보	2차보	국기국	경제국	통상국	정와대

PAGE 1

　　　　　　　　　　　　　　　　　　　　　　　　　91.02.23　　02:23

　　　　　　　　　　　　　　　　　　　　　　　　　외신 2과 통제관 DO

　　　　　　　　　　　　　　　　　　　　　　　　　　　　0020

4. 공동위 개최문제:

가. 동 정무차관보와 경제차관보(90.10 까지 정무차관보 역임) 모두 공동위 개최 필요성을 인정한다고 하면서, SAHLOUL 외상의 금번 방한과는 별도로 추진할 것을 제의함.

나. 경제차관보는 특히, 공동위의 효율성 제고를 위해 외무, 재무, 농림등 경제관계 부처의 차관급 회의로 시작하여 점차 각료급이 수석대표가 되는 방향으로 추진할 것과, 1 차회의는 수단측 사정(3 월 라마단, 연방제 시행 준비, 회계년도 종료등)으로 금 하반기 또는 내년 상반기에 개최하되, 사전에 양측이 협의안건과 입장을 제시하자고 하였음.

5. 기타:

가. 정무차관보는 수단측 현안으로서 주한수단대사관 직원에게 정부 소유(시영) 아파트를 싸게 제공하여 줄 것과 90.11. 주일대사를 통해 요청한 식량원조건에 대해 회계년도가 바뀐 지금 이를 재검토하여 줄 것을 희망함.

나. 경제차관보는 본직이 제기한 (주)대우의 타이어, 제약합작공장 조업 재개를 위한 원료 수입용 외화배정문제에 관하여는 혁명위 경제위원장 겸 교통장관인 SALAH KARRAR 대령을 직접 접촉토록 권하였음.

6. 건의

상기관련 SAHLOUL 외상에 대한 방한 초청(시기를 지정하지 않은 형식으로)을 송부하여 주시고, 공동위 개최 및 식량원조, 직원아파트 임차협조요청등에 대한 본부 입장을 회시바람. 끝.

(대사 이우상-차관보)

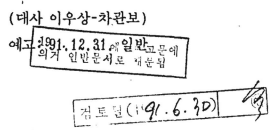

예고:1991.12.31에 일반고문에 의거 일반문서로 재분됨

검토필('91.6.30)

관리 번호	91 -57

외 무 부

종   별 :

번   호 : JDW-0074   일   시 : 91 0301 1450

수   신 : 장관(중동일,국연,기정)

발   신 : 주쿠웨이트 대사(주 젯다총영사관 경유)

제   목 : 쿠웨이트 외무장관면담(출장보고 7)

연:JDW-0073

소대사는 연호 친서전달후에 SHAIKH SABBA 외무장관과 약 15 분간 환담했는데 SABBA 장관말중 주요내용을 보고함.

1.(유엔가입):SHAIKH SABBA 장관은 소대사가 유엔문제를 다시 거론한데 대하여 매우 호의적인 반응을 보이면서"과거에는 비동맹 결의와의 관련때문에 이 문제에 적극적이지 못했는데, 이제는 누가 친구인지가 분명해 졌으므로 걱정할 것없다"고 했음. 소대사가 가을 유엔총회전, 적당한 때에 다시 일깨워 주겠다고 했는데 장관은 그럴 필요가 없다고 하면서 다시 염려말라고 했음.

2.(대사관 쿠웨이트복귀):SHAIKH SABBA 장관은 10 일정도 후에 대사관들이 돌아갈수 있을 것으로 전망한다 하고, 우선 일차로는 협력한 나라들(다국적 연합군)대사관들이 돌아가게될 것이라고 말했음.

3.(전기.수도등): 아직 피해정도 평가가 없는데 대사관에는 우선 갖고가는 발전기 300 대에서 나오는 전기를 공급해 주도록 노력하겠다 했음(그는 웃으면서다른 발전기를 한국대사관이 갖고가면 자기들에게 큰 부조가될 것이라고도 말했는데 이런 문제는 일단 염두에 두고 있어야 할 것같음)

4.(쿠웨이트 외무부복귀):3-4 일 안에 쿠웨이트에서 일을 시작하게될 것이라고 말함.

5.(GCC 회의):3.2 리야드에서 GCC 외무장관회의가 열려 참석예정이고 그다음에는 3.3 또는 4 일에 다마스커스에서 GCC 이집트와 시리아외무장관의 지역안보문제협의회에 참석예정임.

6.(이기주 차관보방문): 대부분 각료들(특히 우리가 면담희망하는 기획장관과 주택장관)이 이미 타이프를 떠나 쿠웨이트에 귀환했거나 국경에서 대기중인

중아국	장관	차관	1차보	2차보	국기국	정와대	안기부	안기부

PAGE 1

91.03.01   21:25
외신 2과 통제관 CE
0022

상황이어서 타이프에서의 면담주선이 어려운 사정은 아나 가능한대로 유익한 방문이
되게 도와달라는 요청에대하여, 출발이 연기될 수 있는 재무장관과 다른 1-2명의
고위직관계관과의 면담이 되도록 주선하겠다했음.3.1 오후에 확정이 될 것임.끝.

(대사-국장)

예고:91..6.30 일반 문에
의거 인반문서

원 본

외 무 부

종 별 :

번 호 : YMW-0181

일 시 : 91 0305 1400

수 신 : 장 관(국연)

발 신 : 주 예멘 대사

제 목 : 유엔 가입 관련

대:EM-0003

1. 본직은 3.5 일 주재국 외무성 DR ABDUL AZIZ BAESSA'A 국제기구 국장을 방문, 대호 성명서(아랍어 번역문 첨부)를 전달하는 한편, 아국의 유엔 가입 문제 관련 배경 설명하고 지지를 요청하였음. 이에대해 동인은, 아국의 유엔 가입 입장에 이해를 표시하면서도 검토후 주재국의 입장을 결정할것이라고만 언명하였음.(당관 이참사관, 외무성 MACTARI 국제기구과장 배석).

2. 또한 이자리에서 아국의 유네스코 입후보에 대한 지지도 재차 요청하였음을 첨언함. 끝.

(대사 류 지호-국장)

예고:91.12.31. 에 일반문서에 의거 인반문서로 분류됨

검토필(~91. 6. 30)

국기국   장관   차관   1차보   1차보   미주국

91.03.06   05:14
외신 2과 통제관 CA

0024

관리 91
번호 -661

외 무 부

종   별 :

번   호 : SSW-0111

일   시 : 91 0308 1110

수   신 : 장관(중동이,국연,경이)

발   신 : 주 수 단대사

제   목 : 외무차관 면담

대:EM-0003,4,5.

1. 본직은 3.7. 부임 인사차 ABU HAJ 외무차관을 예방하고 아국의 유엔가입문제등을 협의한 바, 요지를 보고함.(당관 김재국 참사관과 외무성 아주국장 대리가 배석함.)

2. 본직은 먼저, 주재국의 서울 상주공관 설치를 환영한다고 하고 당지 근무중 양국간 기존 우호 협력관계를 심화하는데 최선을 다 할것이라 하면서 , 외무성의 적극 협조를 부탁한 바, HAJ 차관은 주재국은 한국을 경제개발의 모델국가로 정하였다 하고, 광대한 농경지와 축산, 지하자원등 경제발전 가능성이 막대한 수단과 경제개발의 경험과 기술을 가진 한국간의 경제협력은 반드시 성공할 것이라고 하면서, 앞으로 양국 관계 증진을 위해 긴밀하게 협조하자고 함.

3. 본직이 대호 유엔가입의 메모랜담 내용과 중국의 태도변화등을 설명하면서, 46 차 유엔총회 에서의 아국 가입신청시 주재국측의 적극 지지 요청한 바, 외무차관은 남북한 동시 가입이든 남한 단독 가입이든 아측 입장을 전폭 지지하겠다고 답하였음.

4. 동 차관은 북한의 단일의석 가입안이 불합리하고 비현실적이라고 하면서, 북한대사가 3.10. 내방키로 되어 있는 바, 단일의석으로 가입할 경우 주 유엔대사는 남, 북한중 누구의 지시를 받아야 하는지, 통일전 유엔가입이 통일을 방해치 않는다는 것은 예멘의 경우에서도 입증되었음을 들어 북한측 주장이 옳지않음을 지적하겠다고 함.

5.HAJ 차관은 최근 외무성내에 외교관 훈련 및 연구기구를 설치, 한국어등을 연수시킬 계획이라고 하면서, 아국의 지원을 요청하였음.

6. 평가

가. 주재국 외무차관이 상기와 같이 유엔가입에 관한 아측입장을 적극

중아국	장관	차관	1차보	2차보	국기국	경제국	청와대	안기부

PAGE 1

지지하겠다고 약속하고, 이를 본국정부에 보고해도 좋다고 한 것은 고무적인 반응으로 사료됨.

　　나. 그간 본직의 혁명위원, 각료 및 외무성 간부에 대한 부임예방시 주재국지도층이 아국을 최적의 경협 파트너로 생각하고 많은 지원과 협력을 기대 하고 있음을 감지하였음.

　　다. 주재국의 대외적 고립과 이에 따른 경제난을 고려할 때, 아국에 대한 적극적인 접근은 쉽게 이해될 수있는 바, 서방등 여타국의 진출이 부진하고 주재국이 아국의 진출과 지원을 간청하고 있는 현 단게에서 주재국의 막대한 잠재력을 감안한 경제협력 증진을 적극 추진할 필요가 있다고 판단됨. 끝.

　　(대사 이우상-차관)

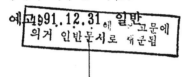

　　예고 1991.12.31 해 일반 고문에 의거 인반문서로 재군됨

　　검토필(1991. 6. 30)

PAGE 2

0026

32　남북한 유엔 가입 지지 교섭 3: 중동, 아프리카, 그 외

```
┌──────┬──────┐
│ 관리 │  91  │
│ 번호 │ -672 │
└──────┴──────┘
```

외 무 부

종 별 :

번 호 : QTW-0083   일 시 : 91 0310 1250

수 신 : 장관(미북, 중동일,국연)

발 신 : 주 카타르 대사

제 목 : 장관 친전 전달

대:WQT-0091, EM-0004,6,7

1. 본직은 3.10 10:00-10:40 간 주재국 외무성 AHMED ABDULLAH AL-MAHMOUD 차관을 방문(장관은 전후 지역 안보 체제 구성 협의 차 리야드, 다마스커스, 리야드, 머스컷 장기 출장중) 대호 장관 친전을 전달하였는 바 동차관은 AL-KHATER 장관을 대리하여 사의를 표하였음.

2. 동석상에서 본직은 아국의 금년중 유엔 가입 신청 방침을 설명하고 금년도 유엔 총회에서는 아국가입에 대한 찬성 투표는 물론 주재국 외무장관 연설을 봉하여 적극지지 발언을 요청한 바 동차관은 적극협조 하겠다고 답변하였음. 또한 동차관은 북한의 단일의석 가입안에 대하여 그 비현실성을 충분히 인식한다고 언급하고 아국 입장에 대한 주재국의 지지 방침에는 변함이 없다고 강조하였음.

3. 본직은 2.27 자 유엔 가입 문제 관련 본부 성명문(EM-0004) 및 장관기자회견 내용(EM-0006)을 주재국 외무성에 송부하였던바 동차관은 기히 동내용을 숙지하고 있었음.

(대사 유내형-장관)

```
┌────────────────────────┐
│ 예고:91.12.31에 일반고문에     │
│ 의거 일반문서로 재분됨          │
└────────────────────────┘
```

```
┌──────────────────┬─────┐
│ 종토필(1991. 6. 30)  │     │
└──────────────────┴─────┘
```

미주국	장관	차관	1차보	2차보	중아국	국기국	청와대	안기부

원 본

```
관리 91
번호 -726
```

외 무 부

종 별 :

번 호 : IRW-0237   일   시 : 91 0312 1630

수 신 : 장관(국연,중동일)

발 신 : 주 이란 대사

제 목 : 유엔가입

대:EM-0006

연:IRW-0113

1. 본직은 금 3.12(화) 주재국 외무부 국제전문기구국 AKHOUNDZADEH 국장을 면담하는기회에 표제건을 거론한바, 요지 아래 보고함.

가. 본직은 대호에따른 아측안의 합리성을 설명하고, 북한의 단일의석 가입안은 비현실적이며 운영상의 문제점이있음(NOT ONLY UNREALISTIC BUT UNWORKABLE)을 지적하고, 이란측이 총회개최시 유엔헌장의 보편성 원칙을 지지하여 줄것을 요청함.

나. 이에 동인은 남북한의 유엔전문기구 가입여부를 문의, 남북한이 ILO 를 제외한 모든 기구에 공동가입되어 있음에 비추어, 아측안이 보다 현실적이고 합리적으로 인정된다고 말하고, 독일, 예멘의 경우에 비추어서도 동시가입이 분단을 영구화시킨다는 주장은 근거없는 것이라는 본직의 입장에 동조함.

다. 다만, 북한의 입장을 파악하고, 중국의 거부권행사가능성및 그논리를 확인할 것이나, 자신은 동건 관련 이란측의 입장 정립시 본직이 설명한바를 긍정적으로 고려하도록 하겠다고말함.

2. 표제관련, 본직은 외무부 국제기구담당 MOTAKI 차관과의 면담을 적극추진중인바, 진전사항 추보하겠음. 끝

(대사 정경일-국장)

예고:91.12.31 일반 고문에 의거 일반문서로 재분됨

검토필(191.6.30)

국기국   차관   1차보   중아국   청와대   안기부

원 본

관리 번호	91 -755

외 무 부

종 별 :

번 호 : LYW-0171   일 시 : 91 0314 1400

수 신 : 장관(국연,중동이)

발 신 : 주 리비아 대사

제 목 : 유엔 가입

대:EM-007

연:LYW-0152

1. 본직이 당지 소련 대사를 접촉, 북한 김영남의 리비아 방문과 관련하여 탐문한바에 의하면 김영남이 리비아 방문기간(3.4-3.7)동안 리비아 정부에 대하여 한국의 단독 유엔 가입을 반대하는 북한의 입장을 유엔및 비동맹회의에서 리비아 정부가 지지해 줄것을 요청한데 대하여 리비아측은 동문제에 대하여 중립적인 입장을 지키겠다는 의사를 표명하였다함

2. 상기에 비추어 보아 주재국 정부가 동문제에 대해 과거 유엔에서 한국문제에 대하여 보여온것과 같이 북한의 입장을 일방적으로 적극 지지하거나 아측 입장에 무조건 반대는 하지 않을 것으로 보여짐

그러나 아측 입장에 찬성은 하지 않고 기권할 것으로 전망됨. 끝

(대사 최필립-국장)

예고:1991.12.31. 일반문에

검토필(91. 6. 30)

국기국   차관   1차보   중아국   정와대   안기부

관리
번호 91-
657

외 무 부

종 별 :

번 호 : GHW-0130   일 시 : 91 0314 1620

수 신 : 장관(국연, 아프일, 정일, 기정)

발 신 : 주 가나 대사

제 목 : 유엔가입 문제(자료응신 제 15호)

대:1.EM-0004

2.EM-0006

3.EM-0005

1. 본직은 금 3.14.(11:00-11:40) 주재국 WILMOT 정무, 경제차관보를 면담(당관도 서기관 및 외무성 아중동국 차석 핫산 배석), 대호 (1),(2)자료를 직접 전달하면서 아국정부는 금년내로 유엔가입안을 제출할 방침임을 강하게 시사하고, 이에 따른 남북한 동시 유엔가입을 희망하는 아측입장을 설명하였는바 동차관보의 반응은 아래와 같음.

가. 주재국 정부의 기본입장은 90 년 제 45 차 유엔총회 GENERAL DEBATE 시 ASAMOAH 외무장관이 기조연설에서 언급한 내용임. 즉

-남북한의 의견차이를 스스로 해결하는 것이 한반도문제의 평화적 해결을 위한 가장 확실한 방법이며

-남북한은 각기 주권독립국으로서 각기 단독, 또는 함께 유엔회원국이 될 자격이 있으며

-예멘의 예와같이 남북한이 합의에 의해 유엔에 가입한다면 이는 더좋은 방안이 될 것임.

나. 한국이 안보리 상임이사국의 거부권을 극복할 경우, 가나 정부는 상기 외무장관이 언급한 대로 한국이 유엔회원국이 될 자격이 있다는 가나정부의 기본입장에 따라 지지를 할 것임.

다.(동 차관보가 소련 및 중국의 아국과의 관계를 문의하였는바 이에 본직은)소련측은 중국측보다 더욱 아국입장을 지지할 가능성이 높은 것으로 보며, 소련의 지지획득은 별 어려움이 없는 것으로 언급하고, 중국의 입장에 대해서는

국기국   차관   1차보   중아국   정문국   청와대   안기부

검 토 필 (1991. 6.30.)

PAGE-1   91.03.15   07:32

외신 2과 통제관 FE

0030

대호(3)아측의 평가내용을 그대로 동 차관보에게 설명하였음.

2. 한편 본직은 3.11.(10:15-10:45) 외무성 AGGREY-ORLEANS 국제기구국장을 면담, 상기와 같이 아국입장을 전달하고 지지를 요청한바, 동 국장도 상기 차관보와 대동소이한 반응을 보였음을 참고로 첨기함. 끝.

(대사 오 정일 - 국장)

일반문서로 재분류(.12.31. 일반   .)

검 토 필 (1992. 6 .30.)

| 관리 | 9/ |
| 번호 | -24½ |

외 무 부

종   별 :

번   호 : MOW-0123   일   시 : 91 0315 1820

수   신 : 장관(중동이,국연,경이,)

발   신 : 주 모로코 대사

제   목 : 한모 혼성위

대:WMO-0062

연:MOW-0122

1. 대호 제 2 차 한모 혼성위 및 경제사절단 방모건에 대하여 외무성 샤르까위 경협과장과 의제 협의 결과를 다음과 같이 보고함.

가. 경제관계

1)차관제공

-EDCF 자금 1,000 만불 제공 요망

-사업 계획 작성을 위하여 주재국 관계관 방한 또는 아국 관계관 방모 희망

2)대주재국 부자 활성화

-모측의 국영기업 민영화 방침에 따라 아국 파트너 요망

-부자여건 최적 조성:한국 기업의 진출시 활동상의 문제점을 신속 해결

-합작 부자로 대 구라파 수출 전진기지 조성

3)무상원조

-연례적 무상원조(10 만불) 계속 요망

-프로젝트형 장기 무상원조 구상

4)주재국 공공사업 국제입찰

-다방면에 걸친 모로코의 공공사업에 한국기업 참여 요망

5)방문할 아국 기업인들은 전자, 기계, 섬유 등과 같이 소그룹 특정분야로 희망

나. 정무관계

1)유엔가입문제

-모로코의 대 한국 지지입장 불변

-남북한의 당시 가입이 바람직하나 북한의 반대시 남한의 단독가입 지지

| 중아국 | 차관 | 1차보 | 2차보 | 국기국 | 경제국 |

2)아국과의 긴밀한 관계유지

-모로코는 북한과 수교하였지만 남한에 비해 별로 기대할 것이 없음으로 한국측과 더욱 긴밀한 관계를 유지하는 것을 기본정책으로 함.

-따라서 아측이 모로코의 기대를 충족시켜 주는 것이 중요함.

3)문화관계

-현재모측이 10 여명의 아국학생을 국비로 초청하고 있는데 반하여 아측이 1명의 모로코 유학생을 접수하고 있는 것은 경제규모 차이로 볼때 불공평-장학생 상호교류 확대요망

-대학간 자매 결연: 학교별로 학생 또는 연구원 상호교환을 위해 자매결연 추진

다. 협정체결

-부자보장협정, 이중과세방지협정, 항공협정, 비자면제협정, 해운협정 체결필요성 인정

-이중 모측의 해운협정안이 이밈아측에 제시되어 있고 기타협정안은 모측이검토중에 잇음

2. 당관이 받은 느낌으로는 아국의 <u>유엔가입에 대한 적극적인 지지 확보를 위해</u> 금차 한모 혼성위의 내실있는 준비가 요망됨을 유의 바람. 끝

(대사 이종업-국장)

예고:91.12.31 일반

보도일(1991. 6. 30)

관리번호 91 -828

외 무 부

종 별 :

번 호 : YMW-0192 　　　　　　　　　　　일 시 : 91 0318 1400

수 신 : 장 관(중동일,국연,기정)

발 신 : 주 예멘 대사

제 목 : 유엔 가입 관련

　　대:EM-0007

　　연:YMW-0139

　1. 주재국 외무성 아시아 태평양 담당과장 ABDUL MALIK IRIANY 가 3.17 당관 이 참사관에 알려온 바에 의하면 북한 대사 최 인섭은 3.13 정무차관보조 AHMED DAEF ALA'A AL-AZEEB, 의전장 GAZEM , 동 과장등 외무성 관리 12 인을 관저 만찬에 초청, 북한의 봉일정책과 유엔 단일 의석 가입안을 설명하였다고함.

　2. 동 만찬 석상에서 최 인섭은 아측의 유엔 가입관련 입장과 팀스피리트 훈련을 비난하고 북측입장에 대한 주재국의 이해를 촉구, 지지를 요청하였으며 이에 동 과장은 남. 북한 유엔 동시 가입이 예멘의 경험에 비추어 한반도 봉일에하등의 장애가 되지 않을것임을 상기시켰음다함.

　3. 상기 북한 대사관저 행사는 최근 당관의 유엔 가입관련 대 주재국 활동(2.18 본직의 SHAY'S 외무차관 면담,3.3 유엔 가입 문제 관련 본부 성명문 및 3.8 장관님 기자 간담회 내용 아랍어 번역문 배포등)에 대한 대응으로 사료됨. 끝.

　　(대사 류 지호-국장)

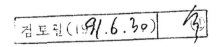
예규:91.12.31. 일반문에
의거 일반문서로 재문됨

검토필(1991.6.30)

───────────────────────────────

중아국　　차관　　1차보　　2차보　　국기국　　청와대　　안기부

원 본

관리 번호	91 -840

외 무 부

종 별 :

번 호 : IRW-0259   일 시 : 91 0319 0930

수 신 : 장관(국연,중동일)

발 신 : 주 이란 대사

제 목 : 유엔가입

연:IRW-0237

　1. 연호 보고한대로 본직은 3.18(월) MATTAKI 주재국 외무부 국제담당차관을면담 유엔가입에관한 아국 외무부 성명문을 수교하며 유엔가입에대한 주재국의지지를 요청하였음. 본직의 아측입장 설명에이어 동인은 남. 북한관계 (주재국의 대남. 북한관계포함), 중국을 포함 상임이사국 동향및 주재국의 입장등에대해비교적상세히 언급하였는바, 동인언급요지 아래보고함.

　가. 한국의 유엔가입 문제는 남. 북한문제의 국제성및 북한의 태도라는 양면에서 검토되어야 할것임. 전자의경우 중국의 거부권행사라는 측면에서 특히 중요성을갖는바, 중국이 명시적태도를 취하지 않는 이유는 한반도문제가 중국의 대북한관계를 포함 REGIONAL POLICY 에 중요한 영향을 미치기때문임. 따라서 남. 북한관계및 북한의 태도변화가 무엇보다도 긴요하다고 생각함.

　나. 현재상황에서 아직도 남. 북한관계에 장애요인이 있음을 인정함. 그러나 남북한관계가 변화하고 있음을 느끼고있으며, 주재국은 이러한 남. 북한접촉을지켜보아왔음. 주재국은 혁명정부 수립이래 남. 북한과 공히 좋은관계를 유지하여왔으며, 균형된 시각에서 양측의 입장을 평가하여왔음. 이러한 관점에서 남.북한관계는 당사자간 해결되어야할 문제라고 보고있음.

　다. 그러나 주재국은 한국이 유엔가입문제를 제기한 이상 이를 적극검토할예정인바, 검토의 기본입장은 다음과같음.

　-아측의 유엔가입 방안은 적절하다고 생각하며 (LOGICAL) 따라서 유엔가입을지지하는것이 주재국의 기본인식 (GENERAL VIEW)임. (독일, 예멘의 예를 동인이 먼저 설명하였음) -아국은 유엔헌장상 가입요건을 분명히 갖춘국가임. (동인은 지난해 러히덴슈타인도 가입하였다고 언급하며 아국의 유엔가입은 적어도 헌장상

국기국　　차관　　1차보　　중아국　　정와대　　안기부

PAGE 1

법적문제가없으나 안보리는 정치성을 가진기구가 문제라고 언급함)

-유엔 총회시까지는 아직 6 개월이 남아있으므로 이동안 중국의 태도변화 유도및 설득등 유엔가입을 위한 노력을 아국이 계속 경주하여 주기바람.

라. 북한은 아국의 유엔가입에 붎안을 느끼고있으며, 그예로 지난해 당지 북한대사는 동인에게 이란이 유엔연설시 유엔가입문제를 거론하지 않을것을 요청한바있음을 참고바람.

2. 상기 언급에이어 본직은 금차총회시 주재국 대표단이 KEYMOTE 연설시 아국의 가입 입장 지지를 포함시켜줄것을 요청하였는바, 동인은 최소한 UNIVERSALITY 원칙및 유엔가입은 신청국과 유엔과의 관계라는 관점에서 긍정적으로 검토하겠다고 답변하며, 아직 시간이 있으므로 계속검토, 최선을 다하겠다고 언급하였음.

3. 동건 관심갖고 계속 접촉 예정이며 결과 추보하겠음. 끝

(대사정경일-국장)

예고191.12.31 일반 고문에 의거 인반문서로 재분류됨

검토필(1·91.6.30)

외 무 부

종 별 :

번 호 : OMW-0074

일 시 : 90 0323 1500

수 신 : 장관(중동일,국연)

발 신 : 주 오만 대사

제 목 : 장관 친서전달

대:WOM-0088

1. 본직은 금 3.23. 11:00 주재국 YUSUF 외무장관을 예방하고 대호친서를 직접 전달한 바, 동장관은 이장관님께 사의를 표명함과 동시 각별한 안부를 전달하여 줄것을 요망하였음.

2. 동장관은 금번의 걸프사태가 전쟁으로 해결될 수밖에 없었지만, 이과정에서 다수 우방국의 공동협력으로 평화회복의 결실을 가져온것은 뜻깊은 일이며,이는 비단 걸프지역 평화뿐 아니라 전세계의 평화 유지에 크게 기여한것이라고말하면서 양국을 포함한 우방국의 긴밀한 협조를 경하한다고 말함.

3. 본직은 걸프지역 전후 협력 강화를 위해 아국의 특사 파견 계획을 설명한바, 동장관은 이를 원칙적으로 환영하는 바이며, 시기적인 타당성을 검토, 곧 주재국의 접수 가능여부를 회보해 주겠다고 말함.

4. 본직은 또한 아국의 유엔가입문제가 금년도 주요외교 목표의 하나임을 설명하고 동장관이 매년 직접 적극지지발언을 해준데 사의를 표함과 동시 금년도에도 적극 지지해줄것을 요청하였던바, 동장관은 계속 협조하로록 하겠다고 말하였음. 끝

(대사 강종원-국장)

예고:1991. 12. 31에 일반고문에 의거 인반문서로 재분됨

검토필(1:91.6.30)

중아국   장관   차관   1차보   국기국   청와대

관리	91
번호	-961

원 본

외 무 부

종 별 :

번 호 : SSW-0145
일 시 : 91 0325 2000

수 신 : 장관(국연,국기,중동이)

발 신 : 주 수 단대사

제 목 : 유엔가입 지지요청등

대:EM-1,3,5,7

1. 본직은 금 3.25. 외무성의 HASSAN OMER 국제기구국장을 방문, 아국의 유엔가입에 관한 입장을 설명하고 주재국의 적극적인 지지를 요청하였는 바, OMER 국장은 한국이 그간 국제사회에서 기여한 노력에 비추어 유엔의 정회원국이 될 자격을 갖추었고, 많은 회원국들이 한국의 유엔가입을 지지하고 있음을 알고 있다고 함.

2. 본직이 북한측 주장의 비현실성, 비기능성등을 지적, 국장의 동의를 득한후, 주변 여건의 변화와 안보리 상임이사국들과의 관계개선을 설명하면서, 금 46 차 총회에서 아국이 가입 신청할 경우 수단도 이를 적극 지지할 것임을 본국정부에 보고하여도 좋을지를 물었음.

이에 대해 OMER 국장은, 9 월 총회까지는 충분한 시간이 남아 있으므로 수단측 공식 입장은 추후 결정될 것이나, 현재 한, 수 양국간 경제협력등 관계가 증대되고 있으므로 동건을 'VERY POSITIVE' 하게 검토 할 것이라고 답함.

3. OMER 국장은 또한, 아국의 UNESCO 집행위원 및 IMO 이사국 선출 지지요청에 대해 호의적으로 검토하겠다고 함. 끝.

(대사 이우상 - 국장)

예고: 1991.12.31. 일반 됨

검토필(1991.6.30)

국기국   차관   1차보   중아국   국기국   정와대   안기부

관리 91
번호 -1029

원 본

외 무 부

종 별 :

번 호 : UNW-0723   일 시 : 91 0328 1630

수 신 : 장관(국연,중동일)

발 신 : 주 유엔 대사

제 목 : 주유엔 예멘대사 접촉

1. 본직은 3.28 신임인사를 겸해 AL-ASHTAL 주유엔 예멘대사를 접촉하였는바, 접촉결과를 아래요지보고함.

가. 본직은 우선 아국의 년내 유엔가입 추진계획및 이에관한 북한및 중.소의 태도와 전망을 설명한후 최근 예멘의 주한 상주대사관 개설등 양국관계 증진추세등을 감안, 아국의 가입노력을 지원하여 줄것을 요청하였음. 본직은 특히 안보리 이사국으로서의 예멘의 유엔내 위치및 역할과 동대사의 오랜 유엔에서의 개인적인 경험등에 비추어 무엇보다도 예멘의 협조를 기대하고있다고 말하였음.

나. 이에대해 ASHTAL 대사는 예멘으로서도 최근의 양국관계 증진을 만족스럽게 생각하고있다고 말한후 북한과의 합의가 어렵게 되어 부득이 단독 선가입을추진하려는 아측입장은 충분히 이해하나, 예멘으로서는 남. 북한과 공히 우호적인 관계를 유지하고있는 만큼, 남. 북한의 합의에 의한 동시가입이 최선의 방법으로 생각한다고 말함.

다. 이어 동대사는 자신은 한국의 유엔가입문제가 금년 여름까지는 어떠한 결론에 도달하게 될것으로 본다고 하면서 본건, 아측이 SANAA 에서도 자국정부와더욱 긴밀히 접촉하여 줄것을 당부함.

2. 본건 예멘의 경우 남. 북예멘의 통합이 상금 일천하여 대외정책면에서 불안정한 면이 있는 것으로 감지되며 아국의 유엔가입 문제에 대한입장도 유동적인 것으로 보이는바, 최근 안보리에서의 걸프사태 처리과정등을 볼때 아국의 유엔가입 문제 처리에있어서도 예멘의 향배가 매우 중요한 만큼 앞으로 양국 유엔대표부간은 물론 특히 ASHTAL 대사의 당부와 같이 SANAA 에서의 대주재국 교섭을보다더 강화해 나가야 할것으로 판단됨. 끝

(대사 노창희-국장)

국기국   차관   1차보   2차보   중아국   정와대   안기부

예고:91.12.31. 일반
19   고문에
의거 인민 서   ...

검토필(1991.6.30)

0040

관리	9/
번호	-1059

분류번호	보존기간

발 신 전 보

번   호 :　WYM-0121　910330 1657 DU　종별 :

수   신 :　주　예멘　대사. /총영사/

발   신 :　장 관　（국연）

제   목 :　유연가입

　1. 주유엔 ~~아국~~대사가 주유엔 예멘대사와 3.28. 유연가입 문제관련 면담한
~~결과~~, 동 예멘대사의 발언 요지를 ~~아래와 같이 보고하여 왔음.~~

───────── 아 ───── 래 ─────

　가. 최근 한.예멘 관계증진을 만족스럽게 생각하고 있음.

　나. 유연가입관련 북한과의 합의가 어렵게 되어 부득이 단독가입을
　　　추진하려는 한국측 입장은 충분히 이해하나, 예멘으로서는 남북한과
　　　공히 우호적인 관계를 유지하고 있는만큼, 남북한의 합의에 의한
　　　동시가입이 최선의 방법으로 생각함.

　다. 한국의 유연가입문제가 금년 여름까지는 어떠한 결론에 도달하게
　　　될 것으로 ~~봄다고 함.~~

　2. 상기에 비추어 아국의 유연가입 문제에 대한 예멘의 입장이 상금
유동적인 것으로 보임. 또한, 최근 안보리에서의 걸프사태 처리과정등을 볼때
아국의 유연가입문제 처리에 있어서도 안보리이사국으로서 예멘의 향배가 중요한
변수로 작용할 가능성이 있는 바, 예멘이 아국 유연가입을 지지토록 대주재국
교섭을 ~~강화~~하고 수시 결과 보고바람.　　　끝.

예 고 :　1991.12.31에 일반문서에
　　　　의거 일반문서로 재분류됨

전토딜(1991.6.30)

보 안	
통 제	

앙고재	91년 3월 30일	기안자 성명	과 장	국 장	차 관	장 관

외신과통제

0041

원 본

외 무 부

종 별 :

번 호 : MOW-0154

일 시 : 91 0401 1750

수 신 : 장관(국연)

발 신 : 주 모로코 대사

제 목 : 유엔가입문제

대:EM-0007,0006,0005,0004

본직은 3.15 주재국 외무성 유엔과장 ABBES BERRADA 대사를 오찬에 초대(박참사관 배석)하고, 4.1 WARZAZI 국제구구국장을 예방, 유엔가입문제와 관련한 장관님 정례기자간담회에서 언급내용 및 외무부 성명문(당관 불문번역)과 90.12.20.자 유엔안보리문서 S/22024 를 이들에게 각각 수교하고 아국의 유엔가입을 지지하여 줄 것을 요망하였음. 이에대한 이들의 반응을 다음과 같이 보고함.

1. 모로코 정부는 한국의 유엔가입을 지지하며, 남북한 동시가입을 위한 한국의 그간의 노력을 평가함. 유엔가입에 관한 남북한간의 합의가 이루어지지 못한 것은 유감스러움.

2. 신회원국의 유엔가입에 있어 안보리 5 개 상임이사국에 거부권이 인정되고 있어, 이들 5 개국의 지지확보가 선결 조건인바, 남북한이 유엔가입에 관한 합의에 도달하지 못한 상황하에서 북한에 대한 특별한 관계에 있는 중국이 취할 태도가 관건이 될 것임.

3. 이와관련 중공은 어려운 입장에 서게될 것인바, 중공이 대북한 관계에서 느끼는 부담을 덜게 하기위한 명분과 실리를 한국측이 우방 안보리 상임이사국들 및 유엔사무총장과 협의 중공측에 제시하여 중공을 설득하는데 총력을 경주해야할 것임.

4. 유엔안보리에서 한국만의 가입이 추천될 경우, 총회에서는 아무 문제될 것이 없다고 보는 바, 안보리 5 개 상임이사국에 대한 지지 교섭활동이 무엇보다도 절대적으로 필요한 조치임을 재강조함. 끝

(대사이종업-국장)

예고 91.12.31개일반고문에 의거 인반문서로 재분됨

검토필(19 91.6.30)

국기국   차관   1차보   중아국   청와대   안기부

91.04.02   20:10
외신 2과 통제관 DO

0042

외　무　부

| 관리 | 9/ |
| 번호 | — 20/0 |

종　별 :

번　호 : AGW-0201　　　　　　　　일　시 : 91 0402 1600

수　신 : 장관(중동이,국연)

발　신 : 주 알제리 대사

제　목 : 대통령외교특보면담

연 AGW-0097

1. 본직은 금 4.2(화) SHANOUN 대통령외교특보를 방문, 동인의 방한문제, 아국의 유엔가입문제, 경협문제등에 관하여 45 분간 면담하였음.

2. 방한문제와 관련, 동특보는 주재국 총선시기와 대통령의 외국방문 계획등에 비추어 5 월하순 또는 8 월이후에 가능할것이라 하면서 주재국 외무장관의 방한과 중복되지 않도록 외무장관과 수시 협의하겠다고 말하였음(8 월이후 동인의 휴가중에 방한할 가능성이 큰것으로 보임)

3. 유엔가입문제와 관련, 동특보는 지난 20 년간 OAU 및 아랍연맹 사무차장으로서 계속 유엔총회에 참가했을 뿐아니라 주유엔대사로도 장기간 근무한바 있어 유엔의 생리를 잘알고 있다고 전제하고 유엔내의 북한지지 비동맹그룹의 최근 동향에 비추어 북한은 한국의 유엔가입을 저지할수 있는 지지기반이 없어진것으로 안다고 보며 한국이 정식가입신청을 하는경우 중국의 거부권이 문제시되나 대만문제가 남북한문제에 영향을 주는 상황은 넘어선것으로 본다고 말하고 자신으로서 가능한 협조를 다하겠다고 다짐하였음. 끝.

예고 1991.12.31 일반문에 의거 일반문서로 재분됨
(대사 한석진-국장)

검토필(: 91. 6. 30)

중아국　　차관　　1차보　　국기국　　청와대　　안기부

외 무 부

종 별 :

번 호 : YMW-0221   일 시 : 91 0403 2000

수 신 : 장 관 (중근동,정홍,국연)

발 신 : 주 예멘 대사

제 목 : 기자 회견

　　1. 본직은 최근 주재국 언론인과 아국의 유엔가입 정책 및 남북 예멘 통합등의 문제에 관해 기자회견을 갖었는바 주재국 최대일간지 (정부 기관지) AL-THAWRA는 동회견내용을 4.2일자 '한국 전문가 예멘통합으로부터 얻은 교훈' 제하 4면 톱기사로 요지 다음과 같이 보도하였음을 보고함.

　　가. 예멘의 봉일 경험에서 얻은 처째 교훈은 동족 상잔의 무력 충돌을 갖었던 분단 국가로서는 양독 봉일의 경우에 비해 분단국가의 양 정치 지도자들간의 정치적 INITIATIVE 가 매우 중요하다는것임. SALEH대통령이 남북예멘 봉일 직후 가진 한국 언론취재 팀과의 기자 회견에서 그의 봉일 협상성공의 비결은'상대방에게 패배감을 느끼게하지 않게하는점'이 었다고한 언급은 한국 전문가가 예멘의봉일 경험을 연구하기 위하여 파견되기까지 하였음.

　　나. 둘째 교훈은 남북예멘간의 인적왕래와 정부기관간의 밀도높은 접촉이 봉일 협상에 대한 촉진제가 되었다는 점임.

　　다. 봉신 및 상호 왕래조차 안되고 있는 한반도의 현실에 비추어 예멘의 통합으로 부터 한민족은 이산 가족 재회, 체육 및 봉상교류, 국제무대에서의 상호 협력등 신뢰구축을 위해 배가의 노력이 필요하다고봄.

　　라. 결론적으로'우리는 당분간 남북한의 분단현실을 상호 인정해야하며 남북한의 유엔 동시가입은 예멘의 경험에 비추어 우리가 가야할 올바른 방향이라고 생각함.

　　2. 본건 기사는 차파편 송부 위계임.끝.

　　(대사 류 지호-국장)

중아국　　1차보　　국기국　　정문국　　안기부

91.04.04　　18:00 WG

외신 1과 통제관

0044

외   무   부

종   별 :

번   호 : YMW-0226   일   시 : 91 0404 1600

수   신 : 장 관(경기,국연)

발   신 : 주 예멘 대사

제   목 : 제 47차 에스캅 총회

대:AM-0072

1. 당지 국영 TV 방송은 4.1 20:00 영어 뉴스시간에 아태 지역 경제 협력을 강조한 노대통령의 에스캅 총회 개막 연설을 간략히 소개하고 한국이 유엔에 가입해야한다고 언급한 사실을 보도함. 그러나 동 보도는 남.북한이 각기 한반도의 유일 합법 정부라고 주장하여 남.북한 유엔 가입이 지연되고 있다고 논평함.

2. 표제건에 대한 외신 보도를 당지 신문은 게재하지 않았음.

(대사 류 지호-국장)

경제국   국기국

PAGE 1   91.04.07   18:21 DQ
                                                      외신 1과 통제관
                                                              0045

관리
번호 : 91
-2092

외 무 부

종 별 :

번 호 : MOW-0164   일 시 : 91 0404 1600

수 신 : 장관(중동이,국연,정이,정일)

발 신 : 주 모로코 대사

제 목 : 주재국 외무차관의 면담(자료응신 제31호)

    본직은 4.4 주재국 CHERKAOUI 외무차관을 예방 양국관계 일반에 관해 협의한바, 참고사항을 아래와 같이 보고함

    1. 주재국 상공장관 방한을 계기로 고위층 인사 상호교류 방문이 촉진되어 양국간 협력관계 강화에 기여할 것을 희망함.

    2. 혼성위원회 개최가 양국간 협력관계 증진 계기가 될 것으로 주재국 정부측에서도 그 성공을 위해 노력할 것임. 개최일자 문제에 관하여서는 한국측 사정에 맞추도록 지시하겠음.(본직은 4.8. 국제협력국장과 면담 예정이며 그때 일자문제 확정 예정임)

    3. 한국의 유엔가입은 당연한 것으로 모로코 정부는 이를 지지할 것임.

    4. 북한에 대한 관계,주재국의 문호개방정책 원칙 차원에서 외교관계 수립 발표 수준에서 제한하고 있음. 이에따라 북한측에서도 별다른 동정을 상금 보이지 않고 있음.

    5. 북한 외교망 축소 결정은 그 대상국으로 보아 실리 외교로 전환하는 노력의 일환으로 평가할 수 있을 것으로 봄.

    (대사이종업-국장)

예고:91.12.31 일반 고문에
의거 일반문서로 재분류됨

검토필(91.6.30)

중아국   차관   1차보   2차보   국기국   정문국   정문국   청와대   안기부

PAGE 1   91.04.05   18:42

관리번호 91
-2093

외 무 부

종 별 :

번 호 : MOW-0165   일 시 : 91 0404 1600

수 신 : 장관(중동이,국연,정이,정일)

발 신 : 주 모로코 대사

제 목 : 아주국장 면담(자료응신 제32호)

본직은 4.3. 주재국 외무성 SIJILASI 아주국장을 예방 면담한 바, 참고사항을 다음과 같이 보고함.

1. 주재국 상공장관 방한: 한. 모 혼성위 개최를 앞두고 이루워진 이번 주재국 상공장관 방한이 양국간 경제협력증진에 기여하게 되기를 희망함. 주재국 정부측은 모로코 현직 장관으로서는 오래간만에 이루워지는 동 방한에 큰 의의를 부여하고 있음.

2. 혼성위원회 개최: 6월에 주재국이 여러나라와 혼성위 개최를 계획하고 있는 것으로 알고 있으며, 그로인한 개최일자 조정에 어려움이 있다고는 하나, 주재국 외무성으로서는 한국과의 여러분야에서의 협력관계 증진 계기가될 혼성위원회 개최에 우선권을 두고저함. 개최일자 문제가 잘 조정되여 꼭 개최되기를 바람. 자신도 이를위해 노력하겠음.

3. 유엔가입: 한국입장에 전폭 동감함. 한국 입장 지지를 위해 자신이 할수 있는 모든 협조를 다짐함.

4. 특사파견: 우방국이 파견하는 특사를 영접하는 것은 즐거운 의무임. 모든 것이 확정되는대로 사전 통보하여 주기 바라며, 특사임무 완수를 위해 필요한지원을 할 것임.

5. 북한동향: 남북대화 현황 설명 감사하며, 수교받은 자료를 참고로 보겠음. 주재국에 대한 북한측의 움직임은 아무것도 보고된 것이 없음. 만일 앞으로 어떤 움직임이 있게되면 한국대사관에 통보하겠음. 김일성 생일축전 참가를 위한주재국 민간단체에 대한 초청도 일단 외무성에 의견 조회하도록 되어 있는 바, 상금 아무런 동정이 없음. 끝

(대사이종업-국장)

예고:1991.12.31에 일반 고문에 의거 인반문서로 재분됨   검토필(191.6.30)

중아국   차관   1차보   2차보   국기국   정문국   정문국   청와대   안기부

PAGE 1   91.04.05   18:43
                                        외신 2과 통제관 FE
                                                    0047

관리	91
번호	-2100

	분류번호	보존기간

발 신 전 보

번   호 : WUS-1387   910406 1624   FN 종별 : _____

WUN -0776

수   신 : 주   유엔, 미국 대사♣♣♣♣♣♣사

발   신 : 장   관   (국연)

제   목 : 유엔가입 관련 모로코 입장

CHERKAOUI

주모로코대사의 4.4(목) 모로코∧외무차관 면담 결과보고에

의하면 모로코정부는 한국의 유엔가입을 당연한 것으로 보고 이를

지지할 것이라 함을 참고바람.   끝.

예 고 : 1991.12.31. 내일반고문에
         의거 인반문서로 재분됨

(국제기구조약국장 문동석)

검토됨(1991.6.30)

	보 안 통 제	내y.

앙고재	91년 3월 6일 유엔과	기안자 성명	과 장	국 장	차 관	장 관
		신	내y.			

외신과통제

0048

관리 번호 91 -2129

외 무 부

원 본

종 별 :

번 호 : BHW-0223

일 시 : 91 0407 1200

수 신 : 장관(국연,중동일)

발 신 : 주 바레인 대사

제 목 : 유엔가입

　　대:EM-9

　　1. 본직은 금 4.7. 외무부로 MAHROOS 정무총국장을 방문, 아국의 유엔가입 지지 교섭한바,

　　2. 국장은 남. 북한 동시 가입은 물론 한국의 단독 가입도 STRONGLY 지지하겠다고 확언하였음.

　　3. 국장은 교섭과정에서 양국간 우호관계, 걸프전쟁중 지원, 한국 지지와 여타 GCC 회원국과의 이해 상충 부재를 지지 이유로 열거하였음을 참고 바람. 끝.

　　(대사 우문기-국장)

예고:원본=91인12란31일 일반고문에
　　사본=91.12.31.까기 고문에
　　　　의거 인**문서로 재분됨

검토필(1: 91.6.30)

국가국　　장관　　차관　　1차보　　2차보　　중아국　　정와대　　안기부

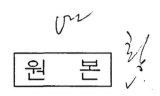

외 무 부

종 별 :

번 호 : OMW-0083   일 시 : 90 0408 1240

수 신 : 장 관(국연)

발 신 : 주 오만대사

제 목 : 아국 유엔가입관련 언론 보도

　　금 4.8.자 주재국 영문일간지 OMAN DAILY OBSERVER 지 및 TIMES OF OMAN 지는 아국의 유엔가입 메모랜덤 유엔 안보리 배포관련 '한국, 유엔가입 추진' 제하, 뉴욕발 로이터 통신 기사를 인용 보도한바, 요지 아래와 같음(기사 파편송부예정).

　　0 한국은 유엔 안보리 의장앞 메모랜덤에서 남.북한 유엔 별도 가입이 궁극적 통일 목표에 지장을 줄 것이라는 북한측 주장을 거부함.

　　0 한국은 연내 남.북한 동시 가입을 아직도 희망하고 있으나, 북한측이 계속 반대 할 경우, 제 46차 총회 개막이전 단독가입을 위한 필요조치를 취할 예정임.

　　0 한국의 유엔 가입이 더이상 지체되어서는 안된다는 것이 국제사회의 공통 인식이되었음.

　　0 한편, 한국의 유엔가입의 유일한 장애는 중국의 거부권임. 그러나, 한.중 양국은 최근 제한적이긴 하지만 영사기능을 갖는 무역대표부를 교환하였음. 북경정부는 그간 거부권 행사를 많이 하지 않고, 과거 2번 행사한바 있으나, 한국 문제에 대해서는 행사한 적이 없음.끝

　　(대사 강종원-국장)

국기국　ㅣ차l범　정의조

PAGE 1   91.04.08   21:15 CT

                                        외신 1과 통제관

                                                        0050

관리 91
번호 -467

원 본

외 무 부

종 별 :

번 호 : JOW-0360

일 시 : 91 0408 1530

수 신 : 장 관(국연,중동이)사본:주 유엔대사 : 중계필

발 신 : 주 (요르단)대사

제 목 : 유엔 가입교섭

대:EM-9,11

1. 본직은 금 4.8. 주재국의 MASRI 외상을 방문, 대호 아국의 유엔가입문제에 관한 정부 각서를 수교하고 아국의 입장과 북한의 단일의석안의 비현실성 설명 과정에서 북한의 태도변화를 위해 공개적으로 지지해줄것을 당부한바, 동외상은 아국의 입장을 전적으로 지지하며 북한측의 안은 유엔헌장이나 현실적으로 봐서라도 실현 가능성이 전혀없는 안이라고 단정하면서 명 9 일 신임 북한대사의 신임장 사본을 접수하는 자리에서 동대사에게 한국측의 안을 설명, 설득하겠다고 말하였음

2. 또한 동외상은 유엔총회에서의 한국입장 지지 선언문제도 한국측과 긴밀히 협조해 나가겠다고 하였음

(대사 박태진-국장)

예고:91.12.31. 일반
고문에
의거 인 ... 서 ... 해운됨

검토필(1991. 6. 30)

국기국   장관   차관   1차보   2차보   중아국

원 본

외 무 부

종 별 :

번 호 : UNW-0829

일 시 : 91 0408 1700

수 신 : 장관(국연,중동2)

발 신 : 주 유엔 대사

제 목 : 주유엔 이집트 대사면담

1. 본직은 금 4.8. AMRE MOUSSA 주유엔 이집트대사를 접촉, 안보리문서를 통해 밝힌 아국의 년내가입 추진계획과 이에대한 중.소의 태도를 설명하고 이집트의 적극적인 지원을 당부하였음.

2. 이에대해 MOUSSA 대사는 이집트로서는 남. 북한 동시가입은 물론 아국의선단독가입 신청에 대해서도 이를 찬성하는데 아무런 문제가 없음을 분명히 하였음.

3. 한편 한-이집트 양국관계 개선문제와 관련, 본직이 양국간의 실질관계 심화추세와 걸프사태에 대한 남. 북한의 대응자세등 제반요인을 고려하여 주유엔이집트 대표부로서도 양국관계 조기 정상화를 위해 가능한 측면지원을 제공하여 줄것을 당부한바, MOUSSA 대사는 애급정부로서도 걸프사태에 대한 남. 북한의입장등을 주지하고 있다고 하면서 자신으로서도 가능한 노력을 아끼지 않겠다고 말함. 끝

(대사 노창희-국장)

예고:91.12.31. 일반문에

검토필(1991. 6. 30)

국기국	장관	차관	1차보	2차보	중아국	청와대	안기부

91.04.09   07:46

외신 2과 통제관 BW

0052

원 본

외 무 부

관리
번호

종   별 :

번   호 : UNW-0836   일   시 : 91 0408 2230

수   신 : 장관(국연,중동2)

발   신 : 주 유엔 대사

제   목 : 유엔가입추진

1. 표제 당관 금참사관은 4.8. 주유엔 예멘대표부의 AL-ALFI 대사및 알제리대표부의 BENJAMA 참사관을 각각 접촉, 안보리문서로 배포된 아국의 년내 가입추진계획을 설명하고 이에대한 지지를 요청함.

2. 이에대해 AL-ALFI 대사는 아국의 년내가입 추진방침이 확고한 것인지를 재확인하면서 아국입장을 본부에 보고하겠다고 말함. 동 대사는 이어본건, 아국정부가 주예멘 아국대사관을 통해 자국정부(가능하면 대봉령)와의 접촉을 강화해줄것을 요망하여 왔음.

3. 한편 BENJAMA 참사관은 아국입장을 본부에 보고하겠다고 말함. 끝

(대사 노창희-국장)

예고 : 91. 12. 31. 일반고문에 의거 일반문서로 재분류됨

검토필(1991. 6. 30)

국기국   장관   차관   1차보   중아국   청와대   안기부

관리 91
번호 －2220

원 본

외 무 부

종 별 :

번 호 : AEW-0226   일 시 : 91 0409 1300

수 신 : 장관(국연),사본:주UN대사-필

발 신 : 주 UAE 대사

제 목 : 유엔가입대책

대:EM-0009

1. 대호, 소직은 금 4.8. 외무성 정무국장(차관대행) AL KINDI'를 접촉, 대호 메모랜덤을 전달하고 금차 UN 총회시에는 아국입장을 보다더 적극지지하여 줄것을 요망하였음(작년총회시 한국문제에관하여 처음으로 언급하였으나 중도적이었음)

2. 이에 동국장은 한국이 금번 걸프전시 국제평화에 기여한점을 높이 평가한다하고 모든 여건이 금차 UN 총회시 한국의 UN 가입에 유리한 위치에 놓이게 되었다고 평가하는 동시 주재국도 한국의 입장을 이해하고 지지토록 상부(장관)에 건의하겠다 하였음을 보고함. 끝.

(대사 박종기-국장)

예고:91..12.31 일반 고문에 의거 일반문서로 재분됨

검토필(1991.6.30)

국기국   차관   1차보   2차보   중아국   청와대   안기부

PAGE 1   91.04.10   00:16
                                        외신 2과 통제관 CF
                                            0054

원 본

외 무 부

관리 9/
번호 ─22/7

종   별 :

번   호 : OMW-0085   일   시 : 90 0409 1310

수   신 : 장관(국연,중동일,사본:주유엔대사-필)

발   신 : 주 오만 대사

제   목 : 유엔가입 추진 교섭

대 EM-0009,0011,0013

1. 본직은 금 4.9. 10:30 주재국 외무부 NAZAR MOHAMED ALI AL-SHAIKH 신임 국기국장(전 주소대사)을 면담, 대호 메모랜덤을 수교하고 금년도 아국의 유엔 가입에 관한 입장을 상세히 설명함과 동시 적극적인 지지를 요청하였음.

2. 동국장은 주재국이 예년과 같이 아국의 유엔가입을 지지하는데 변함이 없을 것이라고 전제하면서 신임국장으로서 동문제에 관해 많은 것을 알고자하여 본직은 대호(EM-0013)에 따라 상세히 설명하였음.

3. 특히 본직은 주재국과 같은 우방국의 적극적인 지지가 중국측의 긍정적인 태도 유도에 긴요함을 강조한 바, 동국장은 적극 협조하겠다고 말하였음. 끝

(대사 강종원-국장)

예고 91,12,31. 일반고문에
의거 인편문서로 재분됨

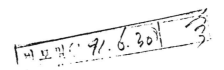

국기국   장관   차관   1차보   2차보   중아국   청와대   안기부

관리	91
번호	-2248

외 무 부

종 별 :

번 호 : OMW-0086   일 시 : 90 0409 1320

수 신 : 장관(중근동,국연)

발 신 : 주 오만 대사

제 목 : 외무부 아주국장 면담

　　본직은 공관장회의 참석 귀국에 앞서 인사차 금 4.9. 10:00 주재국 외무부 AL TOOBI 아주국장을 면담한 바, 요지 아래 보고함.

　　1. 강영훈 특사 일행 주재국 방문 일정 변경에 양해를 구하고 협조를 요청한 바, 동국장은 현재 새로운 일정을 왕실부에 통보하고 대기중에 있으며, 금번 특사 방문이 실현되어 양국간 우호증진에 기여하게 되기를 희망한다고 말함.

　　2. 본직이 아국의 유엔가입에 관한 메모랜덤 사본을 수교하고 적극적인 지지를 요청한 바 동국장은 한국의 유엔가입은 한국의 고유한 주권행사에 속하는 것으로 지지함이 당연한 일이 아니겠느냐고 언급하였음.

　　3. 동국장은 과거 4 년반의 주한대사 재직시 당시 외무차관으로 재직중이었던 이상옥 장관님께 각별한 안부전달을 요망하였음. 끝

　　(대사 강종원-국장)

예고 : 91. 12. 31. 에 일반문고문에 의거 인반문서로 재분류됨

검토필(1991. 6. 30)

중아국	장관	차관	1차보	2차보	국기국

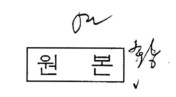

관리	91
번호	—2231

외 무 부

종 별 :

번 호 : MTW-0093

일 시 : 91 0409 1515

수 신 : 장관(국연) 사본:주유엔대사

발 신 : 주 모리타니 대사대리

제 목 : 유엔가입관련 정부각서

대:EM-0009,0011

1. 본직은 금 4.9 주재국 외무성 NECHE 국제기구국장을 면담, 대호각서를 수교한후 아국의 유엔가입의 당위성및 북한의 단일의석 가입안이 실현불가능 한것임을 설명하고 지지를 요청함.

2. 동 국장은 한국의 유엔가입문제에 대한 모리타니 정부의 지지입장에 변함이 없다고말함. 끝.

(대사대리김원철-국장)

예고:91.12.31 일반 고문에 의거 단반문서로 재분류됨

검토필(1991. 6. 30)

국기국	장관	차관	1차보	2차보	청와대	안기부

PAGE 1

91.04.10   08:11
외신 2과 통제관 FE
0057

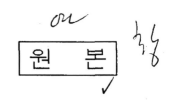

외 무 부

종 별 :

번 호 : MOW-0178 일 시 : 91 0410 1220

수 신 : 장 관(국연,정문,중동이,정일)

발 신 : 주 모로코 대사

제 목 : 유엔가입관련기사 (자료응신 제33호)

대:EM-0009

4.8자 주재국 관영통신 MAP 지는 주유엔대표부가 안보리에 제출한 메모랜덤의 내용을 게재, 북측이 동시가입을 끝내 반대할경우 한국은 오는 9월 단독 가입을 신청할예정이며 독일 예멘의 경우를 보더라도 동시가입이 통일의 원칙에 위배되지 않으며 한국이 압도적으로 많은 나라와 외교관계를 가지고 있다고 보도함.끝

(대사이종업-국장)

국기국	1차보		중아국	정문국	정문국	정와대	안기부

원 본

관리 91
번호 -2266

외 무 부

종   별 :

번   호 : CAW-0492   일   시 : 91 0410 1515

수   신 : 장관(국연,중동이,사본:UN 대사및 주카이로총영사)(중계필)

발   신 : 주 카이로 총영사대리

제   목 : UN 가입 정부각서

대:EM-0009,0011

　　1. 4.1., 소직은 주재국 외무부 UN 담당 ZAHER 공사를 방문, 대호 아측 입장설명과 각서를 수교하면서 주재국측의 적극적 지지를 요청하였음.

　　2. 동 공사는 아측 요청을 호의적으로 검토할 것이라 하면서 가입 신청이 결정되는 대로 다시 알려 줄것을 요망함.

　　3. 본건 수시 협조 다짐하고 특기사항 있을시 결과 보고하겠음. 끝.

(총영사 대리 공선섭-국장)

예고:1991.12.31. 일반고문에 의거 인민군서도 재군됨

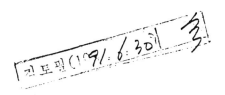

국기국	장관	차관	1차보	2차보	중아국	중아국	청와대	안기부

PAGE 1   91.04.10   23:31

원 본

관리	91
번호	~2303

외 무 부

종 별 :

번 호 : UNW-0861   일 시 : 91 0410 1830

수 신 : 장관(국연,중동이)

발 신 : 주 유엔 대사

제 목 : 유엔가입추진 교섭(요르단)

대:WUN-0800

1. 당관 금참사관은 4.9 요르단 대표부의 SAMIR NAOURI 공사를 접촉, 표제 아국입장과 대호 MASRI 외상의 아국입장지지 약속을 설명하고 요르단 대표부의 적극적인 지원활동을 요청하였음.

2. 이에대해 NAOURI 공사는 요르단으로서는 MASRI 장관의 언급과같이 앞으로도 아국입장을 지지할것이라고 하면서 가능한 지원을 아끼지 않겠다고 말함. 끝

(대사 노창희-국장)

예고:91.12.31. 일반 고문에
의거 일반문서로 재분됨

검토필(1991.6.30)

국기국	장관	차관	1차보	2차보	중아국	청와대	안기부

PAGE 1   91.04.11   08:44
                                                    외신 2과 통제관 BW

0060

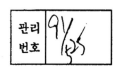

외 무 부

종 별 :

번 호 : UNW-0862   910412 1015 FO

일 시 : 91 0410 1830

수 신 : 장관(국연,중동일)

발 신 : 주 유엔 대사

제 목 : 유엔가입 추진교섭(이란)

1. 당관 금참사관은 금 4.10 RAVANCHI 이란대표부 참사관을 접촉, 표제 안보리문서 내용을 설명하고 이란의 적극적인 지지와 대북한 설득노력을 요청하였음.

2. 이에대해 동참사관은 이란의 입장은 그간 기본적으로 유엔가입문제가 남.북한간의 합의에 의해 해결되기 바란다는 것이었으며 금번 안보리문서에 대한 입장은 아직 결정된 바 없으나 자신의 판단으로는 아국의 선가입 신청이 안보리에서 채택되는경우 총회 표결시 이란은 찬성할 것으로 본다고말함.

3. 금참사관은 특히 이란의경우, 북한의 대이란 관계 중시입장을 활용하여 북한에대해 아국과 함께 유엔에 가입토록 촉구하여 줄것을 요청한바, 동참사관은사실 본건 관련 북한측이 적극적으로 자국을 접촉해 오고있다고 하면서 아측의설명과 요청내용을 즉시 본국에 보고하겠다고 말함. 끝

(대사 노창희-국장)

예고:91.12.31. 일반

국기국	장관	차관	1차보	2차보	중아국	청와대	안기부

원 본

외 무 부

관리 번호	9/ -2302

종 별 :

번 호 : UNW-0863　　　　　　　　　　일 시 : 91 0410 1830

수 신 : 장관(국연,중동일)

발 신 : 주 유엔 대사

제 목 : 유엔가입추진교섭(오만)

　　대:WUN-0832

　　1. 당관 금참사관은 금 4.10 주유엔 오만대표부의 RAHMA 1 등서기관(차석)을 접촉, 그간 오만의 적극적인 아국입장 지지에 사의를 표하고 오만의 적극적인측면지원을 당부함.

　　2. 이에 RAHMA 서기관은 아국의 안보리문서 내용을 이미 본부에 보고한바있으며 오만의 아국입장 지지 방침에는 아무런 변화가 없을뿐아니라 타 GCC 국가들도 이를 지지할것으로 본다고하면서 GCC 국가들은 걸프사태 해결을 위한 아국의 기여를 높이 평가하고 있다고말함.

　　3. 금참사관은 이어 대호 주오만대사의 대주재국 접촉 내용을 설명하고 특히 AL-SHAIKH 신임 국기국장에게 아국의 유엔가입 입장및 유엔내 분위기등을 상세히 보고해 줄것을 요청한바, 동인은 금일 면담내용과 함께 이를 곧 본부에 보고하겠다고 말함. 끝

　　　(대사노창희-국장)

예고:91.12.31. 일반고문에 의거 일반문서로 재분류됨

검토필(1991.6.30)

국기국	장관	차관	1차보	2차보	중아국	청와대	안기부

91.04.11　　08:36
외신 2과　통제관 BW
0062

원 본

관리	91
번호	—2301

외 무 부

종 별 :

번 호 : UNW-0864

일 시 : 91 0410 1830

수 신 : 장관(국연,중동일)

발 신 : 주 유엔 대사

제 목 : 유엔가입추진교섭(리비아)

　　1.　당관 금참사관은 금 4.10 리비아대표부의 ALMUAKKAF 공사를 접촉, 표제건 아국입장을 설명하고 리비아의 지지와 대북한 설득노력을 당부함.

　　2.　이에대해 동인은 아국입장과 요청내용을 잘알겠으며 이를 곧 본부에 보고하겠다고 말함. 끝

　　(대사 노창희-국장)

예고:91.12.31. 일반 고문에 의거 단난는서도 ..라문법

검토필(1991.6.30)

국가국	장관	차관	1차보	2차보	중아국	청와대	안기부

PAGE 1

91.04.11　　08:36

외신 2과 통제관 BW

0063

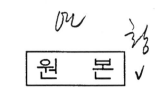

관리
번호 91 -2305

원 본 √

외 무 부

종 별 :

번 호 : UNW-0862   일 시 : 91 0410 1830

수 신 : 장관(국연,중동일)

발 신 : 주 유엔 대사

제 목 : 유엔가입 추진교섭(이란)

1. 당관 금참사관은 금 4.10 RAVANCHI 이란대표부 참사관을 접촉, 표제 안보리문서 내용을 설명하고 이란의 적극적인 지지와 대북한 설득노력을 요청하였음.

2. 이에대해 동참사관은 이란의 입장은 그간 기본적으로 유엔가입문제가 남.북한간의 합의에 의해 해결되기 바란다는 것이었으며 금번 안보리문서에 대한 입장은 아직 결정된 바 없으나 자신의 판단으로는 아국의 선가입 신청이 안보리에서 채택되는경우 총회 표결시 이란은 찬성할 것으로 본다고말함.

3. 금참사관은 특히 이란의경우, 북한의 대이란 관계 중시입장을 활용하여 북한에대해 아국과 함께 유엔에 가입토록 촉구하여 줄것을 요청한바, 동참사관은사실 본건 관련 북한측이 적극적으로 자국을 접촉해 오고있다고 하면서 아측의설명과 요청내용을 즉시 본국에 보고하겠다고 말함. 끝

(대사 노창희-국장)

예고!91.12.31. 일반고문에
의거 인반문서로 재분됨

검토필(1991.6.30)

국기국   장관   차관   1차보   2차보   중아국   청와대   안기부

관리 91
번호 -2241

분류번호	보존기간

발 신 전 보

WYM-0142   910410 1928 FL

번   호 :   종별 :

수   신 : 주   예멘   대사. 총영사///

발   신 : 장 관   (국연)

제   목 : 유엔가입 추진

연 : WYM-0121

　　　주유엔 예멘대표부 AL-ALFI 대사는 4.8(월) 주유엔 금참사관과의 면담

에서, 한국의 연내가입 추진방침이 확고한 것인지를 재확인하면서 한국입장을

본국에 보고하겠다고 말하고, 귀관을 통해 본국정부(가능하면 대통령)와의

접촉을 강화해 줄 것을 요망하였는 바, 연호 교섭에 참고바람.　　　끝.

예 고 : 1991.12.31. 일반문에 의거 ...

(국제기구조약국장 문동석)

검토필(1991. 6. 30)

		보 안 통 제	

앙고재	91년 4월 10일	기안자 성명	과 장	국 장	차 관	장 관		외신과통제

관리	9/
번호	-234

외 무 부

종 별 :

번 호 : YMW-0234

일 시 : 91 0410 2300 ₩

수 신 : 장 관(국연,중근동)

발 신 : 주 예멘 대사

제 목 : 유엔 가입

대:EM-0011, WYM-0134,0140,0142

연:YMW-0288(90.2.25)

1. 본직은 4.10 대호 MEMORANDUM (아랍어 번역문 첨부)을 주재국 외무 담당국무장관 DALI 박사(전 남예멘 외무장관)에게 전달하고, 아국의 입장에 대한 이해와 지지를 요청하였던바, 이에 대한 동 장관의 언급 요지는 아래와 같음.

가. 유엔 가입 문제는 당사국국과 유엔간의 문제임. 예멘은 남. 북한 양국이 다같이 유엔에 가입하기를 희망하며, 대호 MEMORANDUM 을 검토해서 이에 대한 예멘의 입장을 결정하겠음 다만 예멘은 남. 북한 양국과 공히 우호적인 관계를 유지하고 있어 어느 일방으로부터도 오해를 야기시키지않키를 원하고 있음.

나. 우리는 독일과 예멘의 예를 적시, 분단국이 각각 유엔에 가입한것이 통일에 지장이 되지않았다는 사실을 북한측에 납득(CONVINCE)시키는데 노력하겠음.

다. 예멘 정부는 금번 최 광수 대통령 특사의 방예를 환영함.

2. 이자리에서 동 장관은 현재 한-예멘 쌍무관계가 만족스럽다고 전제한 다음, 예멘 경제 개발의 시급성을 언급, 아국이 예멘의 경제 개발 사업에 차관 제공 가능성을 문의하였는바, 이에대해 본직은 주재국 남부 예멘 도로공사에 아국이 차관지원을 검토중에 있으며, 아덴 자유 지역개발에 대해서는 관계 법령의 정비가 완료되는데로 아국의 민간 기업에 알려 참여를 권장하겠다고 말함.

3. 평가

가. DALI 장관의 상기 발언은 제 45 차 유엔 총회 향발직전 가진 본직과의 면담시 밝힌 입장과 대동소이하나, 아국의 입장지지 요청에 대해 확언못하는 이유를 굳이 언급한점에서 약간의 유연성을 감지할수 있었음.

나. 이어서 특히 남부 예멘 경제 개발의 시급성을 들어 아국의 차관

국기국	차관	1차보	2차보	중아국	청와대	안기부

제공을간접적으로 요청헌것은, 아국의 경제 지원여하에 따라서 아국의 유엔 가입 관련
주재국의 입장에 다소의 변화 가능성을 시사한것으로 보임.끝.

(대사 류 지호-국장)

예고문91 : 12. 31.에 일반고문에
의거 인턴근처로 분문됨

검토필(1991. 6. 30)

관리 91
번호 -2340

외 무 부

종 별 :

번 호 : UNW-0880   일 시 : 91 0411 1830

수 신 : 장관(국연,중동일)

발 신 : 주 유엔 대사

제 목 : 주유엔 사우디 대사접촉

1. 본직은 4.11 SAMUI SHIHABI 주유엔 사우디 대사를 접촉, 아국의 년내 유엔가입 추진방침과 안보리문서에 대한 각국의 긍정적인 반응을 설명하고 사우디의 계속적 협조를 요청하였음.

2. 이에대해 SHIHABI 대사는 사우디는 한-사우디간의 돈독한 우호관계를 감안, 아국이 원하는 어떠한 가입방식이라도 이를 분명히 지지할 것이라고 말하고 중. 소의 예상태도를 문의함.

3. 본직은 소련의 경우 아국가입에 결코 반대하지는 않을것이며 "고르바쵸프" 의 방한등 양국관계의 급속한 발전에 따라 이에 찬성하게 될 가능성도 있는것으로 말하고 , 중국은 아직 명확한 태도를 밝히지 않고 있으나 중국이 반대하지 않도록 모든 교섭노력을 전개하고 있다고 설명하였음. 본직은 이어 이러한 대중국 설득을 위해서는 무엇보다도 주요 회원국의 명시적인 아국입장 지지 표명이 긴요한바, 사우디 외에도 모든 GCC 회원국이 아국입장을 지지하고 있을뿐 아니라 최근 걸프사태 해결을 위한 아국의 적극적인 기여를 높이 평가하고 있는만큼, GCC 주도국인 사우디가 주동이 되어 아국가입에 대한 지지를 공동으로 표명하도록 협조하여 주기를 요망하였음.

4. SHIHABI 대사는 아국의 가입을 위해서는 안보리 표결시 중.소의 기권만 확보해도 충분할 것으로 본다고 말하고 (소련의 아국지지 가능성에 대하여는 약간 회의적), GCC 의 공동입장 표명에 대하여는 우선 시기적으로 아국이 가입신청을 제출해야만 각국이 이에대한 공식입장을 표명하게 될것이므로 지금보다도 가입신청 제출후 시점에서 이를 추진함이 좋을것이며 이러한 문제는 뉴욕에서 보다는 리야드 소재 GCC 사무국에서 다루도록 하는것이 적절할 것으로 생각한다고 하면서 아국의 요청을 유념, 가능한 지원을 고려하겠다고 말함. 끝

(대사 노창희-국장)

국기국	장관	차관	1차보	2차보	중아국	정와대	안기부

PAGE 1

91.04.12   08:34
외신 2과 통제관 FE
0068

예고:191.12.31. 일반 고문에
의거 인민 서

검토필('91.6.30)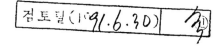

관리 91
번호 ─2400

외 무 부

종 별 :

번 호 : SSW-0179   일 시 : 91 0412 1650

수 신 : 장관(중동이,경이,통이,국연)

발 신 : 주 수 단대사

제 목 : 한.수 공동위 개최등

대:WSS-0107,0103 및 EM-0009

1. 본직은 금 4.10 ALI SAHLOUL 외무장관을 예방(당초 4.9 예방일정이 수단측 사정으로 연기됨)하여 한. 수 공동위 개최 및 유엔가입문제등을 협의한 바, 요지를 보고함.(당관의 김재국 참사관과 외무부의 MASHMOUN 아주국장대리가 배석)

2. 공동위 수석대표:SAHLOUL 외무장관은 수단측 공동위 수석대표로서 대표단을 인솔 방한하여 개, 폐회식등에만 참석하고, TAJ MUSTAFA 공업장관겸, 부자청장(CHAIRMAN OF PUBLIC INVESTMENT CORPORATION)이 교체수석이 되어 부자문제등 실제토의에 참가토록 할 의도라고 함.

3. 방한시기:잠정적으로 8.17(토)에 당지 출발,18(일)또는 19(월)에 서울 도착하여 도착익일부터 회의에 들어가는 일정을 제의하여 왔음.

4. 대표단 구성및 의제: 대표단은 외무부, 공업부, 상업부, 재무경제기획부,민항국(CIVIL AVIATION DEPARTMENT: 항공협정체결 관련)등 관계부처의 대표 7 명정도로 구성되며, 의제등은 금일 관계부처 회의를 거쳐 명일 당관에 통보하겠다고 함.

수단측은 상기 당관에 제의한 사항을 주한 BASHIR 대사를 통하여 본부에도 직접 통보하겠다고 하고, 본직의 귀임후 상세 협의하자고 함.

5. 유엔가입문제:SAHLOUL 외무장관은 본직으로 부터 대호 4.8 자 안보리문서로 배포된 아국 정부 메모랜담 내용을 설명받고, 한반도 통일이전 남, 북한 유엔가입의 당위성, 북한 주장(단일의석안)의 비현실성, 비실용성등에 전적으로 동의한다고 함. 동 장관은 또한, 본직이 아국의 유엔가입방안에 대한 수단정부의 공개적 지지방법으로서 금번 공동위 개회식 또는 폐회식 연설에서 이를 언급토록제의 한데 대하여, 이를 적절한 방법이라고 호의적 반응을 보였음. 끝.

───
중아국   차관   1차보   2차보   국기국   경제국   통상국

(대사 이우상 -차관)

예고: **91 . 12 . 31 . 일반** 예고문에
의거 일반문서로   급

점 표 판 (1991. 6. 3 에)

관리 91
번호 ~2382

원 본

외 무 부

종 별 :

번 호 : UNW-0893

일 시 : 91 0412 1830

수 신 : 장관(국연,중동이)

발 신 : 주 유엔 대사

제 목 : 유엔가입 추진교섭(리비아)

1. 본직은 4.12 ALI TREIKI 주유엔 리비아대사를 접촉, 표제건 아국 입장과각국의 반응등 현황을 설명하고 리비아의 지지와 협조를 요청하였음.

2. TREKI 대사(1986 외상재임시 방한)는 리비아는 유엔의 보편성원칙을 지지하며 남. 북한 동시가입이 최선의 방안이라고 보나 아국의 선단독 가입도 반대하지 않는다고 말하고 북한의 분단 영구화 주장은 근거가 없는 것으로 생각한다고하면서 자국이 북한과도 우호관계를 유지하고 있으므로 주유엔 북한대사를 통해동시가입을 권유해 보겠다고 말하였음.

3. 동 대사는 이어 본직이 리비아가 상기한 아국지지 입장을 적절한 방법으로 공개적으로 밝혀줄것을 요망한데 대해 직접적인 언급대신 리비아가 현재 마그레브 그룹의 의장국인 만큼 그룹내 국가들과 공동보조가 가능할지 협의해 보겠다고 대답함. 끝

(대사 노창희-국장)

예고991.12.31. 일반문에 의거 일반문서로 재분됨

검토필(1991.6.30)

국기국	장관	차관	1차보	2차보	중아국	청와대	안기부

외 무 부

원 본 ✓

종 별 :

번 호 : UNW-0905

일 시 : 91 0415 1220

수 신 : 장관 (국연,중동이)

발 신 : 주 유엔 대사

제 목 : 유엔가입 추진교섭 (모로코)

대: WUN-0776

1. 본직은 4.15. ALI SKALLI 주유엔 모로코대사를 접촉, 표제건 아국입장 및 각국의 태도를 설명하고 모로코의 적극적인 지지와 마그레브 그룹의 공동입장 표명 추진을 요청하였음.

2. 이에대해 동대사는 모로코 로서는 양국의 우호관계를 생각하더라도 아국입장을 지지한다고 하면서 마그레브 그룹의 공동입장 표명문제 역시 모로코 로서는 이에 협조할 용의가 있으나 회원국중 알제리. 튜니시아등이 어떻게 생각할지가 문제일것으로 생각한다고 말함. 끝

(대사 노창희-국장)

예고:1991.12.31.에 일반고문에 의거 인반문서로 재분됨

검토필(1991.6.30)

국기국   장관   차관   의전장   중아국   청와대   안기부

원 본

외 무 부

관리
번호 91 -24/23

종 별 :

번 호 : IRW-0339   일 시 : 91 0415 1630

수 신 : 장관(국연,중동일,사본:주유엔대사,정경일주이란대사-필)

발 신 : 주 이란 대사대리

제 목 : 유엔가입

대:1)EW-0009,2)WIR-0326

당관 김서기관은 금 4.15 ABOLHASANI 주재국외무부 유엔과장 직무대리와 접촉 대호 메모랜덤을 수교하고 우리측 입장을 상세설명하였는바, 요지아래보고함.

1. 김서기관은 대호 1) 3 항의거 이란이 아국유엔가입입장을 공개적으로 지지할 경우 이는 대북한및 중국의 태도변화에 크게 기여할것이라고 언급하며, 이란의 역할이 다른어느나라보다도 특히 중요하다고 강조하였음. 동인은 주재국정부가 아측 메모란덤을 이미 다각도로 검토하고있으며 가입신청시까지는 아직 수개월이 남아있으므로 그동안 대북한 중국설득노력을 가능한 계속하겠으며 발전적 양국관계에 비추어서도 아측요구가 수용될수있도록 하겠다고 언급하며 그러나 주재국정부의 기본입장이 아측입장을 적극적인 관점에서 모색하고있음을 확실하다고 언급하였음. 또한 동인은 아측가입안 신청시 안보리 토의과정에서 쏘측은 현재의 한-쏘관계를 고려할때 이를 지지할것이 거의 분명하며 중국측도 현금의 국제정세의 분위기속에서 강력히(또는 명시적으로) 반대하기는 어려울것이므로 안보리통과가 그렇게 우려되지는 않는다고 설명하였음. (오히려 동인은 중국이 거부권을 행사할수있는 가능성을 아측이 어느정도 심각하게 보고있는가에 관심을 표하며 중국도 분명 변하고있다고 설명하였음)

2. 김서기관이 최근 국제정세변화속에서 주재국의 대아국입장에도 긍정적변화가 나타나고있는것으로 감지된다고 언급하며 이에대한 코멘트를 요청하였는바 동인은 사견임을 전제 북한측을 전혀의식하지않을수없다고 설명하며 금 H 나 주재국 정부도 아측입장이 북한측입장보다 더설득력이있다고 보고있으며 따라서 아국의 유엔가입당위성을 인정하는 추세로 나아가고있다고 솔직히 설명하였음. 또한 대호 2) 유엔대표부 RAVANCHI 참사관의 언급내용(총회표결시 이란은 찬성할것임) 에 대해서도

국기국   장관   차관   1차보   2차보   중아국   청와대   안기부

PAGE 1   91.04.16   00:49
                                            외신 2과   통제관 CF
                                                      0074

동인도 그렇게 생각한다고 말하였음. 끝

(대사대리-국장)

예고:1991.12.31.일반문에
의거 인반문서   정

검토필(1991.6.30)

원 본

```
┌─────────┐
│ 관리 │ 91 │
│ 번호 │ ─284?6 │
└─────────┘
```

외 무 부

종 별 : 긴 급

번 호 : IRW-0340   일 시 : 91 0415 1630

수 신 : 장관(국연 중동일)

발 신 : 주 이란 대사대리

제 목 : 전문내용 정정

　　　연:IRW-0339.

　　　연호 전문내용을 다음으로 정정한후에 배포바람.

　　　다음

　　　1. ITEM 1 내용중

　　　"동인은 주재국정부가" 부터 "수용될수 있도록 하겠다고 언급하며" 까지를 다음으로 정정바람.

　　　" 동인은 주재국정부가 아측 메모란덤을 이미 다각도로 검토하고 있으며 발전적 양국관계에 비추어서도 주재국정부가 아측요구를 수용할수있도록 상부에 보고하겠다고 말하며"

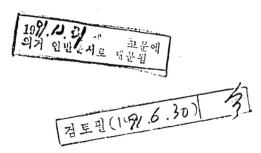

국기국　　중아국

관리 번호	91 -2433			원 본

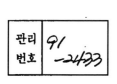

외 무 부

종 별 :

번 호 : UNW-0911   일 시 : 91 0415 2130

수 신 : 장관(국연,중동일)

발 신 : 주 유엔 대사

제 목 : 유엔가입추진교섭(이란)

1. 본직은 금 4.15 KAMAL KHARRAZI 주유엔 이란대사를 접촉, 표제건 아국입장과 안보리 문서제출이후 이에대한 각국의 긍정적인 반등등을 자세히 설명하고 이란의 구체적인 지지입장 표명을 요청하였음.

2. 이에대해 KHARRAZI 대사는 아국입장을 잘 이해한다고 하면서 아국이 제출한 안보리 문서내용을 이미 본부에 보고하고 이에대한 지침을 기다리고있다고 말함.

3. 본직은 동대사에게 아국대사관의 대주재국 교섭내용과 아국의 특사파견계획을 알려주면서 이란이 남. 북한과 공히 우호관계를 유지하고있음은 잘알고 있으나 유엔가입문제는 보편성원칙에 따른문제 인만큼, 이란의 대남. 북한 관계와는 별개의 성격임을 강조하고 남. 북한과 동시 수교국인 다수의 유엔회원국이 이러한 원칙에 입각하여 아국가입의 당위성을 지지하고 있는 유엔내 분위기를 감안하여 아국가입을 지지토록 적극 건의해 줄것을 축구하였음. 끝

(대사 노창희-국장)

예고:91.12.31. 일반 고문에
의거 인반문서로 재분류됨

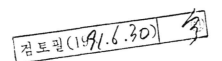
검토필(1991.6.30)

국기국	장관	차관	1차보	2차보	중아국	청와대	안기부

PAGE 1   91.04.16   11:06
외신 2과 통제관 FE
0077

관리 9/
번호 ―2499

외 무 부

종 별 :

번 호 : UNW-0958

수 신 : 장관(국연,중동이)

발 신 : 주 유엔 대사

제 목 : 유엔가입 추진교섭

일 시 : 91 0417 2145

대:WUN-0837

1. 당관 금참사관은 4.17 KANE KHARASS 주유엔 모리타니아 대표부 참사관을접촉, 표제건 아국입장을 설명하고 COSTA RICA 대표부의 안보리 문서사본을 수교하면서 아국입장에 대한 지지를 공개적으로 표명하여 줄것을 요청하였음.

2. 이에대해 KHARASS 참사관은 모리타니아는 아국입장을 지지하며 총회 표결시 이에 찬성하게 될것이나 공개적인 입장 표명은 중국과의 긴밀한 관계상 어려움이 있지 않을까 본다고 말함.

3. 한편 마그레브 그룹의 공동입장 표명에대해 동 참사관은 마그레브그룹이최근 걸프사태와 관련 상호 입장을 달리한바 있다고 그룹내 분위기를 설명하면서 아국입장에 대한 알제리아 및 리비아의 태도가 문제일것으로 생각한다고 말함.

4. 동참사관은 본건 아측의 입장과 요청을 본부에 상세 보고하겠다고 하면서 주모리타니아 아국 대사관에서도 자국정부 접촉을 계속 강화해 주기를 당부하였음. 끝

(대사 노창희-국장)

예고:91.12.31. 일반 고 에
의거 일반문서로 재분류

검토필(1:91.6.30)

국기국   차관   1차보   2차보   중아국

관리
번호 91
-2587

외 무 부

종 별 :

번 호 : UNW-0977   일 시 : 91 0419 1800

수 신 : 장관(국연,중동일)

발 신 : 주 유엔 대사

제 목 : 유엔가입 추진교섭(바레인)

1. 당관 금참사관은 4.19 주유엔 바레인 대표부의 AL-FAIHANI 1 등서기관을 접촉,
표제건에 대한 바레인의 공개적인 지지입장 표명과 제반 측면지원을 요청하였음.

2. 이에대해 동인은 아국 아국 안보리문서 및 코스타리카의 아국지지 입장 문서를
이미 본부에 보고한바 있고, 주바레인 아국대사관에서도 자국 외무성을 접촉해왔다는
통보를 받았다고 하면서 바레인으로서는 아국 입장을 지지하나, 이의 공개적 표명등
금일 아측의 요청내용은 이를 곧 본부에 보고하겠다고 말함. 이어 AL-FAIHANI
서기관은 본건, 바레인주재 아국대사관이 자국정부를 계속 긴밀히 접촉하는것이
무엇보다 중요하다고 부언함. 끝

(대사 노창희-국장)

예고 :91, 12, 31. 일반 고문에
의가 안반문서 분됨

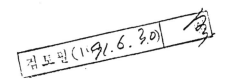

검토필(1·91.6.30)

국기국	장관	차관	1차보	2차보	중아국	청와대	안기부

관 리 번 호	91 —2588

외 무 부

종 별 :

번 호 : UNW-0978

일 시 : 91 0419 1800

수 신 : 장관(국연,중동이)

발 신 : 주 유엔 대사

제 목 : 유엔가입 추진교섭(요르단)

1. 본직은 금 4.19 ABDULLAH SALAH 주유엔 요르단 대사를 접촉, 표제건 요르단의 계속적인 지지와 협조를 당부하였음.

2. 이에대해 동대사는 한-요르단간의 긴밀한 우호관계에 비추어 보더라도 요르단의 아국 입장지지에는 아무 변함이 없다고 말하고 최근 아국정부가 걸프전피해당사국 지원의 일환으로 요르단에 대해 1,000 만불의 경협자금을 제공키로한데 대해 사의를 표명하였음.

3. 본직이 동대사의 오랜 유엔경험 (외상 2 회 역임 및 8 년째 현직재직) 에 비추어 아국 선가입 신청에대한 중국의 태도를 어떻게 보고있는지를 문의한바, 동인은 중국도 그간 유엔에서의 태도가 많이 달라진 만큼 현재와 같은 상황하에서 아국가입을 거부하지 않을 것으로 본다고 말함. 끝

(대사 노창희-국장)

예고:91.12.31. 일반문서에 의거 인반문서로 재분류됨

검토필(1991.6.30)

국기국	장관	차관	1차보	2차보	중아국	청와대	안기부

91.04.20   08:02
외신 2과 통제관 FE
0080

원 본

관리 번호	기 -2676

외 무 부

종 별 :

번 호 : CAW-0531   일 시 : 91 0423 1410

수 신 : 장관(국연,중동이)

발 신 : 주 카이로 총영사대리

제 목 : 가입추진(중국태도변화)

대:WCA-0299

4.23. 주재국 외무부 증공담당 HAWARY 공사에게 확인한바, 주재국과 증공 외무부간
정례화된 상호 교환 방문 또는 정책 협의회는 없다함. 끝.

(총영사대리 공선섭-국장)

예고:91.12.31. 일반 고급에
의거 인반문서로 재분됩

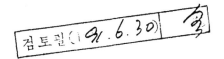

검토필(91.6.30)

국기국	차관	1차보	2차보	중아국	청와대	안기부

外 務 部

관리번호 91 -2652

원 본

종 별 :

번 호 : MOW-0194   일 시 : 91 0423 1720

수 신 : 장관(국연,중동이,사본:이종업대사(중동이경유))

발 신 : 주(모로코)대사대리

제 목 : 유엔가입문제

대:EM-0011

1. 당관 박참사관은 4.23. 외무성 베라다 국제기구국장을 면담, 아국의 유엔가입문제와 관련하여 공한으로 기 전달된 4.5. 일자 안보리 배포문서 사본을 재수교하고 모로코의 입장을 타진하였음.

2. 동 문서는 외무장관선까지 보고가 되어 모측으로서는 한국이 금추 유엔총회에 동시가입 아닌 단독가입 신청을 하더라도 한국의 가입을 적극 지지한다는 기본 입장을 이미 수립해놓고 아국의 가입신청만을 기다린다고 함.

3. 박참사관은 가입신청 이전이라도 모로코가 아국의 유엔가입을 지지한다는 의사를 적극적, 공개적으로 표명해줄 것을 요망하였는바 동인은 금차 고르바쵸프의 방한에의한 공개적인 한국 유엔가입 지지성명은 중공을 비롯한 북한의 여러 맹방에 시사해주는 바가 크다고 하면서 앞으로도 시일이 남아있는바 모로코의 점진적인 공개적 지지를 기대해볼수 있을것이라고 언급함. 끝.

(대사대리박대원-국장)

예고:91.12.31 일반문서에 의거 일반문서로 재분류됨

검토필(191.6.30)

국기국	장관	차관	1차보	2차보	중아국	중아국	청와대	안기부

91.04.24   07:38
외신 2과 통제관 DO
0082

원 본

외 무 부

관리 91
번호 -2661

종 별 :

번 호 : UNW-1017

일 시 : 91 0423 2000

수 신 : 장관(국연,중동이)

발 신 : 주 유엔 대사

제 목 : 유엔가입추진교섭(수단)

1. 당관 금참사관은 4.23. 수단대표부의 ALI 차석대사를 접촉, 표제건 아국입장과 이에대한 각국의 반응을 설명하고 수단정부의 적극적인 지지와 동 지지입장의 공개적 표명을 요청하였음. (코스타리카 안보리문서 사본수교)

2. 이에대해 ALI 대사는 표제건 아국안보리 문서내용을 본부에 보고하였던바, 본부로 부터 본건 안보리를 비롯, 유엔내 분위기를 보고하라는 지시를 받고있다고 하면서 상기 아측의 설명내용과 요망사항을 충분히 이해하겠으며 이를 적극 건의하겠다고 말함.

3. 동 대사는 이어 최근 수단의 주한 상주대사관 개설이 증명하는바와 같이 수단의 아국입장 지지에는 아무런 문제가 없다고 보나 이의 공개적 표명에대하여는 우선 본부의 반응을 보아야겠다고 말함. 한편 지역그룹의 공동입장 표명에 대해 동 대사는 수단이 유엔내 아랍그룹 및 이슬람그룹에 속해 있기는 하나 최근 걸프사태에 따른 그룹내 입장차이등으로 인해 유엔내에서의 그룹활동이 거의 정지되어 있는 상태라고 부언하였음. 끝

(대사 노창희-국장)

예고 :91.12.31. 일반고문에 의거 일반문서로 재분됨

검토필(1:91. 6. 30)

국기국	장관	차관	1차보	2차보	중아국	청와대	안기부

원 본

관리 번호	91- 2747

외 무 부

종 별 :

번 호 : UNW-1049   일 시 : 91 0425 2015

수 신 : 장관(국연,중동이)

발 신 : 주 유엔 대사

제 목 : 유엔가입 추진교섭(뷔니지아)

    1.본직은 금 4.24 AHMED GHEZAL 주유엔 뷔니지아 대사를 접촉 하였는바, 동대사는 표제건 뷔니지아로서는 한,뷔니지아 양국관계에 비추어 아국입장을 지지한다고 말함.

    2. 동대사는 이어 국제기구가입 문제는 원칙적으로 보편성원칙에 따라 처리되어야 하는 문제이지 양국관계와는 별개인 만큼 아국 가입신청시 거의 대부분의회원국이 이를 지지할것으로 보며, 따라서 중국역시 이러한 상황에서 아국가입을 저지하기 어려울것으로 본다고 말함. 끝

    (대사 노창희-국장)

예고 :91.12.31. 일반 고문에
의거 일반문서로 재분류됨

검토필(1 91.6.30)

국기국	차관	1차보	2차보	중아국	정와대	안기부

관리	91
번호	_2080

외 무 부   UN

종   별 :

번   호 : OMW-0097   일   시 : 90 0427 1330

수   신 : 장관(중동일,국연)

발   신 : 주 오만 대사

제   목 : 외무부 아주국장 면담

1. 본직은 금 4.27. 12:00 주재국 외무부 AL TOOBI 아주국장을 공관장회의 참석후 귀임 인사차 예방하고 그간 특사 방문 관련한 제반 협조에 사의를 표명함과 동시 금년도 아국의 유엔가입문제에 관해 아측입장을 설명하였던 바, 동국장은 그간 강대국의 RIVALRY 에 의해 한국의 유엔가입이 실현되기 못하여 왔는바, 이젠 국제정세가 변화되여 한국이 그위상에 상응한 국제사회의 일원이 되는것이 당연한 것으로 생각한다고 말하였음.

2. 특히 동국장은 88.6. 주재국 YOUSUF 외무장관 방한시 합의한 이래 상금 개최되지 못해온 제 1 차 WORKING GROUP 회의를 금년중에는 필히 개최되기를 희망하면서, 6 월말 "하지"성지순례및 휴가기간을 고려 금 9 월중 개최를 제의하여온바, 본직도 이에 동의하였음. 따라서 동회의를 금 9 월중 당지에서 개최하는 문제를 적극 검토하여 결과를 회시바람. 끝

(대사 강종원-국장)

예고:91.12.31. 일반고문에 의거 인반문서로 재분됨

검토필(1991.6.30)

관리
번호 | 91
-2005

외 무 부

종 별 :

번 호 : YMW-0263 일 시 : 91 0427 1400

수 신 : 장 관(중근동,국연) 사본:서울 특별시장

발 신 : 주 (예멘) 대사

제 목 : 자매 결연

대:WYM-0275

연:YMW-0377,0412

1. 연호관련, 주재국 수도 사나시측은 통일 예멘의 수도로서, 분단후 통일 독일의 수도인 백림시와 한반도의 통일을 가정한 서울 특별시와의 자매결연을 간절히 희망하고 있는바 동 사나시측이 언급한 상징적인 의미에서는 물론 현실적으로 대 주재국과의 관계 증진을 통하여 아국의 유엔 가입 관련 주재국의 지지를 획득해야할 필요성을 감안할때 동 자매결연의 적극 추진이 바람직할것으로 사료되니 긍정적으로 검토하여 주실것을 건의함.

2. 동 금번 특사 방예전 서울 특별시의 입장을 가급적 당관에 통보바람. 끝.

(대사 류 지호-국장)

예고:1991.12.31.에 일반고문에
의거 인반문서로 재분됨

검 토 필(1991. 6 30)

중아국   국기국   서울시

91.04.28   08:18
외신 2과 통제관 CA
0086

관리	9/
번호	- 2786

외 무 부

종 별 :

번 호 : YMW-0262 　　　　　　　　　　일 시 : 91 0427 1400

수 신 : 장 관(중동일, 경이, 국연)사본:농수산 장관

발 신 : 주 (예멘) 대사

제 목 : 주재국 어업성 장관 방한 초청

　　1. 한국 해외 수산(주)은 90.5 당시 남예멘 당국과 입어료 지불 조건하에 조업권을 획득한 이래 현재 주재국 남부 아덴 근해에서 트롤 어선 4 척이 활발히 조업중에 있음.

　　2. 주재국은 봉일후 석유 개발과 함께 수산 자원 개발을 적극 추진중에 있는바, 대 주재국과의 수산 자원 협력 차원에서는 물론, 아국과의 관계 증진을 봉한 아국의 유엔 가입 지지 획득을 위해서도 적절한 시기에 주재국 MR.SALEM MOHAMMED GURBAN 어업성 장관(전 남예멘 어업성 장관)의 방한 초청을 적극 검토하여주실것을 건의함.

　　(대사 류 지호-국장)

예규 91.12.31. 에 일반 고문에 의거 인반문서로 재분됨

검 토 필 (1491.6.30)

중아국 　　1차보 　　2차보 　　국기국 　　경제국 　　농수부

국 명	주 재 국	유 엔

이 란	○ 국기국장 면담(1.21)
	 - 적극적 입장에서 검토
	
	○ 외무부 북한담당관 면담(3.4)
	 - 아측입장에 이해표시
	
	○ 국제전문기구국장 면담(3.12)
	 - 긍정적으로 고려
	
	○ 국제담당차관 면담(3.18)
	 - 가입지지가 이란의 기본인식
	
	○ 유엔과장 직무대리 면담(4.15)
	               ＊ 각서수교
	 - 아국가입 인정 추세
		○ 주유엔참사관 면담(4.10)
		 - 사견으로 총회표결시
		   이란은 찬성 예상
		
		○ 주유엔대사 면담(4.15)
		 - 아국입장 이해

예 멘	○ 외무차관 면담(2.18)
	 - 가입지지에 노력하겠음.
	
	○ 국기국장 면담(3.5)
	 - 아국입장에 이해표명
	
	○ 외무담당 국무장관 면담(4.10)
	               ＊ 각서수교
	 - 동시가입 희망, 북한설득
	   약속
		○ 주유엔대사 면담(1.30)
		 - 자격이 있는 모든 국가는
		   가입해야 함.
		
		○ 주유엔대사 면담(3.28)
		 - 단독가입 이해하나 동시
		   가입이 최선
		
		○ 주유엔대사 면담(4.8)
		 - 아국입장 본부에 보고

수 단	○ 정무차관보 면담(2.20)
	 - 동시.단독가입지지
	
	○ 외무차관 면담(3.7)
	 - 동시.단독가입지지
	
	○ 국기국장 면담(3.25)
	 - 매우 긍정적으로 검토
	
	○ 외무장관 면담(4.10) ＊각서수교
	 - 남북가입의 당위성 및 북한
	   주장의 비현실성에 공감표시
		○ 주유엔 차석대사 면담(4.23
		 - 가입지지 공개표명
		   요청을 본부에 보고

모 로 코	○ 외무성 경협과장 면담(3.15)
	 - 지지입장 불변
	
	○ 국기국장 면담(4.1)
	 - 아국가입지지
	
	○ 아주국장 면담(4.3)
	 - 아국입장지지, 협조다짐
		○ 주유엔대사 면담(2.13)
		 - 가입에 협조약속
		
		○ 주유엔대사 면담(4.15)
		 - 가입지지, 마그레브
		   그룹의 공동입장
		   표명에 협조

0088

국 명	주 재 국	유 엔
	○ 외무차관 면담(4.4) 　- 가입지지 ○ 국기국장 면담(4.23) *각서수교 　- 가입 적극지지	
오 만	○ 외무장관 면담(3.23) 　- 계속 협조 약속 ○ 국기국장, 아주국장 면담(4.9) 　　　　　* 각서수교 　- 가입지지 불변 ○ 아주국장 면담(4.27) 　- 아국가입은 당연	○ 주유엔 1등서기관(차석) 　면담(4.10) 　- 아국지지 불변
알 제 리	○ 대통령외교특보 면담(4.2) 　- 가능한 협조 약속	○ 주유엔참사관 면담(4.8) 　- 아국입장 본부에 보고
튀니지아		○ 주유엔대사 면담(4.24) 　- 보편성원칙상 가입지지
바 레 인	○ 정무총국장 면담(4.7) 　- 동시, 단독가입 지지	○ 주유엔 1등서기관 면담 　　　　　(4.19) 　- 아국가입지지. 본부에 　　공개지지요청 보고
이 집 트	○ 유엔담당공사 면담(4.10) 　　　　　* 각서수교 　- 호의적 검토	○ 주유엔대사 면담(4.8) 　- 동시, 단독가입지지
요 르 단	○ 외상면담(4.8) * 각서수교 　- 가입지지, 대북설득 약속	○ 주유엔공사 면담(4.9) 　- 가입지지, 지원약속 ○ 주유엔대사 면담(4.19) 　- 가입지지
U A E	○ 정무국장(차관대행) 면담(4.8) 　　　　　* 각서수교 　- 장관에 가입지지 건의	
모리타니	○ 국기국장 면담(4.9) *각서수교 　- 가입지지 불변	○ 주유엔참사관 면담(4.17) 　- 아국가입 지지하나 　　공개적 입장표명은 　　어려움.
사 우 디		○ 주유엔대사 면담(4.11) 　- 어떤 가입방식도 지지

0089

국 명	주 재 국	유 엔
쿠웨이트	ㅇ 외무장관 면담(3.1) - 가입지지	
카 타 르	ㅇ 외무차관 면담(3.10) - 지지입장 불변, 적극협조	
리 비 아		ㅇ 주유엔공사 면담(4.10) - 아국입장 본부에 보고 ㅇ 주유엔대사 접촉(4.12) - 보편성원칙상 아국 선가입도 불반대

0030

분류기호	중동이 20005-**69**	협조문용지	결 재	담 당	과 장	국 장
문서번호		( )				
시행일자	1991. 5. 1.					
수 신	국제기구조약국장	발 신	중동아프리카국장 (서명)			
제 목	면담록 송부					

심의관 :

91.4.21-26간 방한한바 있는 모로코 상공부 장관은 4.25.

최호중 부총리겸 통일원 장관 면담시 아국의 유엔가입 지지 발언을

하였던 바, 별첨과 같이 면담록을 송부하니 귀업무에 참고바랍니다.끝.

첨부 : 면담록 1부.

0091

면 담 록

1. 일   시 : 1991. 4. 25 (목) 16:00-16:30

2. 장   소 : 부총리겸 통일원 장관실

3. 면 담 자 : 최호중 부총리겸 통일원장관

    Abdellah Azmani 모로코 상공부장관

4. 배 석 자 :

    - 아   측 : 이종업 주 모로코 대사

        양태규 중동아국 심의관

        김은석 중동2과 사무관 (통역)

    - 모로코측 : Noureddine Sefiani 주한 모로코 대사

        Ahmed El Ouardi 외무부 쌍무협력국장

5. 면담내용

    부총리 : - 모로코 상공장관으로서는 최초의 방한으로 알고

        있는바 방한을 환영함.

        - 시기적으로 봄이고 임시국회 개원, 상공, 외무

        장관의 해외출장으로 제대로 대접을 하고 있는지

        걱정스러움.

0092

　　　　　　- 일정을 보니 많은 경제계 인사들을 방문하고 생산
　　　　　　　공장 시찰도 많이 짜여져 있는바 유익한 체재가
　　　　　　　되기를 희망함.

장 관 : - 바쁜 일정중에도 저와 대표단을 만나주신 것을 영광
　　　　　　　스럽게 생각하며 한국정부의 환대에 감사드림.
　　　　　　- 금번 본인의 방한으로 양국우호관계를 재확인할 수
　　　　　　　있었음. 양국은 정치적으로는 훌륭한 관계를 유지
　　　　　　　하고 있으므로 경제관계증진에 이제 더 역점을
　　　　　　　두어야 함.
　　　　　　- 모로코는 한국이 계속적으로 눈부신 경제발전을 할
　　　　　　　것으로 믿고 있으며 추구하는 모든 정치적 목표도
　　　　　　　달성할 것으로 확신하고 있음. 모로코로서도 한국의
　　　　　　　유엔가입을 적극 지지할 것임을 밝혀드림.
　　　　　　- 본인은 금번 방한중 양국 정부지도자들이 모두 양국
　　　　　　　관계를 가일층 증진시키기 위한 의지를 가지고 있음
　　　　　　　을 확인하였음.
　　　　　　　이러한 양국간 이해관계증진을 위해 노력하고 있는
　　　　　　　이종업 대사의 노고에 경의를 표함.
　　　　　　　주한 모로코 대사도 양국간 우의증진 및 정보교환을
　　　　　　　위해 계속 열심히 노력할 것임.

- 상공부 관계자들과의 여러 면담기회를 통해 합작,
  재정협력, 교역문제 일반등에 대해 논의하였으며
  양국간 정보교환을 위한 제도적 장치마련, 정부관리
  의 교환훈련, 중소기업의 협력증진 방안에 대하여
  합의하였음.

  본인은 이와같은 한국 상공부측의 협력의지에 매우
  감사하게 생각함. 일본이 지리적 원거리에도 불구
  하고 여러분야에 걸쳐 모로코에 진출해 있는바,
  한국기업의 모로코 진출 확대도 마찬가지로 가능
  하리라고 봄. 양국관계강화를 위해서는 역시 인적
  교류가 중요한바, 이번 기회에 양국기업체가 직접
  접촉함으로써 큰 성과가 있는 것으로 알고있음.

- 이러한 제반분야 협력문제를 6월에 모로코에서 개최
  되는 양국 공동위시 더 논의하기를 희망하며 양국
  관계증진을 위한 법적인 테두리를 완결짓기 위하여
  이중과세 방지협정, 투자보장협정의 체결을 추진
  코자 함.

부총리 : - 35년 외교관 생활중 1년반 상공부차관으로 재직하였
  는바 그래서 더욱 장관의 방한을 기뻐하는 마음임.
  우리 이대사를 많이 칭찬해 주시니 고마우며 모로코
  정부도 상주대사관을 개설한 이후 훌륭한 대사를
  파견하여 양국의 거리상 문제에도 불구하고 관계가
  계속 긴밀화되고 있음.

0094

- 사우디 대사로 재임중 87년에 모로코를 방문한적이
  있는바 아름답고 많은 잠재성이 있는 나라로 느꼈음.
  앞으로 우리기업이 계속해서 진출하게 되기를 바라며
  이를 위하여 정부도 지원을 아끼지 않을것임.
  지금 한국기업은 전세계에 진출해 있는바 한국기업이
  모로코에 진출하기 위해서는 모로코 진출에 대한
  잇점을 인식시켜야 함.   이번에 기업인들을 인솔하고
  오셨으니 우리기업들에 대하여 충분히 이러한 점을
  설명할 수 있는 기회를 갖기바라며 6월 경제사절단의
  귀국 방문시에도 이러한 관점에서 충분한 설명이
  있기바람.
- 아국의 유엔가입을 지지한다는 모로코 정부의 입장에
  감사드리며 남북한의 민주적 통일노력도 계속하여
  지원하여 주시기 바람.
- 내일 떠나신다하니 이제 오늘 오후만 남은 셈인데
  유익한 방문이 되셨기를 희망하며 다시 만나뵐 수
  있기를 바람.

0095

원 본

관리 번호	91 -2887

외 무 부

종 별 :

번 호 : UNW-1110

일 시 : 91 0502 1545

수 신 : 장관(국연,중동이)

발 신 : 주 유엔 대사

제 목 : 주유엔 시리아 대사접촉

대:WUN-0494

연:UNW-2351

본직은 유엔가입 추진관련, 주유엔 시리아 대사와 접촉코자 하는바, 이에 참고코자하니, 대화 한-시리아 관계수립 및 아국의 대시리아 무상원조제공 문제등에 대한 진전사항을 알려주기 바라며 기타 지시사항이 있으면 회시바람. 끝

(대사 노창희-국장)

예고:91.12.31. 에 일반 고 단에
의거 인반문서로 재분됨

검토필(1991. 6. 3.0)

국기국	장관	차관	1차보	2차보	중아국	청와대	안기부

91.05.03   06:59

외신 2과   통제관 DO

0096

관리 번호 91 -2957

외 무 부

종 별 :

번 호 : CAW-0561   일 시 : 91 0504 1700

수 신 : 장관(중동이,중동일)

발 신 : 주 (카이로) 총영사

제 목 : 주재국정부,아국유엔가입 지지및 주한총영사관 조기설치의사 표명

연:CAW-0556

1. OSAMA EL BAZ 주재국 대통령정무수석 비서관겸 외무차관은 91.5.3(금)본직과의 면담에서 주재국 정부는 수개월내에 주한 총영사관을 설치할것이며, 아국의 UN 가입도 지지할 것이라고 언급했음.

2. 동 면담요지 아래보고함(송웅엽영사 수행)

가. 본직은 우선 4 월중순에 아국에서 개최된 노태우 대통령과 고르비 대통령과의 한. 소정상회담및 아국의 소련등 사회주의 국가와의 국교수립현황등 한반도 정세를 설명하고 한. 애 양국관계 개선시기를 더 늦출수 없다고 언급하고, 또한 금후 아국은 UN 가입신청서를 제출예정인바, 주재국 정부가 이를 지지해줄것을 요청함.

나. 동비서관은 한반도를 위요한 국제정세변화를 잘알고 있다고 말한후 북한은 무바락대통령의 공군참모총장 시절인 73.10 월 중동전쟁시 전투기및 조정사를 파견, 비아랍국가로서는 유일하게 주재국을 지원한 국가로서, 동지원을 통해 맺어진 김일성과 무바락대통령간의 특수관계로 인하여 아국과의 관계개선이 지연되어 온것은 사실이나, 아국과의 관계도 개선해야겠다는 원칙에는 변함이없닥 말하고 수개월내에 주서을 이집트총영사관을 개설할것이라고 말함.

다. 또한 동비서관은 주재국 경제사정상 미국, 일본등 선진국과의 협력이나태국,인도네시아등 후발개국과의 협력은 적합치 않고 아국과의 경제협력이 가장 적합다고 강조한후, 첨단기술,직업훈련, 조선,전자, MANAGEMENT 등 모든분야에서 아국의 경협과 기술습득을 희망한다고 말함.

라. 본직은 아국은 주재국,북한간의 특수관계를 인정하나 동관계가 한. 애 양국관계개선을 방해해서는 안될것이라고 말하고, 가능한 조속 주서을 이집트총여사관을 개설하고 금년말까지는 대사급 외교관계로 격상되는것이 시의

중아국   장관   차관   1차보   2차보   중아국   국기국   정와대   안기부

적절한 것임을 밝힌후, 섬유, TV, 자동자분야등 양국간 민간분야의 합작현황및 KAL 의
주재국 취항예정등 양국협력현황을 설명하고, 양국관계개선은 양국경제협력을 가일층
증가시킬 것으로 확신한다고 언급함.

　　마. 한편, 본직은 아국의 UN 가입관련, 안보리 상임이사국의 대아국
입장을설명한후, 아국의 UN 가입에 대한 주재국의 지지를 요청한바, 동비서관은
'YOUWILL HAVE IT' 이라고 언급, 아국의 UN 가입을 지지할것임을 밝힘.

　　바. 또한 북한에대한 의견교환중, 동비서관은 북한은 대외개방에 대해
매우SENSITIVE 하나 결국 개방하지 않을수 없다(TYEY WILL HAVE TO OPEN IT)는
의견을 피력함.

　　3. EL BAZ 정무수석비서관은 무바락대통령의 외교정책문제 브레인으로서
동대통령의 전적인 신임을 받고 있는자임.끝.

　　(총영사 박동순-국장)

예고:91.12.31.에일반고문에
의거 인빈문서로 t손됨

검토필(1:91.6.30)

관리
번호 91
-2942

외 무 부

종 별 :

번 호 : AGW-0255

일 시 : 91 0505 1400

수 신 : 장관(중동이,정일,기정)

발 신 : 주 (알제리) 대사

제 목 : 알제리국회의장 김일성면담 (자료응신(13))

연: AGW-0238

1. 당지 국영 APS 통신보도에 의하면, 평양개최 IPU 총회에 참석중인 주재국 BELKHADEM 국회의장은 5.2(목) 김일성을 면담하였는바, 김일성은 이자리에서 알제-북한간의 전통적 우호협력관계증진과 제 3 세계및 비동맹제국의 주권및 독립수호를 위한 연대성강화 필요성을 강조하였다 하며, 한편 한반도문제와 관련, BELKHADEM 의장은 남북한의 평화적통일을 지지하는 알제리의 입장을 재확인하였다함.

2. 구체적내용은 주재국 IPU 대표단의 귀국후 탐문 보고하겠음. 끝.

(대사 한석진-국장)

예고 1991.12.31 일반
19.   .   .
의거 인반문서로 ㅁㄷ님

검토필(.91.6.30)

중아국   차관   1차보   2차보   국기국   정문국   안기부

원 본

외 무 부

관리
번호 91
      ─ 2976

종 별 :

번 호 : UNW-1143   일 시 : 91 0506 1610

수 신 : 장관(국연,중동이,기정) 사본:주수단대사(중계필)

발 신 : 주 유엔 대사

제 목 : 수단대사 면담

　　1. 본직은 5.6. JOSEPH LAGU 수단대사(전직 부통령, 예비역 중장, 80 방북)를 면담, 유엔가입 관련 아국입장을 설명하고 수단이 이를 지지하는 한편 적절한 기회에 동 지지의사를 공개적으로 표명해 줄것을 요청하였음.

　　2. 동대사는 이미 S.ALI 차석대사가 당관 요청에 따라 본부에 기건의한바 있으나 아국의 단독 선가입 지지 및 공개표명을 본인이 재건의 하기로 다짐하였음. 끝

　　(대사 노창희-국장)

예고 : 91.12.31 에 일반문서 분류됨.

검토필(191. 6. 30

국기국   장관   차관   1차보   2차보   중아국   청와대   안기부

PAGE 1   91.05.07   06:41
                                            외신 2과 통제관 DO
                                                          0100

원 본

관리 번호	91 -2472

외 무 부

종 별 :

번 호 : AEW-0257　　　　　　　　　일 시 : 91 0507 1300

수 신 : 장관(국연,중동일,기정),사본:주UN대사(중계필)

발 신 : 주 UAE 대사

제 목 : 유엔가입 추진(자료응신23호)

대:EM-0017

　1. 소직은 주재국 UN 대사 MOHAMED HUSSEIN AL SHAALI 를 금 5.6. 접촉(동인은 현재 본국휴가중), 아국의 UN 가입 신청시 지지를 요청하였음.

　2. 이에 동인은 현재 UN 의 분위기는 과거 냉전시대와는 완연히 다른 데탕트 분위기이며 특히 걸프전이후의 UN 회원국들의 대한국 인식이 더욱 좋아졌다하고 한국의 UN 가입에는 UAE 뿐만아니라 모든 회원국이 반대할 이유가 없다하고 중국도 거부권을 행사할 것같지는 않다고 언급하였음을 보고함. 끝.

(대사 박종기-국장)

예고 :91.12.31.일반

검토필(1:91.6.30)

국기국	장관	차관	1차보	2차보	중아국	정문국	청와대	안기부

원 본

외 무 부

종 별 :

번 호 : YMW-0276   일 시 : 91 0507 1400

수 신 : 장 관(국연,중근동)사본:주 유엔 대사,최광수 특사(주 이태리 대사 경

발 신 : 주 예멘 대사   유)

제 목 : 북한 경축 특사 파견

대:WYM-0165

연:YMW-0269

1. 외무성 GAZEM 의전장 으로 부터 탐문 한바에 의하면 주재국 정부는 연호통일 1 주년 기념행사 각료급 경축 특사를 북한에 초청 하였던바 북한으로 부터 이 초청을 수락한다는 통보가 최근 있었 다고함.

2. 당지 주간지 AL-RAI AL-AAM(PUBLIC OPINION)은 4.30. 일자호에 김 일성의 4.19 마이니찌 편집국장과의 기자회견중 김 일성 답변이란 내용(분단 배경, 통일 장애 요인 및 유엔 가입 문제등)을 게재 하였는바, 당관은 김의 유엔 가입의분단영구화 및 단일 의석 주장에 대해 본부 자료에 준하여 당관 이 정재 참사관 명의로 아국 입장을 설명하는 서한(영문 및 아랍어)을 작성, 동 주간지 편집인에 5.8. 전달하고 사본을 주재국 외무성에 발송 전달 예정임.끝.

(대사 류 지호-국장)

예고:91.12.31.일반 고에
의거 일반문서로 재분류

검토필(1:91.6.30)

국기국   중아국

원 본

외 무 부

종 별 :

번 호 : OMW-0110   일 시 : 90 0508 1340

수 신 : 장관(국연,중동일)

발 신 : 주(오만)대사

제 목 : 주재국외무부 국기국장 면담

　　본직은 금 5.5. 11 시 주재국 외무부 MAZAR MOHAMED ALI AL SHAIKH 국기국장을 면담한 바, 동 요지 아래 보고함.

　　1. 본직은 작일 오후 강영훈 특사의 카부스국왕 알현시 아국의 유엔가입 관련 면담내용을 설명함과 동시 작일 특사를 위한 본직 주최 오찬에 동국장이 참석해준데 대해 사의를 표함.

　　2. 동국장은 동설명에 감사하면서 아국의 유엔가입 문제에 적극 지지를 거듭 다짐함과 동시 GCC 국가간의 관련 협의시 적극 협조토록 하겠으며, 기회가 되는경우, 중국측에 대해 자국의 지지 입장을 표명토록 노력하겠다고 말함.

　　3. 또한 동국장은 9 월초 비동맹 정상회의시 북한이 남북한 유엔 가입문제를 거론, 동문제의 유엔 토의를 보류하도록 시도할 가능성도 있을 것으로 본다고언급한 바, 이에 대해 본직은 최근 국제정세의 변화를 대부분 회원국들이 북한의 시도에 호응할 나라가 별로 없을 것으로 보나 아국으로서도 이에 충분한 대책을 강구할 것으로 안다고 말하였음. 끝

　　(대사 강종원-국장)

예고:91. 12. 31. 일반 고문에 의기 인반문서로 재문됨

검토필(91. 6.30)

국기국　　중아국

원 본

외 무 부

관리
번호 : 91
     -3052

종 별 :

번 호 : AEW-0260   일 시 : 91 0508 1400

수 신 : 장관(국연,중동일,정일,기정),사본:주UN대사(본부중계필)

발 신 : 주 UAE 대사

제 목 : UN가입 교섭(자료응신24호)

연:AEW-0257

1. 연호, 소직은 5.8. ABDULLAH RASHIED ABDULLAH 외무부 신임 정무국장(전임 AL KINDI 국장은 장관 보좌관으로 전보)을 예방(오참사관 동석), 양국관계및 현안문제등 제반문제를 논의하고 특히 향후 아국의 UN 가입 신청시 적극지지하여줄것을 요청하였음.

2. 동인은 한국의 국제적 역할로 미루어 한국은 당연히 UN 회원국이 되어야하나 중공의 거부권 행사문제에 대하여 우려를 표하였음.

3. 또한 한국의 UN 가입문제와 관련, 주한 UAE 대사로부터의 보고와 건의에따라 UAE 정부는 한국의 UN 가입을 지지할 것이라고 훈령하였다 하는바, 이와 관련 본부의 여사한 요청 여부 또는 상기 주한 UAE 대사관으로부터의 통보등이 있었는지 회시바람.

4. 참고로 동인은 현 RASHIED 외무장관의 친자로서 GCC 부국장에서 금번 정무국장으로 영전되었음을 첨언 보고함. 끝.

(대사 박종기-국장)

예고:91.12.31 일반 고 에
     의거 일반문서로 재분류됨

검토필(1:96 6. 3.0)

국기국	장관	차관	1차보	2차보	중아국	정문국	청와대	안기부

PAGE 1   91.05.09   06:31
                                         외신 2과 통제관 CA
                                                    0104

외 무 부

관리 번호 : 91 -3106

원 본

종 별 :

번 호 : QTW-0132   일 시 : 91 0509 0730

수 신 : 장관(국기,국연,중동일,정일)

발 신 : 주 카타르 대사

제 목 : IMO이사국 입후보 지지

대:WQT-0153

1. 본직은 금 5.8 10:50-11:20 간 외무성 MOHAMAD HASSAN QAL-JABER 국제기구 국장서리를 방문, 지난번 강영훈 특사의 주재국 국왕 알현시 아국의 유엔가입노력에 대하여 동국왕이 지지할 준비가 되어 있음(WE ARE READY TO SUPPORT)을 확언한 사실을 포함하여 대담내요을 설명하고 계속적인 협조를 요청하였음.

2. 대호에 대하여 동국장은 3.19 자 당관 구상서를 접수하여 즉각 외무성 공문으로 관계부처인 교통체신부에 발송하였다하며, 주재국의 지지는 확실시된다고 하는바 본직은 적절한 시기에 교통체신장관 또는 차관을 방문, 지지 요청예정임.

3. 한편 동국장은 금번 자신이 주일대사(주한 겸임)로 내정되어 근일 아그레망이 요청될것이라고 시사하였는바 동국장은 주 제네바 공사를 역임한 직업외교관임. 경력사항등 입수 추보위계임.

끝

(대사 유내형-국장)

예고:91.12.31 일반 고 에
의거 인반문서로 재순됨

6.30

국기국   중아국   국기국   정문국

관리 번호 : 91 -3228

외 무 부

종 별 :

번 호 : QTW-0133   일 시 : 91 0509 1815

수 신 : 장관(중동일,국연, 강영훈 특사(주카이로 경유-중계필)

발 신 : 주 (카타르) 대사

제 목 : 주재국 국왕 친서 접수

1. 금 5.9 12:45 본직은 외무성 AL-MULLA 의전장의 초청으로 외무성을 방문,동의전장으로부터 주재국 KHALIFA 국왕의 노 대통령앞 친서를 접수하였는바 동친서를 5.15 정파편 발송하겠음.

2. 동 친서는 5.4 강특사가 동국왕에게 전달한 대통령 친서에 대한 회신으로서 우연히 동의전장실에서 만난 주재국의 주유엔 대표부 HASSAN ALI HUSSAIN AL-NIMAH 대사에 의하면 동친서 내용에 VERY GOOD NEWS 가 포함되어 있을 것이라고 하였는바 아국의 유엔 가입에 대한 주재국의 확고한 지지 약속이 명기되어 있을 것으로 추정됨.

끝

(대사 유내형-국장)

예고 : 91.12.31. 일반 고문에 의거 한반문서분류 대분됨

검토필(91.6.30)

중아국   장관   차관   1차보   2차보   국기국

PAGE 1   91.05.10   16:04
                                         외신 2과 통제관 BN
                                              0106

관리 91
번호 -3118

원 본

외 무 부

종 별 :

번 호 : UNW-1201   일 시 : 91 0509 1830

수 신 : 장 관(국연,중동일)사본:주UAE,쿠웨이트,요르단대사-중계필

발 신 : 주 유엔 대사

제 목 : 유엔가입 추진교섭

1. 표제 당관 금참사관의 U.A.E. 및 쿠웨이트 대표부 접촉내용을 아래보고함.
가. U.A.E.(HAMMAD 고문)

0. U.A.E. 로서는 한국입장지지에 문제가 없을것으로 봄.

0. GCC 의 경우, 일반적으로 역외문제에 대해 INITIATIVE 를 잘 취하지 않는만큼 GCC 의 공동입장 표명추진을 위해서는 EC 등의 공동입장 표명이 선행되는것이 필요할것으로 생각함.

나. 쿠웨이트 (SALLAL 차석대사)

0. 아국입장을 지지함.

0. 지지입장의 공개적 표명을 건의하겠음.

2. 한편 요르단 대표부의 NAOURI 공사는 금 5.9. 당관 금참사관에게 요르단의 아국지지 입장은 변함이 없는바, 금번 아국의 안보리 문서 배포와 관련, 본부로부터 상기 지지입장을 다시 공식 통보받았다고 알려옴.끝

(대사노창희-국장)

예고:1991.12.31.일반 고문에 의거 일반문서로 재분류됨

검토필(91.6.30)

국기국   장관   차관   1차보   2차보   중아국   청와대   안기부

분류번호	보존기간

발 신 전 보

번 호 : WAE-0277   910511 1359 FL   종별 :

수 신 : 주 UAE   대사 . 총영사

발 신 : 장 관 (국연)

제 목 : 유연가입

대 : AEW-0260

대호 3항, 본부의 요청 또는 주한 UAE 대사로부터의 통보없었음. 끝.

예 고 : 1991.12.31 일반고문에 의거 인반문서로 재분됨

(국제기구조약국장 문동석)

검토필(:91. 6. 30)

	보 안 통 제	

앙고재	91년 5월 11일 유 네과	기안자 성명		과 장		국 장		차 관	장 관	외신과통제

0108

외 무 부

종 별 : 지 급

번 호 : QTW-0137 　　　　　　　　　　 일 시 : 91 0511 1230

수 신 : 장관(중동일,국연,정일,사:강영훈특사(주카이로총영사관경유)

발 신 : 주카타르대사 　　　　　 주유엔대표부:중계필)

제 목 : 주재국 국왕 친서 (자료응신제 1 호)

대:WQT-0155

연:QTW-0133

1. 표제 친서를 개봉한바, 동친서는 다음 7 개절로 구성되어 있음.

제 1 절:대통령 특사접수에 즈음한 양국관계 증진희망

제 2 절:걸프전 승리축하 및 아국 기여에 대한 감사

제 3 절:걸프위기 및 쿠웨이트해방을 통한 국제 정의 확립

제 4 절:한반도 평화통일을 위한 한민족의 염원에 대한 지원

제 5 절:아국의 유엔 동시 또는 단독가입에 대한 지지

제 6 절:84 년도 공식방한 회고아 양국관계 발전희망

제 7 절:대통령께 대한 감사 및 아국의 발전 및 통일 축원

2. 핵심부분인 제 5 절 영문 번역문을 아래와 같이 발췌 보고함.

THE STATE OF QATAR WOULD ALSO LIKE TO AFFIRM THAT YOUR COUNTRY'S
MEMBERSHIP AND THAT OF THE DEMOCRATIC PEOPLE, S REPUBLIC OF KOREA(DPRK) IN
THEUNITED NATIONS WILL CONTRIBUTE TO THE ENHANCEMENT OF THE ORGANIZATION'S
UNIVERSALITY AND EFFECTIVENESS AS WELL AS ITS CAPABILITY TO PROMOTE PEACE AND
STABILITY IN THE WORLD. IN ADDITION SUCH ARRANGEMENT WILL CONTRIBUTE TOWARDS
THE REALIZATION OF NATIONAL REUNIFICATION AND THE STRENGTHENING OF PEACEFUL
AND COOPERATIVE RELATIONSHIP BETWEEN THE TWO PART OF KOREA.IN THIS RESPECT,
THE STATE OF QATAR SUPPORTS YOUR EFFORTS FOR THE SIMULTANEOUS MEMBERSHIP OF
BOTH KOREAS IN THE UNITED NATIONS. HOWEVER, IF DPRK DOES NOT APPROVE OF THIS
OPTION, THE STATE OF QATAR SHALL SUPPORT YOUR STEPS TO ATTAIN FULL MEMBERSHIP
IN THE UNITED NATOINS THIS YEAR.

종아국	장관	차관	1차보	2차보	국기국	정문국

PAGE 1 　　　　　　　　　　　　　　　　　　 91.05.11　 19:30

　　　　　　　　　　　　　　　　　　　　　　 외신 2과　 통제관 CH

　　　　　　　　　　　　　　　　　　　　　　　　　 0109

끝

(대사 유내형-국장)

예고:91.12.31. 일반 고문에
의거 인반문서로 재분류

검토필(1:91. 6 30)

0110

외 무 부

종 별 :

번 호 : QTW-0138   일 시 : 91 0512 1210

수 신 : 장관(중동일,국연,정일,사본:강영훈 대통령 특사(주카이로 총영사관 경

발 신 : 주 카타르 대사 (중계필)

제 목 : 주재국 외무차관 면담

연:QTW-0137

1. 본직은 금 5.12 09:00-09:45 간 외무성 AHMED ABDULLAH AL-MAHMOUD 차관을 방문, 강영훈 특사 방문중 주재국 당국이 보여준 우호적이고 정중한 영접에 사의를 표하였음.

2. 동석상에서 본직은 노태우 대통령 친서에 대한 KHALIFA 국왕의 신속하고정중한 답신 친서와 동친서 내용에서 표명된 아국 유엔가입에 대한 적극 지지(금년내 동시 또는 단독가입 지지)에 대하여 사의를 표명하였음. 특히 본직은 강특사 접견당시 주재국 국왕이 주재국과 우호관계에 있는 타국에 대하여도 영향력을 행사할 용의가 있음을 시사한 사실을 상기시키면서 , 주재국이 금년도 GCC 의장국으로서의 LEADERSHIP 을 발휘하여 차기 GCC 외상회담시 GCC 각국이 공동으로공개지지를 표명토록 유도해 줄것을 요청한바 , 동차관은 공감을 표명하면서 장관에게 동요청을 전달하겠다고 답하였음. 특히 GCC 각국은 금번 대통령 특사 순방과 아국의 외교노력의 결과, 아국입장에 대한 지지입장이 확고하며 공개적 지지 표명을 위한 분위기가 성숙되어 있음을 강조하였음.

3. 또한 본직은 주재국의 주일 신임 대사 내정(QTW-132)과 관련하여 주한 상주대사 임명의 가능성을 타진한바. 금번 AL-JABER 신임 주일대사는 임시로 주한 대사를 겸하게 될것이나 불원한 장래에 주한 상주대사를 임명하게될것이며 현재 적당한 인물을 물색하는 과정에 있다고 답변하였음.

끝

(대사 유내형-국장)

예고:91.12.31. 일반 고문에 의거 인반문서로 재분됨

검토필(1.91.6.30)

중아국	장관	차관	1차보	2차보	국기국	정문국

관리
번호 91 -471

외 무 부

종 별 :

번 호 : YMW-0285

수 신 : 장 관(중동일,국연)

발 신 : 주 예멘 대사

제 목 : 사나 시장 방한 초청

일 시 : 91 0512 1400

대:1. WYM-0167, 2. WYM-0181

연:1. 예멘(정) 2024-231 2. YMW-0377 3. YMW-0412

1. 대호 2 에 의하면 주 일 예멘 대사가 주 일 아국대사를 예방하는 자리에서 주재국 수도 사나 시장 HUSSAIN AL-MASWAREE 의 방한 초청을 요청하였는바

2. 동인의 과거 경력(육참총장, 내무장관, 주 이집트 대사)과 현재 주재국내에서의 영향력 등에 비추어 방한 초청함이 현실적으로 유엔 가입 문제 관련 아국의 지지확보에 기여할것으로 사료되니 긍정적으로 검토하여 주시기 바람.

3. 서울특별시-사나시 자매결연건관련 대호 1 의 취지는 본직이 동인에게 적이 설명하였음을 첨언함. 끝.

(대사 류 지호-국장)

예고:91.12.31. 까지

검 토 필 (1991.6.30.)

중아국   국기국

원 본

관리번호 91
-3210

외 무 부

종 별 :

번 호 : MTW-0132

일 시 : 91 0512 1530

수 신 : 장관(국연,중동이)

발 신 : 주 모리타니 대사대리

제 목 : 아국 유엔가입관련 주재국 반응

연:MTW-0122

1. 금 5.12 당관 김원철 참사관은 주재국 외무성 후세인 아주국장 대리를 면담함. 동 국장대리는 금일 오전 당지주재 뛰니지 참사관이 자신을 방문하여 한국의 유엔가입문제에 대한 모리타니 정부의 입장을 문의하였으며 이에대해 모리타니 정부로서는 한국의 유엔가입을 적극 지지한다고 답변하여 주었다고함.

2. 동 국장대리는 또한 근일중 당지주재 알제리, 모로코, 리비아 참사관들을접촉, 여사한 모리타니 정부의 입장을 전달할 예정이며 접촉결과를 알려주겠다고한바 결과 입수하는대로 추보하겠음. 끝.

(대사대리 김원철=국장)

예고:91.12.31. 일반

검토필(91.6.30)

국기국 중아국

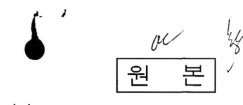

관리	91
번호	- 3251

원 본

외 무 부

종 별 :

번 호 : SSW-0218   일 시 : 91 0514 0920

수 신 : P장관(국연,중동이)

발 신 : 주(수)단대사

제 목 : 유엔가입 지지

연:SSW-0179

1. 본직은 금.5.12. 금 외무부의 ABDEL EL-AHMADI 정부차관보를 오찬에 초대,
외무장관 공식방한과 경협공동위 개최등 현안을 협의하였음.(당관 김재국 참사관과
외무부 ABULGASSIM 아주국장이 참석함)

2. 양측은 공동위 대표단의 구성, 체재비 부담문제, 의제등에 관하여 의견을
교환하였는바, AHMADI 차관보는 아국의 유엔가입문제와 관련 본직이 4.10. 외무장관
면담시 제의한 바 있는(연호 보고참조), ALI SAHLOUL 외무장관 금번 공동위 개
폐회식 연설에서 아측 입장을 공식적으로 지지하는 방안에 대해 최근 ELBESHIR
대통령으로 부터 승인 재가를 받았다고 알려줌.

3.AHMADI 차관보는 수단정부의 아측 지지 방침 확정을 통보하게 되어 기쁘다고
하면서, 본건을 공동위 개최시까지 비밀로 취급 하여 달라고 당부하였음.

4. 평가: 상기 정부차관보의 통보내용과 관련, 그간 본직이 대통령을 비롯한
주재국 혁명정부 요인 및 외무부 간부들을 접촉해 온 반응을 종합 분석해 볼때, 주재국
정부는 한반도 문제에 관한 종래의 중도입장을, 최근 아국과의 경협관계 증진필요성에
따라, 아국 지지로 확고히 수정한 것으로 평가됨.

금번 유엔 가입문제에 관한 아국 지지약속도 이의 일환으로 보이는 바, 본건 계속
확인하겠음. 주재국측 요청등을 고려하여 본건 비밀유지에 각별 유의하여 주시기
바람. 끝.

(대사 이우상-장관)

예고:1991.12.31.에 일반문서로 재분류됨

검토필(:91.6.30)

국기국   장관   차관   중아국

PAGE 1   91.05.14   21:12

외신 2과 통제관 CA

0114

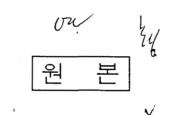

| 관리
번호 | 91
-3264 | | | | | 원 본 | |

외 무 부

종 별 :

번 호 : UNW-1234   일 시 : 91 0514 1830

수 신 : 장 관(국연,중동이) 사본:주요르단,이란대사-중계필

발 신 : 주 유엔 대사

제 목 : 유엔가입문제(시리아)

　　　대:WUN-1199

　　　연:UNW-1110

　　　1. 연호, 본직은 5.14 오전 주유엔 시리아 대표부에서 약 1시간동안 EL-FATTAL 주유엔 시리아대사(외무차관에 이어 현재 두번째 주유엔대사 역임중)를 면담하였음.

　　　2. FATTAL 대사는 금일 면담에 대해 이를 사전에 본부에 청훈, 본부로 부터본직 설명을 듣고 결과를 보고하라는 지시를 받았다고 말하였는바, 금일 면담요지를 아래보고함.

　　　가. 유엔가입문제

　　　1) 본직은 우선 금일 면담이 양국의 주유엔 대사간 첫접촉임을 감안하여 유엔가입문제에 대한 남.북한의 입장과 아국의 가입추진노력 및 이에대한 중.소등 각국의 반응등을 상세히 설명하고 시리아측의 이해와 지지를 당부하였음. 본직은특히 남.북 대화등 동시가입 실현을위한 아국의 지속적인 노력과 동시가입후의 협력관계 도모를 위한 아측 제시방안등도 설명하여 주었음.

　　　2) 이에대해 FATTAL 대사는 우선 본직의 상세한 설명이 자신의 본건이해에 크게 도움이되었으며 이를 자세히 본부에 보고하겠다고 말한후 아래와같이 언급하였음.

　　　0. 시리아의 대아국관

　　　- 시리아는 최근까지 유엔을 비롯한 국제무대에서 일방적으로 북한입장만을지지해온것이 사실임.

　　　- 그러나 최근들어 한반도 주변상황에도 근본적인 변화가있으며 , 남.북한관계에 있어서도 한국이 상당히 신축성을 보이고있고 북한 역시 약간의 태도변화를 보이고 있는점에 유의하고 있음. 특히 그간 한국의 괄목할만한 발전과 국제적 위상의 고양도 잘 알고있음.

| 국기국 | 장관 | 차관 | 1차보 | 2차보 | 중아국 | 청와대 | 안기부 |

- 이에따라 시리아로서도 근년들어 좀더 OPEN-MINDED 하게 한국을 대하자는것이
정부내의 일반적인 분위기임. 그러나 한편에서는 아직도 논리적으로는 설명할수없는
감정적 측면이 있다는것도 사실임.

    0. 유엔가입문제

    - 동시가입의 최선의 방법이며 북한이 이를 받아 들이게 되기를 희망함. 따라서
남.북한이 계속 대화를 통해 이문제를 협의해 나가는것이 중요하다고봄

    - 한국으로서는 또한 비동맹권의 태도에 대해 각별한 관심을 가져야 할것으로 봄.
비동맹의 성격이 변화되고 과거보다 결속이 이완되었다고는 하나 한국문제에 대해서는
표현상의 차이는 있겠으나 지금까지 계속 동일한 입장(평화통일, 외군철수등)을
취해온것이 사실인바, 이러한 관점에서도 9월 외상회의를 앞두고대화를 통한
남.북한간의 협의노력이 중요하다고 생각함. 특히 주한 미군문제에 대하여는 북한측
주장이 비동맹권에서 광범한 지지를 받고 있는바, 한국측이이문제에 대해 보다
전진적인 태도를 보일수있다면 유엔가입을 위한 비동맹권의지지확보에 크게 도움이될
것임.

    3) 이에대해 본직은 유엔가입문제는 기본적으로 유엔의 보편성원칙에 따른
문제로서 외군철수등과는 무관한 것임을 강조한후, 그러나 아국으로서도 비동맹권의
이해와 지지확보를 위해 특사파견등 각별한 신경을 쓰고있음을 설명함. 또한본직은
남.북 고위급 회담의 중단 및 아측의 대화 재개 제의 경위와 함께 북한의 태도 변화에
따라서는 기존의 주한 미군의 단계적 감축계획이 더욱 앞당겨 질수있음을 설명함.
북한역시 총리회담 수락등에서 볼수있듯이 한국을 현실적으로 인정하는 방향으로
바뀌어가고 있지 않느냐는 동대사의 견해에 대해 이는 어디까지나 일시적인 현상일뿐
김일성체제하에서 기본적인 변화가 없음을 지적하여줌.

    나. 한-시리아 수교 및 무상원조

    1) 본직은 국제환경의 변화에 비추어 한-시리아 양국관계도 조속히 정상화 되어야
할것이라고 말하고 아국의 수교현황자료를 수교함.

    2) FATTAL 대사는 시리아 역시 동시수교가 대세라는 것을 잘알고있다고 하면서
아국의 수교현황 자료가 본부의 참고가 될것이라고 부언함.

    3) 한편 아국의 대시리아 무상원조제공 계획에 관련된 그간의 경위를 설명해주고
조속히 시리아측 공식입장을 테헤란 아국 공관을 통해 통보 해주는것을 기다리고
있음을 알려주었는바, 이에대해 동대사는 본부로 하여금 조속 필요한 조치를 취하도록

PAGE 2

0116

건의하겠다고 말함.

3. 마지막으로 본직이 앞으로 양대표부간의 대화가 계속 되기를 희망한다고말한데 대해 동대사는 좋다고 하면서 오늘의 면담자체가 벌써 하나의 진전이라고 답함. 끝.

(대사 노창희-차관)

예고: 91.12.31. 일반 고 에 의거 인반문서로 재분류

검토필(1991.6.30)

	분류번호	보존기간

발 신 전 보

WUN-1344   910514 1841 DF

번   호 :   종별 :

수   신 : 주   유엔   대사. 총영사

발   신 : 장   관
　　　　　　　(국연)

제   목 : 유엔가입문제 알제리측 반응

1. 아국의 유엔가입관련 5.12(일) 한우석특사와 알제리의 Chadli
   대통령 및 Sahnoun 대통령 외교특보와의 주요 면담내용은 다음과
   같음.

   가. 대통령

   ㅇ 대통령은 한국이 유엔에 가입하여 국제사회의 일원으로서
      역할을 다하여야 한다는 점과 남북한 동시가입이 한반도
      긴장완화와 신뢰구축에 도움이 된다는 점에 공감을 표시
      하고 한국의 유엔가입을 원하는 유엔의 다수회원국과
      더불어 한국을 지지할 것이라고 말함.

   ㅇ 한특사가 국제사회에서의 여론이 중요함을 지적하며
      비동맹등 국제기구에서의 알제리의 협조를 요청한데
      대하여 대통령은 호의적인 반응을 보였음.

   나. 외교특보

   ㅇ 알제리는 비동맹, 유엔총회등 국제기구에서 한국의
      입장을 적극 지원할 것임.

/계속...

보안통제		

앙고재 91년5월14일	기안자성명	과 장	국 장	차 관	장 관	외신과통제

0118

ㅇ 주유엔 알제리대사에 지시하여 현지에서 한국대표부와

협조토록 하고 9월 비동맹외상회의, OAU.G-15회의,

개발도상국회의(북경, 6월)등에서 한국의 유엔가입을

위한 유리한 분위기조성에 노력하겠다고 다짐함.

2. 상기를 참고하여 귀관에서도 알제리측과 교섭하고 결과 보고바람.

끝.

예 고 :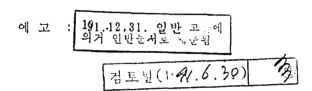

(국제기구조약국장 문동석)

0113

관리 91
번호 -8294

외 무 부

종 별 :

번 호 : UNW-1249   일 시 : 91 0515 1830

수 신 : 장 관(국연,중동일) 사본:주 UAE 대사-중계필

발 신 : 주 유엔 대사

제 목 : 유엔가입 추진교섭(UAE)

연:UNW-1201

연호, 당지 UAE 대표부의 HAMMAD 고문은 금 5.15. 당관 금참사관에게 표제건 본부로부터 UAE 의 아국입장 지지를 공식통보 받았다고 알려왔음. 끝

(대사 노창희-국장)

예고:1991.12.31. 일반

검토필(91.6.30)

국기국   장관   차관   1차보   2차보   중아국   청와대   안기부

공   란

외 무 부

관리번호 91 -3390

종 별 : 지 급

번 호 : SBW-1007   일 시 : 91 0515 2000

수 신 : 장관(중일,기정)

발 신 : 주 사우디 대사

제 목 : 주재국 국왕 친서 접수

1. 강영훈 대통령 특사가 주재국 방문중 지난 4.30 술탄부수상겸 국방장관을 통해 전달한 대통령명의의 주재국 파드국왕앞 친서에 대한 파드국왕의 아래 내용의 답신을 금 5.15 주재국 외무부를 통해 접수하였음

가. 대통령특사를 면담할 기회가 있기를 원하였으나, 제다에 부재중이어서 특사를 만날수가 없었음

나. 쿠웨이트 해방과 걸프지역의 안정과 평화회복을 통해 이룩한 승리에 대해 대통령께서 보내주신 축하에 감사를 드림, 평화와 안전을 유지하기위해 귀국이 기울인 노력과 국제적 노력에 대한 귀국의 지지에 찬사를 보내며, 또한 귀국 군의료진이 걸프사태 기간중 수행한 임무에 감사를 표함

다. 사우디는 귀국이 유엔에 가입하여 유엔 활동을 통해 역활과 책임을 다하려는 것을 지지함

라. 귀국이 북한과 함께 유엔에 가입하여 남북한 관계증진과 통일에 기여하고 또한 동북아시아는 물론 세계평화와 안전에 기여하기를 희망함

마. 본인에 대한 귀국 방문초청에 감사하며, 적절한 기회에 귀국을 방문 할수있기를 희망함

바. 대통령의 건강과 행복을 기원하며, 또한 귀국의 번영을 기원함.

2. 동 서한 차파편에 송부예정임.끝

(대사주병국-차관)

예고 : 91.12.31 일반 고문에 의거 분류 해제됨

검토필(91. 6.3여)

중아국	장관	차관	1차보	2차보	청와대	안기부

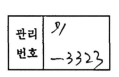

원 본

외 무 부

종 별 :

번 호 : UNW-1261   일 시 : 91 0516 1240

수 신 : 장관 (국연,중동이) 사본:주모리타니대사(중계필)

발 신 : 주 유엔대사

제 목 : 유엔가입추진 (모리타니)

연: UNW-0958

대:국연 2031-539(91.5.13)

1. 연호, KANE KHARASS(모리타니)대표부 참사관은 5.16. 당관 금참사관에게표제건 진전상황을 아래와같이 알려옴.

가. 모리타니는 연호 보고와 같이 아국의 유엔가입을 지지하며 총회 표결시의에 찬성할것임.

나. HASNI OULD DIDI 외무장관이 금년 7 월 방한 계획이며 이에앞서 북한을 방문 (방문일자는 상금 미확정) 예정임.

다. 모리타니의 아국 지지입장 공개표명 문제는 계속 검토중에 있는바, 방한계기에 이를 표명할 가능성이 있음.

2. 한편 DIDI 외무장관의 방한 계획에 관하여는 연호 한우석 특사의 모리타니 순방보고에도 언급되어 있지 않으며 동 참사관도 방한계획 자체만 통보받았을뿐이라고 하니 아측의 방한초청 경위등을 참고로 회보바람. 끝

(대사 노창희-국장)

예고:1991.12.31 일반문서로 재분류 고문에

검토필(1:91. 6. 3.D)

국기국   장관   차관   1차보   2차보   중아국   청와대   안기부

관리
번호 91
~831/2

외 무 부

원 본

종 별 :

번 호 : UNW-1262   일   시 : 91 0516 1400

수 신 : 장관 (국연,중동일) 사본:주오만,카탈대사(중계필)

발 신 : 주 유엔대사

제 목 : 유엔가입 교섭 (오만)

표제건, 본직은 5.16. AL-KHUSSAIBY 주유엔 오만대사를 접촉하였는바 결과를 아래 요지 보고함.

1. 본직은 우선 아국의 유엔가입에 대한 오만의 계속적인 적극지지와 금번 강영훈 특사의 오만방문 환대에 사의를 표하고 오만 정부가 아국입장에 대한 GCC의 공동지지 입장 표명에 적극 나서줄것을 요청하였음.

2. KHUSSAIBY 대사는 자신도 강영훈 특사의 오만 방문 결과를 통보 받았다고하면서 오만으로서는 아국입장을 전적으로 지지하며 가능한 지원을 다할것이라고 말함. 동대사는 지난 4 년간 자신의 유엔대사 경험에 비추어 볼때 중국의 SOLID 한 반대입장 시사가 전혀 없다는 점등 제반 상황으로 보아 아국의 유엔가입에 문제가 없을것으로 본다고 말하고, 이와관련 아주지역 국가 그룹의 지지를 확보할수 있다면 크게 도움이 될것이라는 견해를 피력함.

3. 이에 본직은 EC, ASEAN 및 RIO 그룹등의 공동지지 입장표명 유도를 위한아국의 노력을 설명하고 상기 지역그룹에 앞서 GCC 가 선도적인 역할을 해줄것을 당부하자, 동대사는 이에 적극 협조하겠으며 현 GCC 의장국인 카탈대사와 곧 협의토록 하겠다고 말함. 끝

(대사 노창희-국장)

예고:91.12.31. 일반 고문에
의거 일반문서로 ?순됨

검토필 (91.6.3D)

국기국	장관	차관	1차보	2차보	중아국	정와대	안기부

원 본

관리 번호	91 -3362

외 무 부

종 별 :

번 호 : UNW-1275

일 시 : 91 0517 1530

수 신 : 장 관 (국연,중동이) 사본:주알제리-중계필 WAG-0196

발 신 : 주 유엔 대사

제 목 : 유엔가입교섭 (알제리)

대: WUN-1344

1. 당관 금참사관은 5.17. 알제리 대표부의 BENJAMA 참사관 (공관장 공석으로 공관장 대행)을 접촉하였는바, 동인의 언급내용을 아래요지 보고함.

가. 아측 요청을 본부에 보고하였으나 상금 이에대한 검토결과는 미접상태임.

나. 아국 특사의 알제리 방문에 대하여는 CHADLI 대통령과의 면담이 있었으며 동면담에서 아국의 유엔가입 문제가 거론되었다는 사실 자체만 통보받음.

2. 이에대해 금참사관은 대호내용을 설명하고 주유엔 알제리 대표부의 보다적극적인 지원을 촉구하였는바 동참사관은 자신으로서도 본국정부로 부터 훈령을 접하는대로 최대한 협조하겠다고 말함. 또한 금참사관은 현재 ECOSOC 의장으로 뉴욕에 출장중인 DJOUTI 외무차관 (전 주유엔대사로서 한-알제리 수교 합의 서명자) 에게도 아국 입장을 설명하여 줄것을 요청하였음.

3. 상기한바와 같이 동인은 현재 알지에로부터 본건 관련 구체적인 통보나 지시가 없으며 본부 훈령에 따라 적극 협력하겠다고 말하고 있으나 당지 알제리 대표부의 평소 태도가 소극적이고 비협조적인 면이 있음을 감안하여 주알지에 대사로 하여금 이러한 당지 사정을 참고하여 SAHNOUN 외교특보 또는 외무장관으로 하여금 당지 알제리 대표부에 대해 구체적인 훈령을 보내도록 교섭하고 이를 당관에도 통보하여 주도록 본부에서 지시 조치해 주실것을 건의함. 끝

(대사 노창희-국장)

예고:91.12.31. 일반 고문에 분밀

검토필(91.6.30)

국기국	장관	차관	1차보	2차보	중아국	청와대	안기부

PAGE 1

91.05.18 07:39

외신 2과 통제관 BS

0125

원 본

외 무 부

관리번호 91 -3370

종   별 :

번   호 : UNW-1282   일   시 : 91 0517 1900

수   신 : 장 관(국연,중동일) 사본:주예멘대사-중계필

발   신 : 주 유엔 대사

제   목 : 유엔가입교섭(예멘)

    신   차석대사는 5.18 ALFI 주유엔 예멘 차석대사와 오찬을 갖고,
가입문제에아국입장, 중국태도전망, 비동맹권을 포함한 전반적 지지도등을 설명하고
남북예멘의 통일경험이 아국입장의 정당성을 이해시키는데 크게 도움이되고
있으므로당사국인 예멘 자신이 지지입장을 분명히 해주는것이 매우 긴요하다고 한바,
동인의 반응요지 아래와같음.

    1. 아직 본성으로부터 본건 입장에 관한 통보를 받은바없으나 자기 생각으로는
자국이 아국가입에 반대한다는 것은 생각하기 힘들것이고 기권 아니면 지지일 것인바
최종순간에 가서는 결국 지지입장을 취하게 되지 않을까 보며 이는 아래와같은 사정을
감안한것임.

    가. 주권국가로서의 한국의 가입이 인정되어야 한다는것은 이론을 제기할수없는
원칙의 문제임.

    나. 예멘으로서는 한국입장에 대한 국제적 지지도 특히 주요 비동맹권의 동향을
무시하기 힘들것임

    다. 그럼에도 불구하고 예멘이 아직 그입장을 정하지 못했거나 밝히지
못하고있는것은 (첫째) 북한측이 강력히 반대하고있고, (둘째) 한국측에선 국제적
지지가압도적이라고 하지만 과연 그런지는 좀더 확인해 볼필요가 있다고 보고있고,
(셋째)한국측이 금년에 가입신청을 하겠다고 하고 있지만 앞으로의 상황 진전 여하에
따라서는 금년에도 그대로 넘기거나 또는 가입 신청을 한후에도 당분간 그대로
계류시켜둘 가능성도 없지 않으므로 아직 예멘의 태도를 미리 밝혀야 될 필요는 없다고
보기때문임. 이에 신대사는 아국정부가 지금까지 꾸준히 가입실현 노력을 경주하여
왔으나 금년에는 그러한 노력이 결실을 맺을 결정적인 계기가 되었다고 보므로 년내
가입실현의지는 확고한 것임을 강조함.

국기국   장관   차관   1차보   2차보   중아국   청와대   안기부

2. 동 대사는 개인적으로는 상기 1 항과 같이 자국이 결국 아국가입을 지지하게 될것으로 전망하고있으나 본국 정부의 최종적인 결정에는 아래와같은 두가지 변수가 작용할수 있으리라 봄.

가. 대다수 국가가 남북한의 동시가입을 지지하고 있는것은 사실이나 그세력이 그대로 한국의 선가입도 지지하는 세력은 아닌것이 분명해질경우

나. 북한측에서 예멘 포섭을 위해 강력한 우의 표시 (예컨데 상당 규모의 경협제공등) 를 제의해 올 경우

3. 최광수 특사파견은 시의적절한 것으로 보며 본국의 정치지도자들을 이해시켜 분명한 언질을 받을수 있기를 기대함.

4. 동대사는 한국측에서 상황을 너무 낙관적으로만 보아서는 안될것이며 동시가입은 환영하나 단독가입은 반대하는 세력도 적지 않으리라는점, 북한측이 절차적 문제로 이를 방해할 가능성도 있다는점에 유의해야 할것이라고 하면서 자신으로서는 남예멘 출신으로서 한국에 대하여는 그간 많은 편견을 가지고 있었으나지금에 와서는 비교적 공정한 견해를 가지게 되었다고하고 오늘의 신대사와의 면담내용은 본부에 보고, 본부방침 결정에 참고케 하겠으나 자신이 오늘 밝힌 견해는 개인적인 것임을 분명히 한다함. 신대사가 단순한 면담사실 보고 이외에 현지공관의 긍정적 검토 건의가 크게 도움이 될수 있을 것이라고 하자 동대사는 이해하겠다는 표정을 보임.끝

(대사 노창희-차관)

예고:91.12.31.일반 고 하에
의거 연한 분 시한 법

검토필(1:91. 6. 30)

관리 9/
번호 -3361

외 무 부

원 본

종 별 : 지 급

번 호 : AGW-0273

일 시 : 91 0518 1700

수 신 : 장관(국연,중동이)

발 신 : 주 알제리 대사

제 목 : 유엔가입교섭

대 WAG-0196

당지교섭에 필요하니 대호 1 의 가항 아측의 요청내용과 대호 2 항 주유엔알제리대표부로부터 기대되는 지원의 구체적내용을 지급회시바람. 끝.

(대사 한석진-국장)

예고 1991. 12. 31 일반공개에
의거 인반문서로 재분류

검토필(1:91.6.30)

국기국   장관   차관   1차보   2차보   중아국   청와대   안기부

PAGE 1

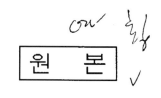

관리 번호	91 —3385

원 본

외 무 부

종 별 :

번 호 : LYW-0293   일 시 : 91 0519 1600

수 신 : 장관(국연,중동이)

발 신 : 주 리비아 대사

제 목 : 아국 유엔 가입

대:EM-0009

1. 본직이 금 5.18(일) 주재국 외무부 IMDORID 국제기구국장을 면담, 대호 정부각서 내용을 설명하고 아국 입장 지지를 요청한바, 이에대해 IMDORID 국장은 요지 아래와 같이 답변함

가. 리비아 외무부로서는 한국의 입장을 충분히 이해하고 이를 찬성 지지함

나. 남. 북한 공히 리비아의 우방이기 때문에 북한을 OFFEND 하지 않고 한국을 공개적으로 지지할수 있는 방안과 기회를 노리고 있으며 현재로서는 리비아정부가 90 프로 정도 한국 입장을 지지하고 있다고 할수 있음

다. 그러나 리비아 정부의 공식 입장은 상부 보고등 절차가 남아 있어 아직공식화 할수는 없음

2. 주재국 정부의 공식 입장은 국무회의에서 불원 최종 결정될 것으로 사료됨. 끝

(대사 최필립-차관)

예고 81.12.31. 일반 고문에
의거 인반문서로 공문됨

검 토 필 (1997. 6. 3.0)

국기국	장관	차관	1차보	2차보	중아국	청와대	안기부

관리	9/
번호	-3406

	분류번호	보존기간

발 신 전 보

WAE-0290   910520 1959 FN

번   호 :   종별 :

수   신 : 주   UAE   대사. 총영사
　　　　　　　　　(국연)

발   신 : 장 관

제   목 :   유엔가입문제

　　　　　대 : AEW-0260

　　　　　연 : WAE-0277

　　　연호, 5.20(월) 본부는 아국의 금년도 유엔가입을 UAE 정부가

지지할 것이라는 내용의 주한 UAE 대사관 공한(5.15자)을 접수하였음.

　　　　　　　　　　　　　　　　　　　　　　　　　　　　끝.

　　　　　　　　　　　　　　　　　　（국제기구조약국장 문동석）

예 고 : 1991.12.31. 일반 고문에
　　　　의거 일반문서로 재분류

검토필(1991.6.30)

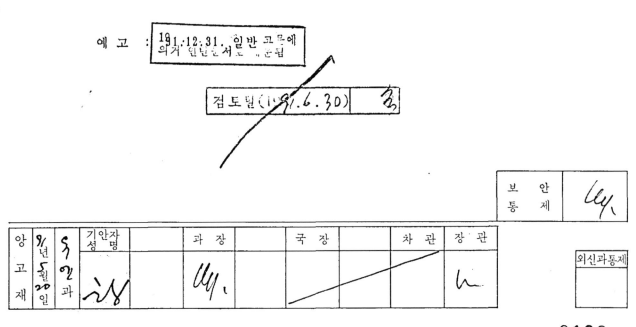

	보 안 통 제	

앙고재	91년 5월 20일	2과	기안자 성명	과 장	국 장	차 관	장 관	외신과통제

0130

관리	91
번호	―3426

원 본

외 무 부

종   별 :

번   호 : UNW-1298   일   시 : 91 0520 1930

수   신 : 장관(국연,중동이) 사본:주요르단대사(중계필)

발   신 : 주 유엔 대사

제   목 : 유엔가입교섭(레바논)

1. 당관 금참사관은 5.20 NOUHAD MAHMOUD 레바논 대표부 참사관을 접촉, 표제건 아국입장및 관련상황을 설명하고 레바논 정부의 지지와 협조를 요청하였음.

2. 이에대해 MAHMOUD 참사관은 아국입장에 대한 이해와 지지를 표시하면서 금일 면담내용을 상세히 본부에 보고하겠다고 말함. 끝

(대사 노창희-국장)

예고:91.12.31.에 일반고문에 의거 인반문서로 재문됨

검토필(1:91.6.30)

국기국	장관	차관	1차보	2차보	중아국	청와대	안기부

PAGE 1

91.05.21   09:27
외신 2과 통제관 BW
0131

원 본

외 무 부

관리
번호 91
-3439

종 별 :

번 호 : CAW-0631   일 시 : 91 0521 1600

수 신 : 장 관(국기,국연,중동이)

발 신 : 주 카이로 총영사

제 목 : 아국의 UN 가입과 UNESCO,IMO,IAEA,FAO 이사국 입후보

　　대:국기 20271-719,720,4810,480
　　연:CAW-0433,0492

　　1. 본직 및 공선섭부총영사는 그동안 주재국 외무부 FAWZY EL IBRASHI 차관보,
MOUNIR ZAHRAN 국기국장및 ZAHER 공사, ISMAIL 공사, AWADALLA 참사관등을 접촉,
아국의 UN 가입과 함대혁대사의 UNESCO 이사후보를 비롯, 아국의 IMO, IAEA 및 FAO
이사국 후보를 지지해줄것을 요청한바, 상기 당국자들은 과거 주재국 정부가 각종
국제기후 회의에서 아국의 입후보를 지지해온 것을 상기시키면서 상기
아국입후보지지에 어려움이 없을것이라는 반응을 보였음.

　　2. 동외무성은 또한 91.5.12 자 당관앞 공한에서 한. 이집트간 우호협력 관계에
비추어 상기 아국의 입후보를 관계부처와 신중히 검토중임을 공식으로 봉보해 왔음.

　　3. 본건 계속 추적 보고위계임.끝.

　　(총영사 박동순-국장)

예고:93.12.31. 일반 고문에 의거 한반순해보 개문됨

검토필(91.6.30)

국기국	장관	차관	1차보	2차보	중아국	국기국	정와대	안기부

관리 91
번호 _3532

분류번호	보존기간

발 신 전 보

WUN-1450 910523 2000 FN

번　호 :　　　　　　　　　　　　　　　　종별 :

수　신 : 주　유엔　　　　대사．．．총영사

발　신 : 장　관　　(국연)

제　목 : 유엔가입문제 - 예멘입장

　　　5.18-23간 최광수특사의 예멘방문중 아국 유엔가입문제관련 예멘대통령
및 외상의 언급내용 하기 통보함.

　1.　'살레'대통령(5.22.(수))

　　　예멘은 남북한의 유엔가입을 지지하므로, 금추 유엔총회에서 한국을
　　　지지하도록 "아슈킨" 주유엔 예멘대사에게 지시할 것이며, 북한
　　　에게도 한국과 함께 유엔에 가입하도록 설득하겠음.

　2.　'이리아니' 외무장관(5.19(일))

　　　ㅇ 유엔가입관련 한국의 입장을 충분히 이해하고, 유엔안보리에서
　　　　9개국이상의 찬성확보도 어려움이 없을 것으로 예견됨.

　　　ㅇ 냉전이 종식된 상황하에서 대다수국가가 지지하는 한국의 유엔
　　　　가입에 대하여 중국이 홀로 유별난 입장을 취할 것으로는
　　　　보이지 않음. 중국이 기권하면 한국의 유엔가입은 손쉬울 것임.

/ 계속 /

	보안통제	

앙고재	기안자 성명	과장	국장	차관	장관	외신과통제
91년 5월 23일						

o 이 경우 북한이 혼자 유엔밖에 남아있다는 것은 매우 어려운 일일 것임. 한국이 유엔가입하게 되고 북한도 가입하게 되면 남북한관계를 원활하게 하는데 도움이 될뿐 아니라 다른 국가들의 입장도 편하게 해주는 것이 됨.

o 상기 관측에 입각하여 예멘으로서는 북한에게 유엔동시가입을 권하고자 함. 끝.

예 고 : 1999.1.12.31 일반문에
의거 인반문서로 재분됨

(국제기구조약국장 문동석)

검토필(1991.6.30)

원 본

관리 번호	9/ -35기

외 무 부

종 별 :

번 호 : UNW-1361   일 시 : 91 0524 1820

수 신 : 장 관(국연,중동일) 사본:주 UAE 대사-중계필

발 신 : 주 유엔 대사

제 목 : 유엔가입교섭(UAE)

　　1. 표제건, 본직은 5.24. AL-SHAALI 주유엔 (UAE) 대사를 접촉, UAE 가 아국지지입장을 공식통보하여 준데 사의를표하고 GCC 의 공동입장표명등 본건추진을 위한 계속적인 지원과 협조를 당부하였음.

　　2. 이에대해 동대사는 UAE 로서는 아국과의 우호관계를 감안해서라도 아국의 유엔가입을 아무조건없이 지지한다고 하면서 GCC 공동입장 표명추진문제는 이를 본부에 건의하겠다고 말하였음.

　　3. 동대사는 자신이 지금까지 6 년간 유엔대사로 일해온 경험으로 볼때 중국은 끝까지 확실한 입장을 밝히지 않겠지만 국제사회의 대세에 혼자 역행하는 일은 하지 않을것으로 확신한다고 말하였음. 끝

　　(대사 노창희-국장)

예고:91.12.31. 일반 에 의거 일반문서로 재분류

검토필(1:91.6.30)

국기국	장관	차관	1차보	2차보	미주국	중아국	청와대	안기부

관리 91
번호 ~3592

원 본

외 무 부

종 별 :

번 호 : YMW-0320   일 시 : 91 0525 1400

수 신 : 장 관(국연,중근동)

발 신 : 주 예멘 대사

제 목 : 유엔 가입

대:WYM-0164

연:YMW-0315

1. 당관 이 정재 참사관이 5.24 주재국 외무성 아태지역 담당과장 ABDUL MALIK AL-IRIANY 로부터 탐문한바에 의하면 양 현섭의 유엔가입 관련 북한 입장 지지 요청에 대해 IRIANY 외무장관은 5.21 양과의 면담시 북한측 단일 의석 가입안은 비현실적이며 그와같은 전례가 없다고 언급하고 북한도 남한과 동시에 유엔 가입을 신청하면 전폭 지지하겠다고 약속한것으로 안다고 말하였음.

2. 양 현섭의 5.22 SALEH 대통령과의 면담시간은 10 분이었음을 첨언함. 끝.

(대사 류 지호-국장)

예고:91.12.31. 일반

19 . 에 고 재 토 일(1. 91. 6. 30)
의거 일반문서로 재분류

국기국	차관	1차보	2차보	중아국	청와대	안기부

원 본

관리 번호	9/ —3625

외 무 부

종 별 :

번 호 : QTW-0143   일 시 : 91 0527 1230

수 신 : 장관(국연,중동일,사본:주유엔대사,주사우디 대사) (본무급제외)

발 신 : 주 카타르대사

제 목 : 유엔가입 지지 교섭

    대:WQT-0159

    연:QTW-0138

    표제건 본직은 5.25 주재국 외무성의 HUSSAIN ALI AL-DOOSARI GCC 국장과 오찬 및 5.27 10:30-11:00 간 동 MOHAMED AL-JABER 국제기구국장 방문 요담을 통하여 아국의 유엔 가입 방침에 대한 GCC 의 공동지지입장 표명을 요청, 교섭하였는바 동 결과 아래 보고함.

    1. 본직은 각각 양국장에게 전번 강영훈 특사편 대통령친서에 대한 칼리파 국왕의 답신 친서 사본을 제시하고 , 동내용에서 남북한 동시 가입지지, 북한이 원치 않을 경우, 아국의 금년내 단독가입지지를 확약한 주재국의 입장에 따라, 다음 GCC 외상회담시 GCC 6 개국이 동일한 내용의 공동 지지 입장을 표명할수 있도록 GCC 의장국으로서 적극적인 영향력을 발휘해 줄 것을 요청하였음.

    2. 이에 대하여 AL-DOOSARI 국장은 차기 GCC 외상 회담이 6.2 사우디의 DAHRAN 에서 개최될 예정인바 본건을 동회담 의제에 포함시킬 계획이며, 현재까지 파악된바에 의하면 사우디 , 오만 및 UAE 가 동조할 것으로 예상된다고 답변하였음. 또한 본직은 동국장에게 그러한 GCC 의 공동지지 표명에 있어서 북한이 동시가입을 원치 않을 경우, 아국의 단독가입지지 의 입장표명이 가장 중요함을 강조한바, 동국장은 최선을 다하겠다고 답변하였음.

    3. 또한 AL-JABER 국기국장은 본건 KHALIFA 국왕의 친서 내용을 주재국의 DR. HASSAN ALI HUSSAIN AL- NI MAH 주 유엔대사 에게 전달하여 동방침에 따라 활동토록하겠다고 답변하였음.

    끝

    (대사 유내형-국장)

국기국   장관   차관   1차보   2차보   중아국   정와대   안기부

PAGE 1   91.05.27   21:28

예고:91.12.31 일반
⑬ ~ ~ ~ 에 예 꼬문에
왜거 일반문세로 답문됨

검토필(19 91. 6. 30)

외 무 부

종 별 :

번 호 : MTW-0138 일 시 : 91 5027 1530

수 신 : 장관(중동이,국연,정이)

발 신 : 주 모리타니 대사대리

제 목 : 주재국외상방북결과

자료응신:제 8 호

연:MTW-0133

1. 주재국 디디외상은 예정대로 이집트, 루마니아, 북한방문을마치고 5.25 귀국함.

2. 당관 김원철참사관은 5.27(월) 동 외상을수행 방북후 귀국한 주재국외무성 MOHAMED VALL 구미국장을면담, 방북결과 특히 북한의 단일의석가입안제기여부에관해 문의하였던바 동국장은 지금현재로서는 외상을 대신하여 자신이 굳이말을해야한다면 모리타니정부의 한국지지에는 변함이없이 확고하며 타야국가원수및 디디외상이 한우석특사에게 직접 확답한애기이상 덧붙일말이 없다고함.(동 국장은 한특사 당지방문시 상대역인 수행대사역할담당이었음)

3. 동 국장은 또한 금번 방북시 디디외상이 김일성을예방하여 타야 국가원수의 친서를 전달하였으며, 북한 외교부장과 여러가지 많은 문제들을 애기하였으나 모리타니측은 세상은 많이 변화되었음을 설명하였으며, 같은 비동맹회의국가로서 비동맹회의의 새로운진로정립방안등에관해 주로 애기하였다함을 참고로 첨언함. 끝.

(대사대리김원철-국장)

예고:91.12.31 일반

검토필(1:91.6.30)

중아국   장관   차관   1차보   국기국   정문국   안기부

PAGE 1

91.05.28   06:26
외신 2과 통제관 CA

0139

관리 9/
번호 ─3738

외 무 부

종 별 :

번 호 : BHW-0310   일 시 : 91 0602 1500

수 신 : 장 관(중동일,국연)

발 신 : 주 (바레인) 대사

제 목 : 주재국 국왕 답신

연:BHW-0304

1. 주재국 외무부는 금 6.2. 자 (공한)으로, 91.4.25 자 노태우 대통령 각하의 친서에 대한 91.5.21. 자 ISA 국왕의 (답신을) 전달하여 줄것을 요청하여 왔음.

2. 외무부가 제공하여준 답신 사본에 의하면 요지 다음과 같음.

가. 연합군의 쿠웨이트 해방승리를 축하하여 주신데 감사함. 한국이 걸프지역의 평화와 안정을 확립하고, 경제를 재건하는데 적극 협력하고 참여할 태세를 갖추고 있다는 것을 높이 평가함.

나. 양국간의 기존 우호협력관계및 한국의 국제 무대에서의 중요한 역활등을 고려, 바레인은 한국의 유엔 가입에 대해 깊은 관심을 기울이고 있으며, 한국의 가입을 전폭 지지하는 바임.

다. 또한 바레인은 한국민의 염원에 따라 한반도 통일의 날이 도래하기를 고대하며, 한반도 통일은 동북아 지역의 평화와 안정에 긍정적으로 기여할 것임.

2. 동 답신은 6.5. 자 정파편 송부위계임. 끝.

(대사 우문기-국장)

예고: 91.12.31에일반고문에 의거 일반문서로 재분류

검토필(1:91.6.30)

중아국   장관   차관   1차보   2차보   국기국   정와대

2. 아프리카 지역

0141

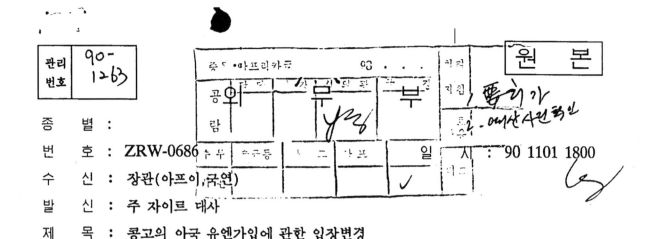

관리
번호 90-1263

종 별 :

번 호 : ZRW-0686

수 신 : 장관(아프이, 국연)

발 신 : 주 자이르 대사

제 목 : 콩고의 아국 유엔가입에 관한 입장변경

연:ZRW-0565(1), ZRW-0659(2)

1. 콩고 외무부 아주국장은 10.31. 당관을 방문하고 아국의 유엔가입문제에 관하여 외무부 정무차관과 장관간에 지지하기로 합의하고 각의및 대통령결재를 얻기위한 사전준비로 11.15. 경 남북한 정세와 유엔가입 문제에관하여 외무부 회의실에서 콩고관계관 참석하에 CONFERENCE- DEBAT 를 갖기로하였다고하면서 필요한 자료요청과 소직의 참석을 권유하여 왔음

(주제발표는 국장이함)

2. 가. 동국장에 의하면 연호(1) 출장시 정무차관이 장관에게 아국입장지지를 강력건의하였으나 장관은 90.6.16. 양국외교관계가 수립된지 4 개월도 못되어 북측의 반대에도 불구하고 아국입장을 지지하기에는 시기가 성숙되지 않았다면서 90 년에는 종래 입장을 견지하고 91 년도 총회에서의 입장은 장관귀임후 결정토록하자고 하고 유엔에 출장하였다함

나. 유엔에서의 귀임후 연호(2) 출장시 DEMARCHE 한 아국입장을 정리하여 정무차관이 다시 장관에게 보고하였든바, 장관은 콩고 정부가 2 개의 한국과 외교관계를 유지하는이상 아측 유엔가입 논리가 합당하다고하고 입장변경 추진에 동의하였다함. 장관은 남북한 문제에 관하여 중립적인 입장을 견지하려고하나 학자출신이라 논리적으로 맞는다고하면 이에 동의한다고함. 그러나 본건 추진에 적극적은 아니라고함

다. 대통령의 입장은 자국에 경제협력을 제공하는 국가에는 정치협력을 제공해야된다는 입장으로서 국장 판단으로는 외무장관보다 더 적극적일것이라함

3. 동국장은 일시가 확정되는대로 초청장을 전달하겠다고 하였는바, 초청장접수하는대로

중아국   차관   1차보   2차보   국기국

90.11.02   05:07

외신 2과 통제관 DO

0142

가. 동회의 참석, 분위기파악

나. 방한한 무역, 중소기업장관의 방한결과 청취및 대통령보고내용 입수

다. 한. 콩고 친선협회추진

라. 콩고 주재 앙골라대사 접촉 원조제의에대한 앙골라 회담청취를위하여 2 박 3 일 예정으로 출장코자하니 허가바람. 끝.

(대사 김현곤-국장)

예고-90.12.31. 일반

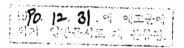

원 본

관리 91
번호 ―242

외 무 부

종 별 :

번 호 : UNW-0252   일 시 : 91 0131 1800

수 신 : 장관(국연,아프일,기정)

발 신 : 주 유엔 대사

제 목 : 주유엔 자이르대사 초청오찬

    본직은 1.31. BAGBENI 주유엔 자이르대사(안보리 1 월의장) 와 오찬을 갖고아국의 유엔가입 문제에 관하여 의견을 교환하였는바, 요지 아래와같음.

    1. 본직은 지난 45 차 총회기조연설시 아국 가입지지 발언등 자이르측의 협조에 사의를 표하고 아국정부의 금년도 유엔가입 추진계획을 설명한후 안보리 이사국및 아프리카 지도국으로서 자이르측의 적극적인 지원을 당부하였음.

    2. 본직은 그간 남북대화 과정에서 남북한의 유엔동시가입 실현을 위해 노력해왔으며, 금번 제 4 차 총리회담에서도 대북한 설득 노력을 계속 할것이나, 북한이 계속 이를 반대할경우 아측으로서는 선가입을 신청하지 않을수 없으며 이경우에도 북한이 추후 가입하는데 반대하지 않는다는 입장을 대외적으로 분명히 할것이며 통일지향적 특수관계 를 유지할것임을 설명함.

    3. 이에대해 BAGBENI 대사는 작년 방한시에도 한국의 유엔가입에 대한 자이르 정부의 지지입장을 분명히 밝힌바 있으며, 자이르로서는 가능하면 남북한의 동시가입이 이루어질수 있기를 희망하고 있다고 말하고 안보리 이사국으로서 한국측과 긴밀히 협조해 나가겠다고 언급함.

    4. 본직이 아국의 미수교국인 짐바브웨에 대하여 자이르측이 같은 아프리카국가로서 아측의 입장을 잘 대변해 줄것을 당부하고, 적절한 시기에 가능하다면 본직 이임전이라도 자이르측에서 아측과 짐바브웨간의 다리를 놓아줄수 있기를 희망함.

    5. BAGBENI 대사는 짐바브웨 대사가 부임한지 얼마안되어 친밀한 사이는 아니나 한국측의 희망을 염두에두고 향후 짐바브웨측과 수시 접촉하는 기회에 자연스럽게 반응을 알아 볼수 있을것이라고 언급함.

    6. 동 대사가 아국 유엔가입 문제에 대한 중국 및 소련의 태도를 문의한데 대하여

국기국	장관	차관	1차보	2차보	미주국	중아국	청와대	안기부

본직은 최근 동향을 소상히 설명하여줌.끝

(대사 현홍주-국장)

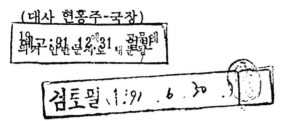

0145

원 본

관리 91
번호 -265

외 무 부

종   별 :

번   호 : UNW-0264   일   시 : 91 0201 1930

수   신 : 장관(국연,아프일,기정)

발   신 : 주 유엔 대사

제   목 : 주유엔 코트디브와르 대사대리 초청오찬

연:UNW-0252

1. 본직은 금 2.1.(금) ANET 주유엔 코트디브와르 대사대리와 오찬을 가진바, 동 오찬시 아국 유엔가입 문제 관련 협의 요지를 아래보고함.(코측에서 안보리, 총회담당참사관 2 명및 아측에서 서대원, 윤병세 참사관 배석)

가. 본직이 먼저 금년도 아국의 유엔가입 추진방침을 설명하고 아국의 중요한 우방국이자 안보리 이사국인 코트디브와르의 적극적인 지원을 당부한후 아국으로서는 남북한 동시가입 노력을 계속할것이나 선가입이 불가피한 경우에도 북한의 추후 가입을 반대하지 않으며 오히려 이를 지원할것이라는 입장을 알려줌.

나. 본직은 또한 유엔문제의 전문가이며 한국을 방문하여 아측입장을 잘알고있는 ESSY 전 유엔대사의 장관취임을 축하한후, ESSY 장관및 신임 주유엔 코트디브와르 대사의 지원을 희망함.

다. ANET 대사대리는 ESSY 장관및 신임대사(2 월하순 부임예정) 에게 한국측의 입장을 보고하겠지만 한국측에 대한 코측의 지원 입장은 분명하다고 (YOU CANCOUNT ON US) 밝히고, 남북한간 합의가 이루어지지 않을경우 안보리에서 예상될수있는 제반 절차적 문제점에 대하여도 그간의 이사국 경험을 토대로 가능한 지원을 아끼지 않겠다고 언급함.(북한의 단일의석 가입안에 대하여는 비현실적인것이라고 언급)

라. 본직의 짐바브웨, 예멘등 안보리 비동맹 이사국의 성향과 아측가입 문제에 미칠 영향에 대한 평가를 타진한데 대한 코측의 반응은 아래와같음.

0. 짐바브웨:

-작년말 걸프사태와 관련하여 발표된 매우 강경한 정부성명에서도 보듯이 비동맹내의 대표적인 강경노선 국가이나, 최근 DE KLERC 남아공 정권의 전진적인인종차별 철폐조치에 따라 점차 온건화하는 경향을 보이고있으며, 금번

| 국기국 | 장관 | 차관 | 1차보 | 중아국 | 청와대 | 안기부 | 안기부 |

91.02.02   10:25
                                                          외신 2과 통제관 BT
                                                              0146

지역대표 자격으로 안보리 이사국이 됨에따라 OAU 등 아프리카국가들의 다수 여론을 무시할수 없는 위치에 놓이게됨.

-지난주 안보리 비공식 협의시 짐바브웨가 여타 아프리카국가와 함께 서방측의 안보리회의 소집반대 입장에 동조한것도 이러한 배경하에 이루어진것으로 봄.

-짐바브웨 로서는 안보리 이사국 경험도 처음이고 대사 자신이 최근 부임함에 따라 자연스럽게 여타 아프리카 내지 비동맹 소속이사국들의 지원을 필요로 할것인바, 이과정에서 자연스럽게 한국측의 생각을 전달토록 하겠음.

0. 예멘
-금번 걸프사태 이전부터 쿠바와 공동보조를 오래동안 취해왔는데 걸프사태이후 이러한 결속이 더욱 강화되었다는 점이 한국가입 신청시 태도를 평가하는데고려요인이 될수 있겠음. (ANET 대사대리는 한국단독 가입신청시 부정적일 것으로평가)

0. 인도
-안보리 내 아프리카 온건국가와 비동맹 강경국가(쿠바, 예멘) 의 중간적 위치에 있으나, 인도의 비동맹 위치에 비추어 온건쪽에 가까움.

0. 에쿠아돌
-신임 이사국이자 소국으로서 여타 비동맹 이사국들의 태도를 많이 의식할것임.

마. 안보리내 아국가입 분위기 조성과 관련하여 ANET 대사대리는 한국의 선거입 신청시에는 여타국의 가입과는 다른 측면이 있으므로 상임이사국 뿐 아니라안보리내 비동맹 그룹(CAUCUS :7 개국) 의 지지여론 조성도 신경쓸 필요가 있다고 언급함. 물론 이경우 쿠바(및 예멘)의 반대로 비동맹의 의견 대립이 예상되나 이들 소수 반대국들이 다수 비동맹국들의 지지 분위기에 상당한 압력을 느낄것임. (88 년 남북한의 유엔총회 연설시 남북한 양측 지지 세력간의 타협과정을 유사한 예로 언급)

사. 안보리내 비공식 내부협의 그룹으로서 PERM-5 간의 COORDINATION 이 국별입장의 조정에 치중한다면, 비동맹 CAUCUS (2 월 의장은 알파벳 순서에 따라 인도)는 각지역 그룹입장내지 비동맹 공동입장을 아울러 감안한다는 차이점이 있겠음.

2. 걸프사태 관련 마그레브 국가및 쿠바. 예멘등이 최근 안보리 공식회의 소집을 계속 강력하게 요청하고 있는것에 대하여, 코측은 회의 소집 필요성에 반대하는 입장에는 변함없으나 유엔헌장 및 안보리 절차 규칙상 안보리 회의 소집요청을 계속 반대하는 것도 곤란하므로 서방및 온건 비동맹측이 일단 회의 소집에는 응하되, 소집후 의사진행 발언을 통해 회의를 연기토록하는 방안을 검토할 필요가 있다고

PAGE 2

0147

언급함.

3. 관찰및 건의

가. 안보리 비동맹 국가중 대아국 태도가 아직 불분명 또는 반대가 예상되는 국가중 예멘에 대하여는 양국 수도에서 집중적인 교섭을 강화할것과

나. 짐바브웨에 대하여는 상기 동향등을 감안, 유엔가입 문제뿐 아니라 양국관계 개선 차원에서 금년 상반기중 다각적인 대책을 마련할것을 건의함. 끝

(대사 현홍주-장관)

외교:91.12.31 일반

검토필(1) 91. 6∼.)

외 무 부

종   별 :

번   호 : SLW-0087   일   시 : 91 0204 1800

수   신 : 장관(아프일,정일,영사,미북,유엔)

발   신 : 주 세네갈 대사

제   목 : 국방장관 면담

대:AM-32,29

1. 본직, 2.4 11:00 세네갈 MEDOUNE FALL 국방장관을 예방함. 동 예방시 본직은 다음과 같이 언급하고 협조 요청함.

가. 걸프전쟁 관련 세네갈 파견부대의 안부를 문의하고, 아국정부의 재정지원, 의료단 파견을 설명함.

나. 특히 갈프전쟁 지원국으로 한국도 세네갈과같이 테러대상이 될가능성이 있는바 세네갈내의 아국공관및 교민들의 안전에 국방장관으로서도 관심을 가지고 지원하여줄것을 요청함.

다. 아울러 지난해 유엔총회에서 세네갈의 아국입장지지에 사의를 표하고 금년도 아국의 유엔가입의실현을 위하여 세네갈의 수석장관으로서 지원을 요청하였음.

2. FALL 장관은 상기요청에대하여

가. 서네갈내 한국공관원의 안전에 유의하겠으며

나. 자신이 주일대사시 주한대사겸임및 유엔대사로서 8 년간 재직한경험에 비추어 한국문제를 잘알고있는바, 냉전종식, 양 독일의 봉일등 국제환경에 비추어 한국이 북한의 유엔가입을 반대하지 않는다면 금년에 한국의 유엔가입은 문제가 없을것이라고 전망하였음. 끝.

(대사 허승-국장)

예고:91.3.31 일반

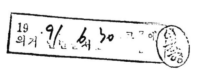

19 의거 일반

중아국   차관   1차보   2차보   미주국   국기국   정문국   영교국   정와대
안기부

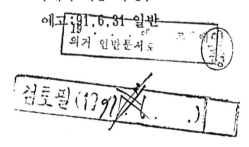

관리 91-299
번호

원 본

외 무 부

종 별 :

번 호 : SLW-0100

일 시 : 91 0207 1800

수 신 : 장관(국연,정이,아프일,기정)

발 신 : 주 세네갈 대사

제 목 : 외무부 관방장 면담

자응 8 호

대:국연 2031-104

1. 본직은 2.7 16:00 외무부 COLY 관방장을 예방, 아국의 유엔가입에 관한 아측입장을 설명하고 금년 아국의 유엔가입 요청이 있을시 세네갈의 지지가 있기를 희망한바 동 관방장은 양국간의 우호협력관계에 만족을 표명하고 유엔가입문제는 작년도 유엔총회연설에서 명시한대로 한의의 유엔가입을 지지한다고 말하였음.

2. 아울러 본직은 1.25 SY 외무장관예방시 알게된 장관의 방북시기를 문의한바, 관방장은 북한은 아국보다 먼저 SY 장관의 방북을 초청하였으나, 한-세네갈간의 우호협력관계를 고려, 장관이 서울을 먼저방문하게 되었다고 말하고, 방북시기는 4월이나 6월이 될것이라고 말함. 동건 계속 관찰 결과추보 위계임.끝.

(대사 허승-국장)

예고:91.6.31-일반
의거 일반문서로

검토필(1)91.(.)

국기국   장관   차관   1차보   2차보   중아국   정문국   안기부

관리
번호 91
-391

원 본

외 무 부

종 별 :

번 호 : UNW-0349

일 시 : 91 0214 1930

수 신 : 장관(국연,아프일,기정)

발 신 : 주 유엔 대사

제 목 : 유엔가입대책

1. 본직은 2.13. BAGBENI 자이르대사가 본직을위해 주최한 오찬에 참석한바, 동오찬에는 모로코, 가봉, 토고, 루안다 대사가 참석함.

2. BAGBENI 대사는 본직에게 한국의 유엔가입 여건이 성숙되고 있음에 비추어 자이르로서는 한국에게 모든 가능한 지원을 제공하고자 하며, 특히 한국의 가입신청이 임박해 있음을 아프리카 국가들에게주지시키는 것이 필요한바 금일 오찬이 이러한 측면에서도 의미있는 것이라고 언급함.

3. 모로코 대사는 88 년 노대통령 취임식때 경축사절단의 일원으로, 가봉대사는 과거 봉고대통령 방한시 수행차 각각 방한하여 양인 모두 개인적으로 친한적인 자세를 갖고있는바, 아국 유엔가입에 대하여도 양국 우호관계에 비추어 필요한 협조를 아끼지 않을것이라고 언급함.

4. 본직은 아국의 유엔가입 문제에 대한 대다수 유엔회원국의 지지를 토대로 아국이 금년중 유엔가입을 실현시킨다는 방침임을 설명하면서 아프리카 국가들의 지원을 얻는데 있어 상기 대사들이 계속 지원을 해줄것과 후임대사와도 긴밀한 협조 관계를 유지해줄것을 당부하였음. 끝

(대사 현홍주-국장)

19
예고거 91.12.31.에 예고문에 일환함

검토필(1) 91. 6. 20.)

국기국	장관	차관	1차보	2차보	미주국	중아국	청와대	안기부

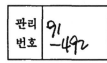

| 관리
번호 | 91
-492 |

외 무 부

원 본

종 별 :

번 호 : SLW-0165

수 신 : 장관(국연,아프일)

발 신 : 주 세네갈 대사

제 목 : 유엔가입대책

일 시 : 91 0222 1800

대:국연 2031-104

1. 소직, 2.21 DIAGNE 외무차관 예방기회에 금년 아국의 유엔가입입장을 설명하고 유엔가입 요청시 아국을 지지해줄것을 요청함.

2. 동 차관은 양국간의 우호협력관계를 고려, 이를 호의적으로 검토할것이라고 언급함. 끝.

(대사 허승-국장)
예고:91-6.30 일반

| 국기국 | 장관 | 차관 | 1차보 | 2차보 | 중아국 | 청와대 | 안기부 |

PAGE 1

91.02.23   06:56

외신 2과 통제관 DO

0152

관리 91
번호 ─567

외 무 부

원 본

종 별 :

번 호 : SLW-0190

수 신 : 장관(국연,아프일)

발 신 : 주 세네갈 대사

제 목 : 유엔가입

일 시 : 91 0227 1800

대:국연 2031-104

1. 소직, 2.26 외무부 SECK 국제기구국장을 면담, 금년 아국의 유엔가입입장을 설명하고 유엔가입 요청시 아국을 지지해줄것을 요청함.

2. 이에 동 국장은 동 서독, 남북예멘의 유엔가입, 통일의 선례와 국제정세변화등 금년은 한국의 유엔가입이 가능한해가 될것이라고 전망함. 끝.

(대사 허승-국장)

1급예고:91.6.31 일반
의거 년 시
검토필(17   .   )

국기국   장관   차관   1차보   2차보   중아국

원 본

외 무 부

관리 번호	91 -576

종 별 :

번 호 : IVW-0090   일 시 : 91 0228 1500

수 신 : 장관(국연,정이,아프일)

발 신 : 주 코트디브와르 대사

제 목 : UN 교섭

대:EM-0001

연:IVW-0085

1. 당관 이광재참사관 금 2.28 외무성 정무국 AKA 국제 기구 담당 부국장 면담기회에 제 4 차 남, 북 고위급 회담 일방적인 연기를 중심으로한 최근 남, 북한 관계현황 및 특히 UN 가입문제 관련 대호 아측입장을 설명하고, 아국의 금년중 UN 가입을 위한 주재국 정부의 적극적인 지지를 당부함.

2. 동 부국장은 주재국 으로서는 기본적으로 남, 북한 당사자간의 합의를 기초로한 남, 북한 UN 동시가입을 희망하는 입장이나, 최근 남, 북 고위급 회담무기연기등에서 나타난바와 같이 북한측이 여사한 합의를 거부할경우 아국의 단독 가입이 불가피할것으로 본다고 언급, 아측 입장에 교감을 표시함.

(대사 김승호-국장)

예규:91.12.31 에 일반교문에 의거 인반문서로 재분류

검토필(1)91. 6. 20.)

국기국	장관	차관	1차보	2차보	중아국	정문국	정와대

91.03.01 06:46
외신 2과 통제관 CA
0154

관리 번호	91 -206

외 무 부

종 별 :

번 호 : SJW-0028   일 시 : 91 0304 1100

수 신 : 장관(아프이)

발 신 : 주 스와지랜드 대사대리

제 목 : 주재국 국왕 면담

　　1. 본직은 2.28 주재국측 요청에 따라 국왕 MSWATI 3 세를 왕국에서 약 20 분간 알현, 면담하였는바 국왕 발언 요지를 다음 보고 함.

　　0 주한 상주공관의 개설로 양국간 경협관계, 특히 대주재국 투자가 증가되기를 기대 함.

　　0 작년도 자동차 기증등 아국의 대주재국 원조에 대하여 사의를 표하고 금년도 분에 대하여 관심을 표명 함.

　　0 유엔에서 한국 입장을 지지하겠다고 말하고 평화통일을 위한 남북관계 진전에 관심을 표명 함.

　　2. 상기 면담은 2.14 주재국 정기국회 개원후 국왕의 당지 주재 외교사절 면담계획의 일환으로 이루어 진 것임.끝

　　(대사대리 차준길-국장)

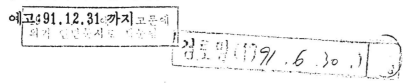

예고: 91.12.31 까지
경호원(17)91.6.30.)

중아국　　차관　　1차보　　국기국

PAGE 1   91.03.05   15:14

| 원 본 |

| 관리 | 91 |
| 번호 | -622 |

외 무 부

종 별 :

번 호 : UGW-0096   일 시 : 91 0306 1700

수 신 : 장관(국연, 아프이)

발 신 : 주 우간 다대사

제 목 : 유엔 가입

대:(1)EM-0004,(2)EM-0005

1. 본직은 금 3.6. 외무부 MR.IRUMBA 국제기구 국장을 방문, 대 2.27 자 외무부 성명 내용과 함께 아국의 유엔 가입의 당위성, 유엔 가입정책을 설명하고 이에대한 지지를 교섭하였음.

2. 대호 성명문은 PRESS RELEASE 로 작성, 외무성 간부, 정부 주요인사 및 언론계에 배포하였음.

(대사 김재규-국장)

예고: 91.12.31. 일반문에

검토필(1 91. 6 30)

국기국   중아국

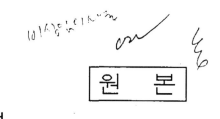

원 본

관리 91
번호 -639

외 무 부

종 별 :

번 호 : IVW-0107   일 시 : 91 0307 1500

수 신 : 장관(국연,아프일,정이)

발 신 : 주 코트디브와르 대사

제 목 : UN 교섭

대:EM-0004, AM-0043
연:IVW-0085

1. 당관 이광재 참사관 금 3.7 외무성 정무국 LAVRI 지역 담당 부국장을 면담. 대호 UN 가입문제 관련 아측 성명문(불역)을 전달하고(동 성명문 AKA UN 담당 부국장에게는 별도 기전달), 최근 남. 북한 관계 현황 및 대호 UN 가입문제 관련 아측 입장을 설명하고 아국의 금년중 UN 가입 실현을 위한 주재국 정부의 적극적인 지지를 당부함.

2. 동 부국장은 주재국으로서는 남. 북한 당사자간의 대화를 통한 한반도 문제 해결 및 통일을 희망하는 입장에 따라 남. 북한 총리 회담의 진행을 환형해온바, 최근 북한측의 일방적인 제 4 차 남. 북 고위급 회담 중단은 지극히 유감스러운 것임을 언급하고, UN 가입문제에 있어 북한측이 합의를 통한 동시가입을 반대할 경우 주재국측의 아국 단독가입 지지가 가능토록 지역국 측으로서도 최대한 노력하겠다고 말함.

3. 이 참사관은 3.12 동 부국장 및 AKA UN 담당 부국장 초청 별도 오찬 시행 예정임.

(대사 김승호-국장)

예고:91.12.31에 일반문서에
의거 인반문서로 재분류됨

검토필(17 91. 1. 20)

국기국
안기부   장관   차관   1차보   2차보   미주국   중아국   정문국   청와대

PAGE 1   91.03.08   05:19
                                        외신 2과 통제관 CW
                                               0157

원 본

관리 번호	91 ~640

외 무 부

종 별 :

번 호 : KNW-0263

일 시 : 91 0307 1700

수 신 : 장관(국연,아프이)

발 신 : 주 케냐 대사

제 목 : 유엔 가입 대책

대 EM-0001,0004,0005

본직은 금 7 일 주재국 외무부 정무차관보 등 관계관을 오찬에 초청, 대호 아국이 유엔 가입을 설명하고 주재국의 계속 지지를 요청한바, 동 차관보는 작년과 마찬가지로 주재국의 아국 지지 입장은 변함없을 언급하면서, 중국 태도에 관해 문의하므로 대호를 설명하고, 기회가 닿으면 짐바브웨등 인근 미수교국의 반응을 타진하고 아국 입장을 이해 시키기를 요청함. 끝

(대사 이동익-국장)

국기국	장관	차관	1차보	2차보	미주국	중아국	청와대	안기부

91.03.08   00:10

외신 2과 통제관 CW

0158

관리 91
번호 -689

외 무 부

종 별 :

번 호 : ETW-0110 　　　　　　　　　　일 시 : 91 0307 1800

수 신 : 장관(아프이,정일,정이,기정)

발 신 : 주 이디오피아 대사

제 목 : 북한외교부장 주재국방문

(자료응신 91-7 호)

연:ETW-0079,0093

표제활동 내역, 아래보고함

1. 김영남-TESFAYE 간 외상회담(2.25 오전으로연기)

가. 국내외 정세검토.

-. 김영남은 팀스프리트 91 실시로인한 남북고위급 회담 중단배경, 고려연방제 통일방안및 남북한 단일의석 유엔가입 노력등 북한측 입장을 설명하고 지지요청함.

-. 김영남은 똥반 걸프전 개시와동시에 한국측이 전문 비상령을 내리고 북침준비를 했다고 한국을 비난함.

-. TESFAYE 외상은 북부내전의 평화적 해결 노력, HON OF AFRICA 의 지역정세, 금번 OAU 각료회의 개최동향및 걸프사태에대한 주재국측 입장을 설명함.

-. TESFAYE 외상은 유엔가입문제에대한 북한측 지지요청에대해 남북한 어느일방의 입장을 지지할 입장이아니라고 답변함.

나. 쌍무관계.

-. 이디오-북한간 기존관계, 진행중인 협력사업및 금후 협력확대방안을 논의했다고하나 구체적사항 파악안됨.

다. 비동맹 대책.

-. 91.9 ACCRA 개최 외상회의 대비, 양국입장 조정문제등 협의, 구체내용 파악안됨.

-. 단,92 년 정상회의 유치관련 언급 없었음.

2. OAU 각료회의 참석 외상회담등.

-. 2.28 OAU 사무총장등 수개국 외상을 면담한것으로 전해지나 구체내용 파악안됨.

-. 기타 활동은 연호 일정대로 진행됨.

중아국	장관	차관	1차보	2차보	정문국	정문국	청와대	안기부

PAGE 1

91.03.09　　20:10

외신 2과　통제관 CH

0159

3. 당관 파악으로는 금번 김영남의 주재국 방문은 연례외상 회담개최(90.4 TESFAYE 외상의 방북에대한)와 금번 OAU 각료회의 참석 수개 아프리카국가 외상면담을 통한 비동맹대책 수립이 주목적인것으로 보임.

4. 김영남일행은 MALTA 를 방문한다고 3.1 FRANKFURT 행 ET 편으로 출국함(MALTA 방문후 ALGERIA, LIBYA 를 방문예정인것으로 전해짐). 끝

(대사 김승영-국장)

예고:91.12.31 일반문에 의거 일반문서 구분

검토필(1)   .)

PAGE 2

관리	91
번호	-698

외 무 부

종 별 :

번 호 : IVW-0124   일 시 : 91 0312 1500

수 신 : 장관(국연,아프일)

발 신 : 주 코트디브와르 대사

제 목 : UN 가입 추진 교섭

대:EM-0007

연:IVW-0107

당관 이광재 참사관 금 3.12 외무성 UN 담당 부국장 및 LAVRI 정무국 부국장을 오찬에 초청, 대호 아국의 금년중 UN 가입의 당위성을 재차 강조하고 이를 위한 주재국측의 협조와 지지를 요청한바, 동 외무성 인사들은 아측입장 관철이 가능토록 실무선의 노력을 다할것임을 언질함.

(대사 김승호-국장)

예고:91.12.31. 일반문서로 재분류됨

검토필(1)91. 6. 30.)

국기국   차관   1차보   중아국

관리
번호 91
-1787

외 무 부

종 별 : 지 급

번 호 : ZRW-0131

일 시 : 91 0314 1430

수 신 : 장관(아프이,국연)

발 신 : 주 자이르 대사

제 목 : 루안다대사 면담보고

1. 본직은 3.13(수) 오전 10:30 최근 새로 부임한 루안다대사(SENGEGERA ETIENNE)의 예방을 받고 환담하였음

2. 이자리에서 동대사는 상주공관이 철수했더라도, 양국간 협력관계가 계속되길 바란다고말하고 아국의 무상원조에대하여 사의를 표하였음. 이에 본직은 금년에도 작년도 수준의 원조계획이 있음을 알리고, 특히 아국은 금년에 유엔가입을 추진예정인바, 루안다 정부의 협력을 당부하였음

3. 동대사는 북한의 폐쇄성을 지적하고, 아국입장을 적극지원토록 본국정부에 건의하겠다고 하였음

끝.

(대사 홍승호-국장)

예고 : 91.12.31에 일반문에

검토필(19 91. 6. 20.)

중아국   차관   1차보   2차보   국기국

원 본

외 무 부

관리 91
번호 ─762

종 별 :

번 호 : GHW-0130 　　　　　　　　　일 시 : 91 0314 1620

수 신 : 장관(국연,아프일,정일,기정)

발 신 : 주 가나 대사

제 목 : 유엔가입 문제(자료응신 제 15호)

대:1.EM-0004

　　2.EM-0006

　　3.EM-0005

1. 본직은 금 3.14.(11:00-11:40) 주재국 WILMOT 정무, 경제차관보를 면담(당관 도 서기관 및 외무성 아중동국 차석 핫산 배석), 대호 (1),(2)자료를 직접 전달하면서 아국정부는 금년내로 유엔가입안을 제출할 방침임을 강하게 시사하고, 이에 따른 남북한 동시 유엔가입을 희망하는 아측입장을 설명하였는바 동차관보의 반응은 아래와 같음.

　　가. 주재국 정부의 기본입장은 90 년 제 45 차 유엔총회 GENERAL DEBATE 시 ASAMOAH 외무장관이 기조연설에서 언급한 내용임. 즉

　　-남북한의 의견차이를 스스로 해결하는 것이 한반도문제의 평화적 해결을 위한 가장 확실한 방법이며

　　-남북한은 각기 주권독립국으로서 각기 단독, 또는 함께 유엔회원국이 될 자격이 있으며

　　-예멘의 예와같이 남북한이 합의에 의해 유엔에 가입한다면 이는 더좋은 방안이 될 것임.

　　나. 한국이 안보리 상임이사국의 거부권을 극복할 경우, 가나 정부는 상기 외무장관이 언급한 대로 한국이 유엔회원국이 될 자격이 있다는 가나정부의 기본입장에 따라 지지를 할 것임.

　　다.(동 차관보가 소련 및 중국의 아국과의 관계를 문의하였는바 이에 본직은)소련측은 중국측보다 더욱 아국입장을 지지할 가능성이 높은 것으로 보며, 소련의 지지획득은 별 어려움이 없는 것으로 언급하고, 중국의 입장에 대해서는

국기국　　차관　　1차보　　중아국　　정문국　　청와대　　안기부

대호(3)아측의 평가내용을 그대로 동 차관보에게 설명하였음.

2. 한편 본직은 3.11.(10:15-10:45) 외무성 AGGREY-ORLEANS 국제기구국장을 면담, 상기와 같이 아국입장을 전달하고 지지를 요청한바, 동 국장도 상기 차관보와 대동소이한 반응을 보였음을 참고로 첨기함. 끝.

(대사 오 점일 - 국장)

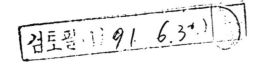

예고:91.12.31. 일반

검토필 91. 6.3.

원 본

외 무 부

종   별 :

번   호 : UNW-0581   일   시 : 91 0314 2300

수   신 : 장관(국연,기정)

발   신 : 주 유엔 대사

제   목 : 유엔가입문제(루마니아 접촉)

금 3.14. 운참사관이 루마니아 대표부 NUTA 1 등 서기관과 오찬시 동인 언급내용중 특기사항을 아래보고함.

1. 짐바브웨 동향

0. 지난주 짐바브웨 대표부의 안보리 담당 참사관과 접촉하는 기회에 한국의 유엔가입문제에 관한 짐측 입장을 타진하였는데, 동참사관은 지난 2 월중순 전임 한국대사가 MUMBENGEGWI 대사(당시 안보리의장)를 방문하여 한국측의 입장을 직접 설명해주어 이문제에 관한 한국측 입장을 잘알게 되었다고 하면서, 짐바브웨가 북한과 전통적인 우호관계를 유지하고 있지만, 정당한 자격을 갖춘 나라가 유엔헌장 규정에 따라 가입신청을 하는데 이를 거부하기는 어렵지 않겠는가(CAN'T DENY THE RIGHT) 하는 반응을 보임.

0. 짐바브웨가 안보리내 여타 이사국(아프리카 국가등) 들의 태도를 의식하는 경향이 있을뿐 아니라, 최근 남아프리카, 앙골라, 나미비아 사태 호전등으로 과거와 같은 강경 노선을 계속 견지해 나가기가 어려울것이며, 여타 아프리카 국가들과는 달리 민주화 추세에 다소 뒤지고 있는데 따른 대외적 이미지등도 염두에 두고 있다고 보여짐.

2. 중국측 동향및 태도

0. 최근 중국대표부 안보리 담당관 (WANG 참사관 시사)과 접촉시 동인은 최근 북한측이 안보리 문서로 배포한 유엔가입문제에 관한 외교부 비망록 내용에 관하여 "WE ARE VERY MUCH EMBARASSED" 라고 언급하였는바, 중국측은 북한측의 태도 경화에 매우 실망하고 있는듯한 감촉을 받았음.

0. 중국이 72 년 방글라데쉬 가입신청시 유일하게 거부권을 행사한바있는데, 당시 반대이유는 방글라데쉬가 유엔결의안을 준수하지 않았으므로 헌장상의 의사와 능력이

국기국   차관   1차보   미주국   정와대   안기부   안기부

없는 것으로 본다는 것이었는바, 이는 한국가입 신청시에는 적용될수 있는 논리라고
보며, 중국으로서는 한국의 가입을 반대할 대외적인 명분을 찾기가 매우
어려울것임.끝

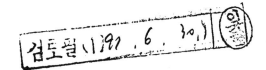

(대사대리 신기복=국장)
1. 고문에
예고문 91.12.31 일반 됨

검토필(1991.6.3.)

관리 91
번호 -194

외 무 부

종 별 :

번 호 : GAW-0035   일 시 : 91 0315 1900

수 신 : 장관(아프일,국연)

발 신 : 주 가봉 대사

제 목 : 외무장관 면담

대:아프일 720-7709, WGA-0026

1. 본직은 3.15 오후 4 시부터 45 분간 주재국 ALI BONGO 외무장관과 면담하고 대호 BONGO 대통령의 친서에 대한 노태우 대통령의 답신을 전달함.

2. 본직은 또한 동장관에게 유엔 가입문제에 관한 아국입장의 정당성과 북한 입장의 비합리성에 관하여 소상히 설명하는 동시에 아국이 금년중 유엔가입을추진키로 결정하였음을 알리고 아국의 가입을 적극 지지하여 줄것을 요청함.

3. 동장관은 주재국이 그동안 유엔 총회 기조연설을 통하여 남북한간의 대화를 통한 평화통일을 지지하여 왔음을 지적하고 유엔가입 문제에 관한 아국의 입장을 BONGO 대통령에게 보고하고 이를 지지하도록 건의하겠다고 다짐함.

4. 동장관은 BONGO 대통령이 금년 5 월 중순에 중국을 방문할 예정이라고 밝히고 대호 지난 3.7 주한 DIOP 대사를 통하여 중동아국장에게 요청한 BONGO 대통령의 방한초청이 실현되어 동대통령을 수행, 방한할 기회를 갖게되기를 기대 한다고 언급함.

5. 한편 본직의 동장관 면담직후 림근춘 당지주재 북한대사가 동장관을 이임인사차 예방한바, 동인은 당지 주재 대사관을 폐쇄하고 수일내 출발 예정임.끝.(대사 박창일-장관)

예고:1991.12.31 일반문에
검토필(1) 91. 6. 30.

중아국   장관   차관   1차보   2차보   국기국   정문국   청와대   안기부

PAGE 1   91.03.16   06:13

외신 2과 통제관 BW

0167

국제기구국장

Mugabe 짐바브웨 대통령과 친분관계에 있는 인사

91. 3. 16

1. 외국 국가원수 또는 행정수반
   - ○ '마하티르' 말련 (수상) ✗ →
   - ○ '카운다' 잠비아 (대통령) ✗ →
   - ○ '모부투' 자이르 대통령
   - ○ '살림 살림' OAU 사무총장

2. 짐바브웨측 인사
   - ○ 전직 주중 대사를 역임한 '고쉬' 외무부 사무차관보를
     들수 있으며 동 인사와는 짐바브웨 주재 말련 대사를
     통해 접촉시도 해 볼수 있겠음.

(참고 사항)

Habitat 아측 대표단의 입국비자 신청시 짐바브웨 정부인사와의
접촉 등에 관해 '짐'측이 협조해 주도록 해당 공관에 훈령 예정

0168

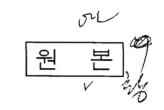

관리 번호	91 -207

외 무 부

종 별 :

번 호 : UGW-0115   일 시 : 91 0318 1900

수 신 : 장관(국연,아프이)

발 신 : 주 우간 다대사

제 목 : 유엔 가입

대:EM-0005, 국연 2031-104, EM-0006

1. 본직은 3.15(금) 외무부 O. ATUBO 외무담당 <u>국무장관</u>을 방문, 아국의 유엔가입의 당위성, 북한의 단일의석 가입안의 허구성, 아국의 유엔 가입정책을 설명하고 주재국의 이에대한 지지를 교섭하였음.

2. 대호 3.8. 자 장관님 간담내용을 PRESS RELEASE 로 작성, 외무부 간부, 언론계, 기타 정부인사 및 외교단에 배포함. 끝.(대사 김재규-국장)

예고:91.12.31. 일반문에
의거 일반문서로 재분류됨

검토필(1' 91. 6. 30.)

국기국   차관   1차보   2차보   중아국

관리
번호 91
-254

외 무 부

종 별 : 지 급

번 호 : CMW-0101   일 시 : 91 0318 2130

수 신 : 장 관(아프일, 사본:대통령비서실장)

발 신 : 주 카메룬 대사

제 목 : 차드출장

대:WCM-0037

1. 본직은 3.12-16 간 차드를 방문, 3.4 출범한 차드 신정부 고위인사들과 면담하고 양국간의 협력강화및 현안문제에 대하여 협의하였으며, 특히 3.14 SOUNGUI AHMED 외무장관과 면담하고, 3.16 IDRISS DEBY 대통령과 1 시간여에 걸쳐 면담하였기에 동요지를 아래 보고함.

2.

가. 3.14 12:30 SOUNGUI AHMED 외무장관과 LAOKOLE 외무차관 배석하에 약 1 시간에 걸친 면담을 갖고, 한반도 정세, 북방외교 현황, UN 가입에 대한 아국정부의 입장을 설명하고 한국의 전후복구및 경제개발 정책에 대해 사례를 들어 설명하면서 차드는 한국의 이러한 경험을 활용할수 있음을 말하였음.

나. SOUNGUI 외무장관은 아국의 UN 가입 입장을 전폭적으로 지지하겠다고 말하고 대통령 면담을 주선하겠으니 직접 제반정세를 말하여 달라고 하였음.

3.

가. 3.16 11:20 1 시간여에 걸쳐 외무장관등 배석하에 IDRISS DEBY 대통령을 면담하고 남북한 정세전반과 아국의 전후 복구상황, 경제개발 정책 사례, 중동및 아프리카에서의 아국기업의 활동사례등을 설명하였음.

나. SOUNGUI 외무장관이 금년도 무상원조로 아국이 차드 외무부에 차량 10 대를 지원하기로 하였다고 동대통령에게 보충설명하기에 본직은 한국의 그간의 경제성장에 비추어 의당 차드에 더많은 전후복구 지원을 함이 마땅하겠으나 아직도 북한이 110 만의 군사를 전선에 배치하여 아국의 안보를 위협하고 있기때문에많은 재원이 국방비에 지출됨으로써 아국의 차드지원은 수년간 현수준에 머물고 있는것을 안타깝게 생각한다고 말하고 한국정부는 금년도에 UN 에 가입함으로써 국제적으로 안보문제를

중아국 정와대	장관 안기부	차관	1차보	2차보	중아국	국기국	정문국	정와대

PAGE 1

더욱 공고화하고 북한과의 대화를 적극 추진하여 북한의 강경태도가 변화하여 한반도 평화체제가 수립되면 아국의 대차드 협력지원이 증대될 것이라고 말하였음.

　다.DEBY 대통령은 한국기업의 경영기술및 작업방식을 차드국민에게 전수하기 위해서도 차드복구 사업에 많은 한국기업이 참여하기를 희망한다고 말하고 한국기업의 차드진출을 간곡히 당부하였음.

　4. 3.16 08:00 본직은 외교단장인 SELLAH 주차드 알제리대사를 예방하였는바, 동대사는 알제리도 시장경제 체제로 정책전환을 하였다고 말하고 금년중 알제리 정부가 서울에 상주대사관을 설치할 계획을 갖고있다고 말하면서 예산의 제약상 주평양 알제리 대사관을 폐쇄하고 동예산으로 서울 상주대사관 개설을 지원할 계획이라고 밝혔음. 또한 북한은 전혀 새로운 정세변화에 적응하지 못하고 있어 평양에 상주대사관을 존속시킬 필요가 적어졌다고 말하였음.

　5. 기타 차드 국내정세등 양국 간의 세부 협력 사항에 관하여서는 별전으로추보위계임.

　　(대사 황남자-장관)

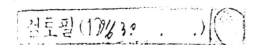

예고:91.12.31. 깍진에 의거 인빈뮨서로 대급뮴

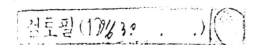
검토필(1991.3. .)

관리 91
번호 ─863

원 본

외 무 부

종 별 :

번 호 : MIW-0042

일 시 : 91 0320 1330

수 신 : 장관(국연,아프이)

발 신 : 주 말라위 대사

제 목 : 유엔가입문제에 대한 주재국 입장

대:EM-0006,0007.

대호, 본직은 금일(3.20) 주재국 외무부 D.C.W.KAMBAUWA 외무차관을 방문, 금년 4
월 유엔총회에서의 아국의 유엔가입 지지를 요청한바, 동 차관은 아국이 단독 가입을
신청하더라도 주재국은 아국을 적극 지지할것이라고 약속하였기 보고함. 끝.

(대사 박영철 - 차관)

제공:91.12.31. 일반
의거 일반문서 고 ㅁ에

검토필(1)91. 6. 30.)

국기국   차관   1차보   2차보   중아국   청와대   안기부

관리
번호 91 -869

외 무 부

종 별 : 지 급

번 호 : ZRW-0147   일 시 : 91 0321 1230

수 신 : 장관(아프이,국연)

발 신 : 주 자이르 대사

제 목 : 국제기구국장 예방

　　1. 본직은 3.10(수) 12:00 주재국 외무부 LOLONGA DELA LOKONGA 국제기구국장을 예방 환담하였음

　　2. 이자리에서 본직은 아국의 금년도 유엔가입 신청시 주재국의 지지를 요청하였는바, 동국장은 90 년도 유엔총회에서의 주재국 외무장관 발언 내용이 남북한 유엔가입 문제에대한 주재국의 입장이라면서 아국의 가입신청시 적극 지지할것임을 약속하였음

　　끝.

　　(대사 홍승호-국장)

예고.191.12.31.에 일반고문에
의거 일반문서로 재분류

검토필(1991. 6. 30.)

중아국　　국기국

관리
번호 91
-892

외　무　부

종　별 : 긴급

번　호 : ZRW-0148　　　　　　일　시 : 91 0321 1400

수　신 : 장관(아프이,국연)

발　신 : 주 자이르 대사

제　목 : 콩고 외무성 간부면담

연:ZRW-0131

　　1. 본직은 3.20(수) 오전 09:00 시 콩고 외무성 아주국장 NICODEME MOUDILA및 수석정책보좌관 TSALAKA ALBERT 의 방문을 받고 양국협력방안에대하여 협의하였음. 동협의에서 이들은 무상원조와 관련, 자동차, 전자기기등 희망품목목록을 제시하였는바, 상세는 파편송부하겠음. 아울러 외무차관을 단장으로하는 사절단방한, KOTRA 사무소 설치등에 언급하므로 다시 만나 구체적으로 협의키로하였음

　　2. 본직은 이어 아국이 금년도에 유엔가입을 추진하고있는바, 콩고정부의 지지가 필요함을 역설한바, 적극 힘쓰겠다고 말하면서, TSALAKA 보좌관은 작년도에 한국과 수교할당시, 외무성내에 반대가 많았으나, 이제 IDEOLOGY 시대는 지났으므로, 실리외교로 나가야한다고 외무차관이 적극주장 관철시켰다함

　　3. 동보좌관은 1975-1981 까지모스크바에서 유학한바있는 쏘련통으로서 외무성내에서 정책결정에 중요한 역할을 하는 인물임

　　4. 본직은 동일 13 시 동간부 양인을 오찬에 초대 격려하고 선물도 주었음을 첨언함

　　끝

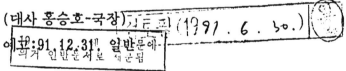

(대사 홍승호-국장) (1991. 6. 30.)
예고:91.12.31. 일반문에
의거 일반문서로 재분류됨

중아국　　1차보　　2차보　　국기국

PAGE 1　　　　　　　　　　　　　　　　91.03.22　01:03
　　　　　　　　　　　　　　　　　　　　외신 2과 통제관 CA
0174

| 관리
번호 | 91
-927 |

외 무 부

종   별 :

번   호 : NMW-0244

수   신 : 장관(아프이,기정)

발   신 : 주 나미비아 대사

제   목 : 짐바브웨 외상 면담

일   시 : 91 0322 1720

WHN - 0652
WHS - 1179

대:아프이 2221-46

1. 본직은 나미비아 독립 1 주년 기념행사에 특별 초청되어 주재국을 방문중인 MUGABE 짐바브웨 대통령을 수행한 짐바브웨 외무장관에게 3.21. 오전 기념행사장에서 대호 장관님의 친서를 전달하고 하오 경축 리셉션장에서 잠시 양국관계 개선에 대한 동 장관의 입장을 타진한바 동 내용 아래 보고함.

가. 장관은 한국과의 수교는 한반도 통일 이전에는 고려하기 어려운 입장임을 표명함.

나. 본직은 아국의 국제적 지위를 설명하고 양국관계의 수립이 오히려 통일을 앞당기는데 기여할것이라는 점을 강조하고 이는 양국의 상호 이익에도 큰도움이 될것이라고 말함. 또한, 짐바브웨 무역박람회에의 아국관 운영은 통상관계의 증진뿐 아니라 관계개선에도 기여할 것으로 본다는 의견을 개진함.

다. 장관은 무역박람회 참가는 모든국가와의 통상증진이라는 입장에 따라 허용된 것이라고 하면서 귀국하는대로 장관님 친서에 대한 회신을 보내겠다고 말함.

2. 상기 장관의 언급내용과 태도등에 비추어 짐바브웨 정부는 아국과의 관계 개선에 상당히 유보적인 입장을 취하고 있고 현재로서는 통상관계 등 경제관계만 유지, 발전시키겠다는 입장인 것으로 판단됨. 끝.

(대사 송학원-국장)

예고:91.12.31. 일반 고문에
의거 연반문서로 재분됨

검토필(1) 91. 6. 30.)

| 중아국 | 차관 | 1차보 | 2차보 | 청와대 | 안기부 | 장관 | 국기국 |

관리	9/
번호	-946

외　무　부

종　별 : 지 급

번　호 : ZRW-0157

일　시 : 91 0325 1240

수　신 : 장관(아프이,국연)

발　신 : 주 자이르 대사

제　목 : 아주국장 면담보고

연:ZRW-0147

1. 본직은 금 3.25(월) 10:30-11:00 주재국 외무부 KUDIWU KENGILA DIO
아주국장을 예방환담하였음.(박서기관 대동)

2.　이자리에서　동국장은　한-자　우호협력관계가　자이르-중공과의
관계와함께형제지간의 모범적인 협력관계라고 말하며 특히 아국의 무상원조에 대하여
사의를 표하였음

3. 본직이 금년도 아국의 유엔가입신청시 및 각종 국제무대에서의 자이르의지지를
당부하자 동국장은 자이르가 한국으로부터 받는 많은 물질적인 도움에대해서 자이르는
정치적으로 보답할것이라며 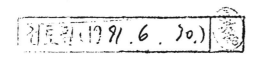 한국의 유엔가입문제에 대한 자이르의 입장은 지난해
유엔총회에서의 무쇼베콰 외무장관 연설에 나타나 있듯이 한국의 입장을 전폭지지하는
것인바 한국의 유엔가입 지지 요청은 이미 수락되었다고말하였음

끝

(대사 홍승호-국장)

예고:91. 12. 31. 에 일반고문에
의거 인반문서로 재문됨

검토필(1991. 6. 10.)

중아국	차관	1차보	2차보	국기국	청와대	안기부

91.03.26　00:37
외신 2과 통제관 CE

0176

외 무 부

종 별 : 지 급

번 호 : MSW-0036   일 시 : 94 10326 1400

수 신 : 장관(아프이,국연,정일)

발 신 : 주 모리셔스 대사

제 목 : 야당당수와의 대담내용(자료응신 제 5호)

전 부수상겸 외무장관이고 노동당 당수및 야당연합 총수인 BOOLELL 을 이임인사차 예방하였던바, 동인의 진술내용을 아래 보고함.

1. 정국과 총선

-현 쟈그나트 수상(MSM 당수)의 MMM 당과의 연정은 오래 지속하기 어려운 형편임.우선 MMM 당에 5 개장관석만이 배정되어 MMM 당측은 꾸준히 불만을 제기하고 있고 핵심인사인 BERENGER 가 무보직이라는 사실로 인하여 큰 갈등을 초래하고 있음. 또한 MSM 당 장관들의 비리는 연달아 폭로되고 있으므로 더 악화되기전에 금년내 조기총선을 실시할 가능성이 큼.(92 년이 정기총선)

2. 총선과 노동당

-총선이 실시되는 경우 노동당이 승리할 것으로 확신함. 내년이면 쟈그나트수상 집권 10 년이 되는바, 더 이상의 집권은 국민이 원하지 않으며, 부패현상도 장기집권으로 인해 온 것임.노동당이 승리하면 공화국으로의 전환과 함께 본인은 연령등에 비추어 대통령으로 물러앉고 국부인 고 RAMGOOLAM 전수상(노동당 당수)의 자제가 계승하게 될 것임.일부도시를 제외한 전지역 국민들의 노동당 지지성향은 상승하고 있음.(노동당. 사민당.MSM 당 탈퇴인사의 연합)

3. 북한측의 급속한 접근

-북한측은 MMM 당의 MSM 당과의 연합과 동시에 급속히 접근해오고 있음.MMM 당이 공개된 사회주의(공산당)정당이었고 소련. 리비아, 중공, 쿠바, 북한등으로부터 은밀히 지원을 받아옴.지난해 신임외무장관(MMM 소속)이 유엔에서 한국을 지지하였다는 것으로 안심해서는 안되며, 오히려 이로 인하여 북측은 더욱 공격적 접근을 시도하는 것임.대사를 소환하고 대사대리로 대치했다는 사실은 한국측의 사정에 따른(본직의 대사인력부족 이유설명)것이라고 양해하더라도 시기적으로 매우

중아국   차관   1차보   2차보   국기국   정문국   안기부

나쁘다고 생각함. 유엔에서의 한국지지는 대사의 외무장관과의 친분관계를 통한 적극적 자세에 의한 결과일뿐 MMM 당의 확립된 정책은 아닌것으로 알고 있음.

4. 아국에대한 입장

-본인은 과거에 항시 한국에 대한 우호적 자세를 취해 왔으며, 앞으로도 어떠한 위치에 있다 하더라도 우호관계를 증진하는데 최선의 노력을 다할 것임.더욱이 노대통령의 취임식에 특사로 참석시, 한국정부와 친한인사들이 베풀어준 우호적 접대에 대해 영원히 잊을 수 없을 것임.

5. 평가

가. 총선이 금년내로 급히 실시될 가능성이 있다는 것은 일반여론이나 노동당의 승리는 그리 자신만만한 것이 아님.고 RAMGOOLAM 수상에 대한 국민의 존경은 큰 것임에 틀림없으나 그의 아들은 아직 젊고(43 세) 정치경험이 없어 불안하다는 평을 받고 있음.

나. MMM 당과 북한등에 대한 평가는 사실이나 과거지사이며, MMM 당은 여러가지로 변모했음. 더욱이나 본직과 외무장관과의 친분등의 관계로 지지했다는 것은 지나친 편견에 기초한 면이 있음. 북한측이 크게 믿고 있는 BERENGER 는 본직관저 만찬시 아래사항을 분명히 밝힌바 있음.

1)대사의 지속적인 강력한 지지요청에 난처한 외무장관은 본인에게 MMM 당 간부회의를 요청, 한국지지를 당의견으로 결정한바 있음.

2)북한은 노동당 창당기념행사에 본인을 초청했으나 응하지않았으며, 다른 사람을 대신 파견했는바, 많은 비난의 대상이 되었을 것으로 생각됨.

3)북한대사가 비엔회의에서 한반도 핵철거, 비핵지대 설정주장연설을 했다해서 내용을 보내달라고 연락했으나, 대답도 없음.

다. MMM 당, 특히 BERENGER 가 막스레닌주의자였다는 것은 과거지사이며, 또한 구호에 불과한 것이었음. 더욱이나 동구.소련의 변화이후에는 구호자체도 사라진 형편이며, 아국의 유엔가입문제에대해 BERENGER 는 충분한 이해를 갖고 통일시까지 남북이 공히 유엔에 가입해야 한다는 지식인으로서의 이론가로서의 확신을 갖고 있음.

끝.

(대사 정경훈-국장).

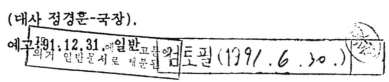

예구공91. 12. 31.에일반 검토필(1991. 6. 30.)

PAGE 2

0178

관리 91
번호 ─963

외 무 부

종   별 : 지 급

번   호 : MSW-0034,40   일 시 : 92 10326 1400

수   신 : 장관(아프이, 군연, 정일)

발   신 : 주 모리셔스 대사

제   목 : 주재국 외무장관과의 면담(자료응신 제 4호)

본직의 이임예방, 송별만찬, 독립기념행사등을 통해 주재국 외무장관이 피력한 사항을 아래 종합보고함.

1. 한국이 대사관을 GRDE DOWN 하는 것은 매우 섭섭하며 모든 외무부 직원들도 놀라운 표정인바, 한. 모양국의 우호에 하등의 지장이 없다고 보나, 시기적으로 대단히 나쁘다고 생각함.

2. 북한은 부수상겸 외교부장인 김영남이 방모했으며, 북한대사가 금년들어세번이나 방모하는등 적극적이고 공격적 자세로 임하고 있어 자신도 그들의 목적이 무엇인지 분간하기 어려운 형편임.

3. 북한의 방모인사들은 비동맹을 강조하고 디에고 가르시아섬 미군기지 철수를 주장, 모리셔스 입장 지지를 표시하고 김일성의 고려연방제 통일방안, 유엔가입문제등을 설명, 주장함. 한편, 동인들은 모리셔스와의 우호관계 증진, 통상거래 재개등을 제시하고 있으나 실질내용은 없음.

4. 통상문제와 관련, 바타무역을 제시하고 있으나 실제로 행하기는 어려운 일임. 구체적 조치로서 현재로서는 유일하게 시멘트 수출을 제시하고 있으나, 북한은 모리셔스측이 요청하는 벌크선 수출이 불가능하여 시멘트나 설탕의 바타게래도 가능성이 보이지 않음.

5. 북한측은 유엔가입문제를 특히 강조 설명하고 북측 지지를 요청하였으나동 외무장관은 대사가 제시한대로 양독과 남북예멘의 경우 유엔동시가입이 통일분위기 조성에 긍정적 작용을 하였음을 설명하고 독립국가의 유엔가입을 지지하는 것이 모리셔스 입장임을 북측 인사에게 단언함.

6. 유엔가입 지지를 비롯한 한국과의 우호관계는 변할수 없으나 북측의 태도가 심상치 않으니, 대사관을 더욱 보강해야 한다는 것을 본국정부에 잘 설명해주기를

중아국   차관   1차보   2차보   국기국   정문국   안기부

우호적 입장에서 충고함.

7. 북측이 협조를 고려하겠다는 서민주택 건설문제는 무엇을 기대해도 되는지 알 수는 없지만 대표단을 북한에 보낼 예정이며, 외무부 직원도 1 명 포함시킬 것을 고려중임.

8. 평가

가. 아국이 대사대리를 임명한 데 대해 섭섭하게 생각하는 것은 사실이나, 큰 반발이나 부작용은 없음.(대사요원의 절대부족, 대사대리 임시조치 설명, 충분납득)

나. 북한의 적극적 접근은 MMM 당이 친북당이라는 전제하에 집권당과의연합을활용하여 유엔가입 일방지지를 분쇄해 보겠다는 의도로 보이나, MM 당은 분명히변모했으며, 친북은 과거지사에 속함.

다.북한의 도전적 접근에 우려의 표시를 하고 있으나, 타국의 공관이 하나로도 더생기는 것을 내심 환영하고 있으며, 일면 아국의 보다큰 지원을 촉구하는암시라고도 보아야함.

라. 상기 제반 사정을 고려하더라도 오는 유엔 총회에서도 한국의 유엔가입을 계속 지지할 가능성이 큰 것으로 믿어짐.끝

(대사 정경훈 - 국장)

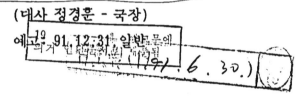

예고 91. 12. 31. 일반문에 의거 일반문서로 재분류됨 (1991. 6. 30.)

분류기호 문서번호	아프이 20221-2꾸2	협조문용지 (720-4170)		결 재	담 당	과 장	국 장
시행일자	1991. 3. 28.						
수 신	국제기구조약국장	발 신	중동아프리카국장 (서명)				
제 목	스와지랜드 외무장관 회담록 송부						

관리번호 91 -1002

1. 91.3.24-27간 방한한 바 있는 스와지랜드 외무장관 관련, 동 방한시

　의 양국 외무장관간 회담록을 별첨송부합니다.

2. 동 회담시 아측은 유엔가입문제 및 91.9 비동맹 외무장관 회의대책

　문제를 중점 거론하였음을 참고하시기 바랍니다.

첨　부 : 외무장관 회담록 1부.　끝.

예　고 : 19 91. 12. 31일 반고 후에 의거 일반문서로 재분류

검 토 필(1991. 6. 20.)

0181

스와지
장관 :   한국의 경제사절단의 방문을 환영함.

Business delegation을 파견하는데는 형편상 어려움이 있음.

장관 :   어제밤 최종환 주한 명예총영사와 이야기를 나눈바와 같이 민간 기업

분야의 협력증진이 양국관계 증진에 중요하다고 생각함.

우리 정부가 요즈음 중요시하는 몇가지 외교문제에 대해 언급하고자 함.

그간 유엔 등 국제기구에서의 귀국의 지원에 대해 감사 드림.

먼저 유엔 가입문제에 대해 말씀드리면, 우리나라는 북한과 함께 유엔에 가입

하기를 바라고 있으나 북한은 한반도 분단을 영구화한다는 구실로 반대하고 있음.

북한의 이러한 주장은 현실에 반하는 것인바 유엔 가입이 통일에 방해가

되지 않는다는 것은 남·북예멘, 동·서독의 통일에서 실증되었음.

우리나라는 금년도에 유엔 가입을 실현시켜 남북통일을 증진시키는데 실질적으로

기여할 계획이며 북한 설득을 포함하여 남북한 유엔 가입을 위해 가능한 모든

노력을 경주하고자 함.   우리는 작년에 유엔가입 신청을 하려하였으나 당시

추진되고 있던 남북총리 회담 등 남북대화를 감안 신청치 않았던바 남북한이

같이 유엔에 가입하려 노력하였으나 북한측의 반대로 실현되지 못하였음.

우리 정부는 금년에도 북한이 여전히 유엔 가입을 원하지 않거나 할 준비가

되어 있지 않다면 우리 한국만이라도 유엔 가입을 추진코자함.

우리가 먼저 유엔에 가입하면 북한도 추후 유엔 가입을 신청할 것인바

북한이 나중에 신청하더라도 한국은 북한의 유엔 가입을 환영할 것임.

본인은 귀하와 귀국 정부가 금년도 유엔에서 우리의 입장을 적극 지지해

주기를 희망함.

또 한가지 문제는 금년 9월 가나에서 개최되는 비동맹 외무장관 회의 문제임.

우리는 한국문제가 기본적으로 남북한간의 진정한 대화를 통해 해결되어야

한다고 믿고 있음.

북한은 금년 2월 평양에서 개최될 예정이던 총리회담을 무산시켜 버린 바

당시 한미 합동 군사훈련을 구실로 삼았음.

0182

우리는 북한, 중국 등에 동 군사훈련을 참관하기 위해 참관단을 파견토록
요청하였으나 북한측은 응답치 않았음. 폴란드, 체코 등은 금년에 참관단을
파견하여 군사훈련지역을 방문한바 동 군사훈련은 방어적인 훈련이라 평가
하였음. 우리는 북한이 군사훈련을 비밀리에 실시하고 있음을 알고 있음.
어쨌든, 가나 비동맹 회의와 관련, 동 비동맹회의에서 남북대화를 권장토록
권고해 주기를 희망함.

소련, 중국과 군사조약을 맺고있는 북한은 비동맹 회원국이 될 자격이 없다
할 것인바 북한의 일방적인 주도에 입각한 한국 문제가 논의되지 않기를 희망함.
북한은 비동맹 회원국이나 한국은 동 회원국이 아님.

우리는 앞으로 적절한 시기에 양국 대사관 등을 통해 우리의 자세한 입장을
제시할 것인바 우리의 입장에 대한 이해와 지지를 요망함.

마지막으로 사회주의 국가들과의 우리의 관계에 대해 말씀드리면 아시는
바와 같이 우리는 알바니아를 제외한 소련 포함한 동구의 모든 국가들과
외교관계를 수립하였음. 지난해 12월에는 역사적인 노태우 대통령의
모스크바 방문이 이루어졌었음. 우리는 지금 중국과도 관계 정상화를 위한
진지한 노력을 경주중임. 지금까지 중국은 북한과 특별한 관계에 있기
때문에 우리와의 관계 정상화에 선뜻 부응치 않고있음. 그러나
한.중국간에는 무역 등 실질협력 관계는 계속 증대되고 있음. 우리는 가까운
장래에 양국관계 정상화가 이루어지리라고 믿고 있음.

스와지
장관   : 한.중국간에 무역대표부가 설치된 것으로 아는데?

장관   : 양국간에는 지난해 무역대표부 설치에 합의하고 우리나라의 무역대표부가
북경에 설치되고 중국의 무역대표부가 다음달 서울에 설치될것임.
우리는 이러한 관계를 대사급 외교관계로 격상시키기를 희망함.
지난해 양국간 쌍방 무역고는 38억불에 달하고 총60,000어명의 양국민이
상호 방문한 바 있음.

0183

스와지
장관   : 스와지랜드에는 대사를 언제쯤 파견할 것인지?

장관   : 어제 저녁에 만난 전 주스와지랜드 대사인 이정남 대사는 얼마전에
        퇴임하였고 지금은 대사대리를 파견하고 있음. 대사파견 시기는 아직
        결정치 않았으나 앞으로 여건이 허락되면 대사 파견을 검토하겠음.

스와지
장관   : 한국 정부의 사회주의 국가들과의 외교관계 수립에 있어서의 성과를 축하
        드림. 남북대화에 있어서도 미.소 초대강국의 입장 변화를 바탕으로 진전이
        있을 것으로 기대됨.

        남아공에 있어서도 미.소 초강대국의 입장 변화와 더불어 변화가 시작되고
        De Klerk 정부는 점차 현실을 인정해 가고 있음. 한국의 유엔 가입에 대한
        우리 스와지랜드의 지지에는 아무런 문제가 없음. 비동맹회의 관련하여서도
        한국의 입장이 반영되도록 협조하겠음.

        한국의 북경 무역대표부 설치는 외교관계에 이르는 적극적인 조치라고 생각함.
        중국의 신뢰를 얻는 것이 아주 중요한 일이라고 생각하며, 중국을 움직이면
        북한도 뒤따를 것으로 봄.

        앞으로도 이러한 귀국의 외교문제에 대해 계속 알려주시기 바라며 본인으로서는
        계속 관심을 가지고 유의토록 하겠음.

장관   : 남아공 문제와 관련, 아국은 인종차별 철폐에 관한 각종 유엔 건의를 지지하며
        남아공 문제가 민주원칙에 입각하여 해결되기를 바라고 있음.
        귀하도 아시는 바와 같이 우리는 남아공 정부와 계속 어떠한 관계도 갖지
        않고 있음. 그러나 한국은 남아공사태 진전에 계속 유의하고있으며 이 지역이
        조속한 시일내 평화와 안정을 찾기를 바라고 있음.

0184

관리 번호 91 -1026

외 무 부

원 본 ✓

종   별 :

번   호 : IVW-0173   일   시 : 91 0328 1000

수   신 : 장관(국연,아프일)

발   신 : 주 코트디브와르 대사

제   목 : 외무장관 면담.

대:EM-0007

본직은 금 3.28 주재국 ESSY AMARA 외무장관을 면담하였는바, 결과 다음 보고함.

1. AMARA 외무장관은 본직이 한국의 UN 가입문제에 관하여 언급하기 전에 먼저 "자신이 UN 대사로 근무하였고 한국도 방한한바 있음으로 한국의 경제발전상과 분단현실을 잘알고 있으며 재작년에 SIMEON AKE 전 외무장관이 UN 총회연설을 통하여 한국의 UN 가입문제를 지지해 준 사실을 상기시키고 작년에 발언치 않은것은 한국지지입장에 변화가 있어서가 아니고 그 당시 주재국 국내 정치 사정과 다당제 제도 도입과 관련된 내부사정이라고 하면서 UNIVERSALITY PRINCIPLE에 따라 옛날부터의 친구국가를 지지해주는것은 당연하다고 말하고 분단독일도각각 UN 가입한후 통일되었다" 는 발언을 하였음.

2. 본직은 유엔가입문제에 관한 안보리문서(S/22024)와 당부의 2.27 UN 가입에 관한 성명문을 수교하고 UN 가입건 부연설명 및 북한의 SCUD 미사일 대 시리아 수출, 원자무기생산 능력등을 지적하고 남북한이 UN 에 가입하면 북한의 전쟁무기생산에도 UN 기구자체내에서 적절히 통제를 가할수 있음을 설명하고 안보리 비상임이사국인 주재국의 적극적인 지지를 요청하였던바 동장관은 아국입장지지에 변함이 없다고 말하였음.

3. 본직은 양국 수교이래 아측으로 부터 많은 각료가 친선 방문한적 있으나주재국측으로 부터는 아직 외무장관이 방한한바 없음을 상기시키고 한국 방문계획여부를 문의하였던바 외무장관 취임후 아직 바쁜 일정으로 극동 방문 계획은없으나 검토해 보겠다고 대답 하였음.

4. 동 면담시 주재국 측에서는 SIAKA KOULIBALY 대사와 KONADIO FRY 보좌관이 동석하였음.

국기국	차관	1차보	2차보	중아국	정와대	안기부

PAGE 1

(대사 김승호-국장)

예고문91.12.31 일반 고문에
의거 인반문서로 ~됨

0186

관리 91
번호 - 1062

외 무 부

종 별 : 지 급

번 호 : KNW-0328   일 시 : 91 0329 1700

수 신 : 장관(아프이,경이,국연,기정)

발 신 : 주 케냐 대사

제 목 : 탄자니아 외상 면담

대 WKN-0138

연 KNW-0283,0290

대호 본직은 3.28 1730 부터 1 시간반 동안 기양측이 합의한 본직의 탄국 방문대신 본직과의 면담을 위해 동일 하오 '당지에 도착한 DIRIA 탄외상과 동인 숙소(인터콘호텔)에서 면담하였는바 동 내용및 당관 의견을 아래 보고함

1. 면담 내용

가. 본직은 탄외상과 인사 교환후 본직이 명일 DAR 에서 외상을 면담할 준비를 하였으며 또 그렇게 되기를 기대하겠다고 한바, 동외상은 DAR 에서 면담을 주선토록 당지 탄대사에게 지시하였으나, 짐바브웨 방문 귀로에 나이로비에서면담함이 서로 편리할 것으로 생각되어 갑자기 본직의 탄국 방문 일정을 변경케 하였다고 말하면서 양해를 구함

나. 본직은 지난 2 년 동안 본직의 당지 부임이래 탄국과의 수교를 위해 당지 LUSINDE 대사와 계속 접촉을 하였고 특히 동외상 취임 전후부터 아국의 입장을 정확히 전달하기 위해 직접 서신을 발송한바 있어 수교에 관한 아국 입장을 이미 외상이 잘 알것이므로 간략히 수교의 필요성과 당위성을 먼저 설명하고, 탄측의 결단을 국구한바 동외상은 탄측 입장을 아래와 같이 피력함

탄정부는 동북아 지역 국가에 깊은 관심을 갖고 남북한 사정을 잘알고 있으며, 특히 붐북대화를 위한 남북한 양측의 노력을 평가하고 있음

탄정부는 귀국과의 관계 수립을 위한 LOGICAL STEP 로서 봉상사절단 상호방문(1 단계), 한국 봉상 대표부의 DAR 설치를 통한 탄국내 귀국의 이미지 제고(2 단계) 전기 2 개 단계에서 이루어진 한국의 탄자니아 기반과 이를 통한 탄국민의대한국 인식 전환과 북한 로비의 악화를 기한후 마지막 제 3 단계로서 양국간 외교관계 수립을

중아국	장관	차관	1차보	2차보	국기국	경제국	정와대	안기부

PAGE 1

추진하는것이 현 탄국의 정치 상황을 고려한 가장 좋은 접근 방안으로 생각함

본인은 과거 일본 근무를 통해 귀국을 잘알고 있으며, 인도및 독일주재 대사 근무시 귀국 대사들과 접촉을 가졌고 당시 귀국 대사들은 이제 본인이 제시한방안대로 통상 대표부를 설치하기를 원했던 때가 있었으나, 당시에는 탄측이 이를 수용치 못했고 지금은 탄국의 이러한 정책 변화를 오히려 한국이 수용치 않아 그간 관계 증진이 지연되고 있는감이 있음

다. 이에 대해 본직은 양국이 공동 번영을 위한 상호 협력 필요성을 인식하고 있는 현 시점에서 한반도 긴장 완화와 궁극적인 한반도 통일을 위해서도 남북한의 공존을 인정하고 이를 위해 한국과도 수교하는것이 이지역의 정치 지도국 입장에 있는 탄자니아의 대 아국 기여가 될것이므로 아국은 통상 대표부등의 중간단계 없이 바로, 탄국과 조속한 시일내 외교관계를 수립할 준비가 되어 있다고 말하고 수교 발표후 동외상의 방한 초청 의사를 표명한바, 동외상은 탄국 수교의 전제로서 아래 4 가지 사항을 유의해 줄것을 바라며 이를 자세히 설명함

탄정부는 상호 이해와 협력 증진을 통해 점진적으로 대한국 관계 개선을 희망하고 있음

탄정부는 지금까지 탄국에 호의를 보여온 국가와의 관계를 갑자기 악화 시킬수 없는 입장임을 이해주기 바람

탄정부는 경제성장을 통한 국민의 복지를 중요시하지만 그보다 인근 여타국가와 달리 독특한 정치 문화를 바탕으로 발전하고 있음을 이해해 주기 바람

탄자니아는 현재 어려운 경제난에 처해 있어 도움을 필요로하고 있으며,그러나 전제 조건이 없는 원조및 경협을 희망하고 있음

라. 동외상은 이를 탄정부의 대아국 관계 개선의 MODUS VIVENDI 라고 설명한후 우선 금년 7 월에 개최되는 DAR 박람회에 아국이 참가하여 주기를 희망하며참가할 경우 대규모 전시품(중장비등)을 출품하여 탄국민에게 한국의 이미지를재고하고 동시에 일부 세력의 로비를 중화시키는데 도움을 줄것이라고 말함

이경우 대사의 방문도 환영하며, 대사 자격으로 각계와의 접촉도 할수 있도록 보장하겠다고 부언함. 끝

이후 KNW-0329 로 계속됨

관리 91
번호 -1063

외 무 부

종 별 : 지 급

번 호 : KNW-0329   일 시 : 91 0329 1700

수 신 : 장관(아프이,경이,국연,기정)

발 신 : 주 케냐 대사

제 목 : KNW-0328 호의 계속분

마. 끝으로 본직은 나이로비에서 양국 대사간 수교 교섭의 계속을 위야해 LUSINDE 대사에게도 본직이 가지고 있는것과 같은 수교 교섭 권한을 부여 하여 줄것을 요청한바, 동외상은 당지 탄대사에게 금일 양측이 설명한 양국의 입장을 중심으로 당지에서 계속 수교 문제를 협의할수 있도록 이미 지시가 되어 있다고 밝히고 수교전이라도 한국측이 원할경우 한국 사정을 직접 파악할수 있도록 한반도 사정에 밝은 LUSINDE 대사의 방한을 허용할 것이라고 말하면서 본직과의 대화창구를 계속 유지하는것도 도움이 될것이라고 언급함

2. 관찰및 건의

본직의 DAR 방문을 하루 앞둔 시점에서 DIRIA 장관의 예기치 못한 당지 방문및 본직과의 면담은 최근 김영남의 동국 방문과 CCM 당내 친북 당료들의 시선을피하기위해 기계획된 하라레방문을 다소 연기하고 귀로에 본직과 합의한 일정을하루 앞당겨 당지에서 면담 자신의 어려움을 면하고 또한 본직과의 기 약속을 이행하는 두가지 효과를 기대한것으로 판단됨 LUSINDE 대사는 금번 외상의 당지방문이 순전히 본직과의 면담을 위한 것으로 양측 입장 차이에도 불구 양국 수교를 위해 동외상과의 첫 면담 사실 자체에 의의를 두고 있다고 말한점에 비추어금번 본직의 동외상 면담 형식이 비록 비공식적이긴 하나 양측이 관계관을 배석시켜 면담 내용을 기록케하며, 사실상 공식 수교 협상의 길을 터논것으로 판단됨

동외상은 탄국 독립 직후부터 외교 대외홍보등 요직을 거친 직업 관료형의 잔지바르 출신 인사로서 작년 무위니 대통령 재선이후 외상으로 취임 그동안 각국 특히 역내 아프리카 국가를 순방, 양자및 다자 문제를 강력히 추진하는등 적극적이고 개혁적인 성격을 가지고 있으나, 아국 문제에 관한한 국내 특히 당내 친북 세력의 집요한 반대에 부딪쳐 본직에게 상의와 같은 탄측 입장을 밝혔으나,본질적응로 동인은

중아국   장관   차관   1차보   2차보   국기국   경제국   정와대   안기부

현실주의적 성격을 소유하고 있어 결국은 아국과의 수교에 이르게 하는데 도움을
줄인사로 관찰되었음

현재 아국 이업 특히 대우는 동국의 유력한 업계 인사와 현재 두서너개의 대규모
합작 투자 문제를 협의하고 있어 탄국에서는 이를 수교 문제와 결부치, 않고
성사시키려는 성격이 강한 반면 아측은 선수교후 경협 원칙에 따라 수교후 동 상담이
이루어 지도록 측면 지원하는 형식을 취하고있어 동사업를 잘 연관시켜동국과의
수교에 연결하느것이 탄측의 입장을 고려하는 수교 촉진의 한 방안이될수 있을것으로
사료되니 검토하여 주시기 바람

3. 동외상은 이날 아국의 유엔 가입문제및 비동맹 업저버 신청 문제에대해
문의함으로 본직은 다음과 같이 설명함

가. 유엔 가입문제는 남북한의 궁극적인 통일이 성취될때까지 남북한이
같이가입하는것이 바람직하나 현재 북한이 남북한 동시 가입 또는 남한만의 단독
가입을 반대하기 때문에 4 천 5 백만의 아국민이 국제 문제에 참여치 못하는
비정상적인 상태에 있어 이를 시정키위해 금년에는 가입을 적극 추진할 방침을 정한바
있음

나.1949 제출한 아국의 유엔 가입 신청이 아직 유효한 것으로 보며
이문제를유엔에서 다룰때 이러한 아국의 요청을 감안 협조하여 주기 바람

다. 비동맹 업저버 가입에 대해서는 상금 아는바 없으나, 페루회의시 아국이가입
신청을 내었다가 실현되지 않는점에 비추어 개도국으로서 한국이 제 3 세계 기구에
참여하는것이 바람직 하다는 것이 본인 개인의 생각임.이에 대해 동외상은 GHANA
회의시 한국이 업저버 가입을 신청할 것인지 관측이 있는바, 한국이 실제 업저버
참여를 신청할 경우 이를 지지하겠다고 말하면서 북한의 방해가 있었음을
시사하였음을 참고 바람

라. 본직은 이날 동외상에게 남북한 통일, 각종 한국 소개 책자및 EDCF 안내자료등
10 여종을 제공한바 동외상은 참고 하겠다고 하며 쾌히 받았으며, 대호선물을
외상내외 LUSINDE 대사내외 장관 보좌관에게 선물한바 동인들은 이에대한 감사의 뜻을
표명하였음

4. 기타 참고 사항 파편 송부함. 끝

(대사 이동익-장관)

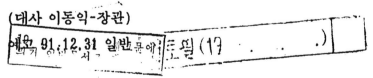

원 본

관리
번호 91
-1051

외 무 부

종 별 :

번 호 : SLW-0284

일 시 : 91 0329 1800

수 신 : 장관(국연,아프일)

발 신 : 주 세네갈 대사

제 목 : 유엔가입

대:WSL-108

1. 소직은 3.28 SY 외상을 면담, 금년도 아국 유엔가입을 지지요청함.

2. 동외상은 세네갈은 한국의 유엔가입을 지지하며, 남북한의 유엔동시가입이 한국의 봉일에 아무런 지장을 가져오는것이 아니며, 오히려 봉일을 위한 남북대화및 분위기조성에 유익한것으로 생각한다고 말함.

3. 소직은 김창훈대사가 5 월초 대봉령 특사자격으로 세네갈 방문예정임을 봉보하고, DIOUF 대봉령의 면담을 주선을 요망한바 동외상은 특사의 세네갈방문을 환영하고, 문서로 봉보하여줄것을 요망함.

4. 따라서 김특사당지방문은 5 월초순경으로 추진할것을 건의함. 끝.

(대사 허승-장관)

예고:91.6.10 일반 에 고무에 의기 인반문서

국기국   차관   1차보   중아국

91.03.30   06:25
외신 2과 통제관 DG
0191

외 무 부

종 별 :

번 호 : UNW-0770   일 시 : 91 0402 2230

수 신 : 장관(국연,동구이,아프일,기정)

발 신 : 주 유엔 대사

제 목 : 주유엔 유고대사 면담

1. 본직은 금 4.2(화) DARKO SILOVIC 주유엔유고 대사를 예방, 면담하고 아국의 유엔가입 문제에 관하여 의견을 교환하였음. 본직이 먼저 아국정부가 유고와의 국교수립에 대단히 만족하고 있으며 유고와의 관계를 중요시하고 있다고 언급한데 대하여 동 대사는 전적인 동감을 표시하였음. 이어 본직이 금년도 유엔가입에 대한 아국정부의 의지를 설명하고 비동맹지도국이며 현 의장국인 유고의 적극적 지원이 절실히 요청된다고 강조한데 대하여 동 대사는 유고로서는 유엔의 보편성원칙에 따라 아국의 유엔가입을 지지하는데 하등 어려움이 없다고 말하면서 소,중의 가입문제에 대한 반응에 관심을 표하였음.

2. 동 대사는 유고 외무부내 비동맹전문가 이며 현재 뉴욕비동맹 조정위의 의장으로서 아국의 유엔가입과 관련 비동맹국가의 동향에 대하여 많은 관심을 표명하였음. 본직이 비동맹 국가중 쿠바, 짐바브웨등이 아국의 가입을 찬성하지 않을것으로 예상된다고 언급한데 대하여 동 대사는 아국이 중국의 거부권과 쿠바및짐바브웨의 반대를 극복하여 안보리에서 가입안이 채택되더라도 혹시 총회에서쿠바등이 표결을 주장할 가능성을 배제할수 없을 것이라고 말하면서 동인의 견해로는 쿠바, 짐바브웨, 월맹, 라오스등 5-6 개국 정도가 북한을 지지하여 아국의 가입을 반대할 것으로 전망하고 비동맹에 대한 만반의 대비가 필요할 것이라고 권고하였음.

3. 이에 덧붙여 동 대사는 비동맹의 분위기는 유엔과 달라 소수국가라 할지라도 강경하고 집요하게 논쟁을 전개하는경우 이에대한 뚜렷한 대안이 없으면 그대로 전체의사인 것으로 받아들여지는 가능성이 많음에 아국이 유의하여야 할것이라고 말하였음. 특히 91.9.2-7 가나 개최 비동맹 전체외상회의가 유엔총회 직전에 개최되는 만큼 북한이 이를 만약의 경우에 대비한 최후의 저지선으로 활용할 가능성이 있다고

검토필(1991. 6. 5일)

국기국	차관	1차보	2차보	구주국	중아국	정와대	안기부

하면서 무엇보다도 의장국인 가나에 대하여 각별한 교섭노력이 필요함을 지적하였음. 이와관련 동 대사는 현 가나외상이 국제현실과 자국의 이익에 대한 정확한 판단력이 부족하고 대체로 이념적 성향을 강하게 지니고 있는 인사이므로 비동맹회의에서 쿠바, 짐바브웨등의 강경노선에 편승, 동조할 개연성이 없지 않다고 말하고 이에대한 대비로 가나 J.RAWLINGS 국가원수에 대한 직접접촉, 교섭이 바람직 할것이라는 의견을 표명하였음.

4. 동 대사의 상기언급중 비동맹에 관한 견해 특히 대 가나 정부 교섭문제는 유의할 필요가 있다고 판단됨. 끝

(대사 노창희-차관)

예고:91.12.31. 일반

검토필 (1991. 6. 30.)

'91. 12. 31.에 예고문에
의거 일반문서로 재 분류됨.

외 무 부

종 별 : 지 급

번 호 : UNW-0779   일 시 : 91 0403 1900

수 신 : 장관(아프일,의전,국연)

발 신 : 주 유엔 대사

제 목 : TOGO 외무장관 방한

연:UNW-0149,0172

대:WUN-0125

당지주재 PENNANEACH 토고대사는 4.2. 자 본직앞 서한을 통해 동국 ADODO
외무장관이 아측 초청을 수락, 4.22-30 간 공식방한코저 한다고 통보해온바, 동기간중
접수가능 여부 조속회시바람. 끝

(대사 노창희-국장)

예공:91.12.31. 일반
의거 일반문서로 재분류
고문에

검토필 (1991 . 6. 30.)

중아국   장관   차관   의전장   국기국

주 케 냐 대 사 관

케대정 720-/32   1991. 4. 3.

수 신   외무부장관

참 조   중동아프리카국장, 국제기구조약국장, 국제경제국장, 통상국장

제 목   탄자니아 외상 면담 요록

        연 : KNW-328, 329

        대 : WKN-138

   1. 연호 관련, 본직의 탄자니아 Diria 외상 면담요록을 별첨 송부합니다.

   2. 이와 관련, 탄자니아 외상이 제시한 아국과의 수교방안 및 금년7월
       예정인 Dar es Salaam 박람회의 아국 참가여부 등을 검토, 본부
       방침을 당관으로 회시하여 주시기 바랍니다.

   첨부 : 면담 요록 1부. 끝.

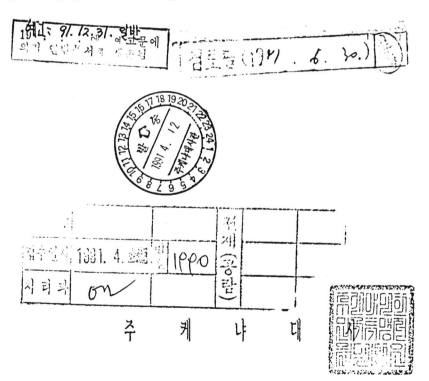

주 케 냐 대

0195

면 담 요 록

1. 면담인사

    o 아측 : 이동익 대사
             (배석: 최재철 서기관)

    o 탄측 : Hassan Diria 장관
             (배석 : Lusinde 대사, 장관보좌관 1명)

2. 면담일자 : 91.3.28(목) 17:30 - 19:00

3. 장 소 : 나이로비 Intercontinental Hotel

4. 면담요록

    (호텔로비에 대기중이던 Lusinde 대사가 본직일행을 장관 룸으로 안내)

    (인사교환)

    이대사 : 장관님의 나이로비의 방문을 환영하며 본인에게 면담시간을
              할애하여 주심에 감사드림. 본인은 명일(3.29) 귀국을 방문하여
              장관님을 뵐 것으로 기대하여 이에 필요한 준비를 다하였음.

    외 상 : 본인 숙소에 찾아오심을 환영함. Lusinde 대사에게 지시하여
             3.29(금)에 Dar 에서 귀하를 면담할 예정이었으나 본인이
             Zimbabwe 을 방문후 귀로에 나이로비에서 귀직을 만남이 상호
             편리할 것으로 판단되어 본인이 나이로비를 오는 방법을 택했음.
             본인의 갑작스런 나이로비 방문으로 귀하의 일정을 변경케되어
             죄송함.

                            - 1 -

                                                              0196

이대사 : 본인은 88년 당지에 부임한 이후 귀국과의 수교필요성을 인식하고
양국과 수교를 위하여 많은 노력을 하였음. 양국간의 수교필요성과
당위성을 그간 Lusinde 대사와 수차례에 걸쳐 논의한 바 있고
또한 장관님께서 외상 취임전후에도 본인이 장관님께 직접 서신
으로 설명한 바 있음.   장관님께서도 아시다시피 아국은 88년
제 6공화국 수립이후 체제 및 이데올로기를 초월하여 상호이해와
공동번영을 위하여 전세계 모든 국가와 외교관계수립을 추진하여
왔으며 이러한 아국의 개방정책은 소련, 동구제국 및 토고,
잠비아등 많은 국가들과의 외교관계 수립하는 길이 되었음.
한.탄자니아 양국도 같은 개도국으로서 정치.경제 사회 문화등
제반분야의 보다 많은 협력 필요성을 상호 인식하고 있으므로
양국간의 외교관계수립이 조속히 실현되어야 하다는 것이 본인의
생각임.

외 상 : 귀하의 설명에 감사드림. 또한 귀하께서 Lusinde 대사와 양국간의
외교관계 수립을 위하여 많은 노력을 하고 있다는 것을 잘 알고
있음.

탄자니아 정부는 세계 정세가 EC통합, 태평양 연안국들의 통합
움직임등으로 점차 Bloc화 되어가고 있는 오늘날 동북아국가들과
아세안국가들에 깊은 관심을 갖고 있음.

본인은 과거 일본 근무(79-83)를 통하여 귀국의 발전상황을 잘
알고 있으며 또한 일본 외무성 친구들로 부터 귀국과의 관계개선
권유를 받은 적도 있음. 본인의 귀국에 대한 이러한 지식이
귀국과의 관계개선을 추진하는 데 많은 도움이 되고 있으며 대통령도
이러한 본인의 관심을 잘 알고 있음. 또한 탄정부는 남.북 대화를
위한 남.북한의 노력을 appreciate 하고 있음.

귀하께서 설명한 바와 같이 오늘날의 국가간의 관계는 체재와
이념을 초월하여 실질적 협력관계로 변하고 있으며 탄정부도
이러한 흐름을 잘 알고 귀국과의 관계개선을 추진하고 있음.
본인은 귀국과의 관계 필요성을 잘 알고 있으며 이를 89년초
Dar es Salaam 대학 외교문제연구소 세미나에서 이를 밝힌 바
있음. 귀국과의 관계개선을 위한 구체적 조치가 89년 3월의
귀국과 통상관계 재개, 양국간 대표단 상호교류 허용, 귀국인에
대한 비자발급 및 탄자니아 여권상의 여행금지국으로서의 귀국
삭제 등임.

- 2 -

0197

탄 정부를 귀국과의 관계개선을 위한 logical step 을 다음과
같이 생각함.

- 제 1단계는 양국간 통상사절단의 상호 방문 추진임.
- 제 2단계는 귀국의 통상대표부(trade mission) 설치 및 이를
  통한 탄국내 귀국의 이미지 제고임.
- 전기 2단계를 거침으로서 탄국내 귀국의 상당한 지지기반이
  조성될 것이며 탄국민들이 귀국에 대한 달리 생각하게 될것임.
  또한 귀국과의 관계수립을 방해하는 세력들의 로비가 약화될
  것인바 이때에 마지막 단계로서 양국간 외교관계를 수립하는
  것임.

본인은 상기의 방안이 현 탄자니아의 정치상황을 고려한 best
approach 로 생각함.

본인은 과거 인도 및 독일에서 대사근무를 할 시절 귀국의 대사들과
접촉한 적이 있음. 당시 귀국의 대사들이 본인이 말한 방안을
제시하였으나 당시 탄자니아 정치상황에서는 수용할 수 없는
것이었음. 본인은 이러한 탄자니아의 정책변화를 귀국에서
수용하지 않아 양국간의 관계개선이 지연되고 있다고 생각함.
특히 89. 3월에 탄자니아가 귀국과 경제개방조치를 결정하였음에도
불구, 귀국이 이를 잘 활용치 않고 있는 것 같음.

이대사 : 양국간의 관계 필요성을 인식하고 이를 추진해 온 장관님의 노력에
          감사드림. 그러나 본인은 국가의 정책이 시대의 흐름에 따라
          달라져야 한다고 생각함.

          양국이 공동번영을 위한 상호 협력 필요성을 인식하고 있는 현
          시점에서 아국은 양국간의 관계개선을 위한 통상대표부등 중간
          단계가 필요하지 않다고 생각함. 또한 한반도의 긴장완화 및
          지역의 평화를 위하여는 남.북한과의 공존을 인정하고 아국과
          외교관계를 수립하는 것이 아프리카대륙의 정치지도국인 탄자니아가
          한반도의 통일에 기여하는 것이 될 것이라고 생각함.

- 3 -

0198

본인은 지금이라도 양국이 바로 외교관계를 수립하는 것이 양국간
협력을 증진하는 지름길이라 생각하고 있음. 현재 많은 아국의
기업들이 귀국에 투자흘 하고 싶어도 외교관계 미수립이란 제약
으로 주저하고 있으며 미수교국에 대한 투자는 현실적으로 은행
업무 등에 많은 어려움을 갖고 있음. 아국정부는 귀국과 접촉한
시일내에 외교관계를 수립할 준비가 되어 있으며 수교 발표후
장관님을 방한 초청코자 함.

외 상 : 귀하의 설명에 감사드림.
본인이 이미 말한 바와 같이 탄국내의 lobby 저항, 특히 당의
lobby 즉 Blackmail - 약화를 위하여는 귀국에 대한 여론조성이
필요함. 솔직히 말씀드리면 탄자니아는 북한과 긴밀한 우호협력
관계를 유지해 오고 있음. 북한은 탄자니아에 많은 원조를
제공하여 왔음. 본인은 귀국과 외교관계 수립을 위하여는 당
외교 위원회에 가서 그 타당성을 설명하여야 함. 귀국업체들의
활발한 진출은 이러한 단계를 상당히 앞당길 수 있음.

탄자니아는 동구권 국가나 잠비아와는 다른 면을 갖고 있음.
예를 들자면 탄자니아가 IMF와 협상을 하는데 8년간의 시간이
소요되었음. 탄자니아 국민들은 가난 때문에 외부의 간섭에
굴복하지 않은 독특한 특색을 갖고 있음. 이러한 면은 탄자니아가
미국이나 독일의 대규모 원조를 받을 때도 잘 나타나고 있음.

본인은 귀하께서 말씀하신 귀국장관님의 방한 초청에 감사드리며
다음 4가지 사항을 양국간의 수교전제로서 말씀드리고자 함.

1. 탄 정부는 귀국과의 상호 이해와 협력을 접진적으로
   (progressively) 증진시키기를 희망하고 있음.
2. 탄정부는 귀국과의 외교관계 수립을 위하여 지금까지
   탄자니아에 호의(goodwill)를 보여온 국가와의 관계를 고려
   하지 않을 수 없으며 관계를 갑자기 악화시킬 수 없는 형편임.
3. 또한 탄정부는 경제성장을 통한 국민의 복지를 중요시하지만
   그보다도 잠비아, 케냐등 인근 여타 국가들과는 달리 독립
   이후부터 독특한 정치문화를 유지해 오고 있음.
4. 탄자니아가 현재 경제적으로 어려운 상황에 처해 있으며
   정치적으로도 변혁기에 있음. 탄정부는 이러한 경제적
   어려움 극복을 위하여 조건없는 원조와 경제적 도움을
   필요로 하고 있음.

- 4 -

0199

본인이 말한 4가지가 탄정부의 modus vivendi 임.
또한 본인은 금년 7월로 예정되어 있는 Dar es Salaam 박람회에
귀국이 참가하여 줄 것을 요청하며 참가시 대규모 전시품(중장비
등)을 출품하여 주시기 바람. 귀국의 대규모 참가는 탄국민들에게
귀국의 이미지를 제고할 것이며 일부세력의 로비를 중화시키는데
도움이 될 것임. 금번 박람회에 대사의 방문도 환영하며 대사
자격으로 각계와 접촉할 수 있도록 협조하겠음. 한국참가시
전시장의 면적은 원할경우 5 에이커와 가장 좋은 위치에 배정할
것을 약속함. 또한 귀국의 유수기업(대우를 지칭)이 예를들어
탄자니아의 유수한 방직공장, 즉 현재 경영부실로 매각코자 하는
politecs 방직공장 같은 것을 soft loan으로 인수 운영하는것도
귀국의 이미지를 제고하는 좋은 방안이라 생각함. (동 공장은
일제 방직기 4,800대를 보유하고 있는 탄국내 유수한 방직공장
이며 현재 대우(주)와 상담중인 것으로 알려짐.)

대 사 : 장관님이 말씀하신 사항을 본국 정부에 전달하겠음. 본인 귀국
후에도 양국이 관계수립을 위하여 당지주재 양국대사간에 계속
협의할 수 있도록 귀국대사에게 아국대사가 보유하고 있는 것과
같은 협상 권한을 부여하여 주시기 바람.

외 상 : 본인이 말한 것을 부언 설명하자면 현재 모든 추세는 귀국에
유리하게 작용하고 있음. 귀국이 외교관계를 수립하는데에 있어
탄자니아는 특수한 사례(special case)가 될 것이며 time factor
가 매우 중요한 역할을 할 것임. 모든게 너무 빠르면 많은 부작용
있다는 스와힐리 속담이 있음.

탄자니아는 여타 국가와 다른 concept of diplomacy를 갖고 있으며
consensus of people(국민대표기관 즉 CCM당을 지칭하는 것임)이
중요함. 본인은 금일 귀하와 협의한 사항을 토대로 Lusinde 대사
에게 귀국과의 관계개선 추진을 위한 협상권한을 부여하여있는 바
앞으로 양국대사들이 계속 만나 협의를 계속해 주시기 바람.
또한 귀국이원할 경우 수교전이라도 한반도 정세를 잘 알고
있는 Lusinde 대사가 귀국을 방문하고 또 귀하와 계속 대화창구를
유지하는 것도 양국 관계개선에 크게 도움이 될 것임. 금후 UN
총회에 한국 외무장관이 원할경우 가볍게 만나 이야기를 나눌
수도 있음.
귀국정부는 금년가을 UN총회시 가입신청을 할 예정인지를 말씀해
주시면 감사하겠음. 또한 금년 Ghana 비동맹 회의시 귀국의
observer 신청을 할 방침인지 ?

- 5 -

0200

이대사 :   유엔 가입문제는 남.북한의 궁극적인 통일이 성취될때까지 남.
          북한이 같이 가입하는 것이 바람직하나 현재 북한이 남.북한
          동시가입 또는 남한만의 단독가입을 반대하기 때문에 4천5백만의
          아국민이 국제문제에 참여치 못하는 비정상적인 상태에 있어 이를
          시정키 위해 금년에는 가입을 적극 추진할 방침을 정한바 있음.

          1949년에 제출한 아국의 유엔가입신청이 아직 유효한 것으로
          보며 이문제를 유엔에서 다룰때 이러한 아국의 요청을 감안,
          귀국이 협조하여 주시면 감사하겠음.

          비동맹 업저버 가입에 대해서는 상금 아는 바 없으나 페루회의시
          아국이 가입신청을 내었다가 실현되지 않은 점에 비추어 개도국
          으로서 한국이 제 3세계 기구에 참여하는 것이 바람직하다는 것이
          본인 개인의 생각임.

외 상 :   설명에 감사함. 귀국 정부가 비동맹회의 observer 신청을 할
          경우 이를 받아들이는 것이 바람직하다고 생각함.

이대사 :   장시간 시간을 할애해 주셔서 감사함.
          장관님게 본인의 성의표시로서 선물과 아국 관계자료를
          드리고자 함.

          (선물전달 : 장   관 : 시계 2(남.여)
                      대   사 : 시계 2(남.여)
                      장관보좌관 : 시계 1

              자   료 : 남북대화 및 통일관계 자료
                        A handbook of Korea 1부
                        The Korean   2부
                        Korea (스와힐리어)   5부
                        EDCF 자료   4부)

외 상 :   귀하의 호의에 감사함.
          귀국후에도 계속 노력해 주시기 바람. 끝.

          (Lusinde 대사, 호텔 입구까지 배웅)

- 6 -

0201

외 무 부

관리 91
번호 - 2066

종 별 :

번 호 : KNW-0346   일 시 : 91 0404 1300

수 신 : 장관(아프이,봉이)

발 신 : 주 케냐 대사

제 목 : 대탄자니아 수교 교섭

연 : KNW-0328, 0329

대 : WKN-0138, 0215

1. 당지 LUSINDE 탄대사는 4.4 본직을 송별 오찬에 초청 연호 탄 외상 면담과 관련 다음과 같이 탄측의 입장을 밝혔음

가.DIRIA 외상과 귀하의 면담은 양국의 입장을 직접 파악하는데, 크게 도움이 되었으며, 귀하도 감지했을줄 알지만 DIRIA 외상은 한국과의 수교 필요성이나 타당성을 벌써 부터 인식하고 적절한 상황 조성을 위해 노력하고 있음

나. 동외상도 한국과의 수교가 빠르면 빠를수록 탄자니아에 이익 된다는 것을 알고 있으나 귀하와 첫 대면이고 또 외상의 입장도 있어 탄자니아 대외정책의 기조나 원칙에 관한 이약를 많이 했지만 실은 조속히 실질적인 관계를 맺어 한국과의 수교에 반대하는 세력을 무마내지 약화시켜 조속히 수교를 맺고자 하는입장임

다. 동 외상은 이러한 자신의 입장을 귀하에게 전달, 동외상이 제의한 오는7 월초 달 박람회에 한국이 대규모로 참석, 국내 분위기를 일신해 주면 그 여파를 타고 대봉령에 건의 한국측이 원하는 대로 올가을 유엔총회전에 수교할수 있도록 최선을 다할것임이를 위해 필요하면 자신을 은밀히 한국에 곧 보낼수도 있음

2. 본직은 성기한 LUSINDE 대사의말을 주의깊게 듣고 아국과 관계 개선을 위한 동대사의 노력과 DIRIA 외상의 적극성에 사의를 표한후 89 년 동 박람회에 본직이 인솔하는 아국 관민혼성 봉상 사절단을 파쾌초자 했던 입장에서 상금 큰 변화가 없으나 대규모 로 참가하기에는 시기적으로 촉박하고 또그후 기간도 상당히 경과해 선수교를 하고자 하는 아측의 입장에도 불구, 박람회참가 또는 관민 혼성 사절단의 파견등 선행 조치가 필요한가를 문의한바, 동대사는 DIRIA 외상이시간이 촉방하나 한국측이 성의만 있고 자신의 입장을 이해한다면 참가할수 있는 능력이 있다고 말할 정도로 임누제에

중아국   장관   차관   1차보   2차보   국기국   통상국

PAGE 1   91.04.05   01:11
                                      외신 2과 통제관 BW

                                           0202

열의를 가지고 있다고 말함

3. 이에 본직은 이러한 탄측의 입장을 본국에 즉시 보고, 아측의 반응은 추후 알려줄 것이며 4.12 당지에 부임할 후임 대사와 계속 협의해 주기를 바란다고입장을 이해 그의 희망대로 동박담회에 대규모 참가 양국 관계를 급전시켜 주기를 바란다고 말함

4. 한편 극히 은밀히 LUSAKA 전선국 정상회담에서 카운다 잠 대통령이 아국의 유엔 가입 문제를 제기할때 예상되는 탄측의 입장을 문의한바 동 대사는 최근김영남 북한 외상 방탄시 한국의 비동맹 옵서버 참석을 반대해 주도록 요청한 것을 DIRIA 외상이 거절한것과 같은 입장에서 남북 동시가입의 기회를 주어도 북한이 거부하면 한국만의 가입을 반대할수 없다는 입장을 취하게될 것이며, 동 정상회의에서 거론되는 것이 한국측에도움이 될 것으로 본다고 잘라서 말함

5. 금일 LUSINDE 대사와의 협의에서 탄국은 양국관계 강화를 위해 유엔가입,비동맹 등에서 아국의 입장을 지지하는등 대아국 태도를 완화하면서 아국의 달박람회 참가 등으로 가시적으로 실질 관계를 강화하고 업계간에 진행중인 상담을 아국 정부가 지원 해주어 탄업계의 대아국 수교 지지를 바탕으로 조속히 아국과 수교하겠다는 입장인 것으로 판단되오니 탄측의 달 박람회 참가 권유를 적극 검토하여 주시기 건의함. 끝

(대사 이동의-국장)
19
예고 '91.12.31 일반됨 세 에 공문에

(접수필 (91. 6. 30.)

관리
번호 91
—2125

외 무 부

종 별 :

번 호 : GAW-0052

일 시 : 91 0406 0942

수 신 : 장관(아프일,국연,경이,정이)

발 신 : 주 가봉 대사

제 목 : 쌍토메 대봉령 취임식 참석

대:WGA-0037,0025, 경이 20615-4675

연:GAW-0042

1. 본직은 4.2 겸임국 쌍토메 프린시페에 출장, TROVOADA 샨임대봉령 취임식등 경축행사에 참석한후 MRS.ALDA BANDEIRA 외무장관, FERREIRA CHONG 외무차관 및 TRIGUEIROS 정무국장등과 면담하고 4.5 당지에 귀임함.

2. 동취임식에는 포루투칼, 까쁘베르데, 기네비쏘 및 모잠빅등 4 국 대봉령과 가봉수상, 앙골라 외상 및 가봉 및 앙골라 상주 겸임대사들이 참석함.

3. 동대봉령은 4.3 취임식후 외빈 접견시 본직에게 노대봉령께서 대호 축전을 보내주신데 대해 감사하며 양국간 우호 협력관계가 더욱 증진되기를 희망한다고 언급함.

4. 본직은 4.4 BANDEIRA 신임 외무장관을 예방하고 한반도 정세, 북방외교의 성과, 아국의 UN 가입의 당위성과 북한의 단일의석 가입안의 비현실성, 동국과 수교후 아국의 무상원조 공여실적등에 관해 상세 설명하고 금년에 유엔에 가입할 수 있도록 적극 지지해 줄것을 요청함.

5. 이와관련, 동장관은 아국의 무상원조 공여에 대해 사의를 표명하고 아국의 유엔가입에 관한 입장이 정당하므로 이를 적극 지지할 것이라고 언명하고 특별한 사정이 없는한 금추 유엔 총회에 참석할 것이라고 부언함.

6. 본직은 대호에 따라 아국이 금년에도 동국에 대해 무상원조를 제공키로 결정하였다고 말하고 동국이 필요로 하는 품목을 타진한바, 동장관은 높은 인구증가율이 경제발전을 저해하고 있다고 전제하고 가족계획에 필요한 기구와 각종의약품의 제공을 요청함.

7. 앙골라 상주 북한 겸임대사 강순영은 동취임식에 불참하였는바, 동식장에서

중아국 안기부	장관	차관	1차보	2차보	국기국	경제국	정문국	정와대

PAGE 1

91.04.06 20:10

외신 2과 통제관 DO

0204

만난 동국 근무 북한 정파의 김성채에 의하면, 동대사는 작년봄 신임장 제정이후 상금 쌍토메를 방문한 일이 없다고 함.

8. 본직이 TRIGUEIROS 정무국장에게 탐문한바, 동국에서 근무중이던 북한 귤재배 전문가 3 명은 지난 1 월 철수하였으며 북한 건축기사가 건축중이던 청소년회관의 공사가 중단상태에 있다고함. (현재 의료단 3 명과 건축관계 요원 7 명은 잔류중 이라고 함)

9. 한편, 동정무국장에 의하면, 작년 10 월 동국주재 동독대표부의 폐쇄에 이어 금년 3 월 큐바 대사관이 폐쇄되었으며 지난 78 년 부터 주둔해온 400 여명의 앙골라 군대가 4 월중 철수할 예정이라고 함.

10. 평가 및 건의

가. 1975.7 독립후 최초로 다당제하에서의 자유선거에 의해 선출된 TROVOADA 대통령은 시장경제의 도입과 국영기업의 민영화 및 서방국가들과의 경제협력 강화를 통해 맑스주의 정권하에서 피폐된 경기회복을 위해 노력할 것인바, 이를 위해서는 서방국가들과 국제금융기구의 상당한 원조 공여가 소요될 것으로 전망됨.

나. 동 대통령은 구정권과의 화해를 통한 정국안정을 위해 노력할 것이며 지난 1.20 총선거후 다수당에 의해 구성된 현 과도정부는 별다른 변동없이 유임될 것으로 전망됨.

다. 아국과 쌍토메와의 수교와 아국의 무상원조 공여로 동국과의 관계가 증진되고 있는 것과는 반대로 북한과 동국과의 관계는 순조롭지 못한것으로 평가됨.

라. 대호 본부가 기책정한 금년도 대쌍토메 무상원조금액 범위내에서 상기 외무장관이 요청한 품목을 공여할 것을 건의함. 끝.

(대사 박창일-장관)

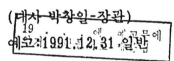

관리 91
번호 ─313

외 무 부

종 별 :

번 호 : NJW-0268

일 시 : 91 0406 1200

수 신 : 장 관(아프일,국연)

발 신 : 주 나이지리아 대사

제 목 : 주재국 외무장관 외유

당지 보도에 의하면 NWACHUKWU 외상이 중국, 소련, 체코를 곧 순방예정이며 주요목적은 나이지리아인의 차기 유엔사무총장직 출마관련 교섭을 위한것이라함.

(대사 조명행-국장)

예고 91.12.31.까지 고문에

검토필(191. 6. 30.)

나이지리아에
연히 마르 답니다

중아국   차관   1차보   2차보   국기국

PAGE 1

91.04.06   21:19

외신 2과 통제관 DO

0206

<table>
<tr><td>관리
번호</td><td>91/236</td></tr>
</table>

외　무　부

종　별 :

번　호 : NJW-0269

일　시 : 91 0406 2200

수　신 : 장 관(아프일,국연)

발　신 : 주 나이지리아 대사

제　목 : 주재국 외상면담

대:WNJ-0107, 0120

본직은 91.4.5. ABUJA 출장(문광식 행정관 대동) NWACHUKWU 외상, EKONG 아태국장, MBOKWERE 국제기구차관보를 면담한바 다음 보고함.

1. 본직은 주재국 부임에 관한 소감과 함께 최근 주한 나이지리아 대사의 BABANGIDA 대통령의 방한시기 타진사실에 언급, 아국정부는 BABANGIDA 대통령의 방한을 환영하며 대호 아측에 편리한 방한시기를 주한대사와 외무성 담당부서에 이미 알린바 있다고 말함. 이와관련 아국정부는 양국협력관계 강화및 국제기구등에서의 협조문제(아국 유엔가입추진 암시)협의를 위하여 금년 5 월중순 대통령 특사를 파견할 예정임을 말하고 특사방문기간중 BABANGIDA 대통령과 귀장관을 예방토록 협조해 줄것을 요망함.

2. NWACHUKWU 장관은 두번에 걸친 방한경험을 상기, 한. 나간에는 경제적으로 협력할 분야가 많다고 하면서 BABANGIDA 대통령의 방한은 양국협력에 큰의미가 있을것이라고 말함. 특사방문관련 우선 방문시기가 확정되면 실무부서로 하여금 특사일정에 협조토록 하겠다고 말함.

3. 외상면담에 앞서 EKONG 국장과의 면담에서 본직은 대통령의 방한시기, 특사방문예정사실, 금년 아국유엔가입추진정책을 설명하고 필요한 협조를 요망함. EKONG 국장은 OAU 각료및 정상회담이 ABUJA 에서 5.27. 개막되므로 특사방문은 이시기를 피함이 좋을것이며 BABANGIDA 대통령의 9 월중 유엔총회참석, 다른 순방국인 일본및 말레이시아 방문시기에 대한 해당국의 회답이 없어 지금으로서는 방한시기 자체도 매우 가변적이라하고 각국의 반응이 입수되는 대로 아측에 알려주겠다함.

4. MBOKWERE 차관보는 금년 아국유엔가입추진관련 북한주장이 현실성이 없고 남북한 단일의석가입경우 대유엔기능이 불가능한 사실을 스스로 지적하면서

중아국	차관	1차보	2차보	국기국	청와대	안기부

91.04.07　　09:50

외신 2과 통제관 DO

0207

나이지리아의 한국유엔가입지지 입장에는 변함없다고 말함.

(대사 조명행-차관)

예고:91.12.31에 일반문에
의거 일반문서로 재 분류됨.

검토필 (1991. 6. 30.) 내

/

14

0208

원 본

관리 91
번호 -2121

외 무 부

종 별 :

번 호 : NJW-0270   일 시 : 91 0406 2200

수 신 : 장관(국연,아프일)

발 신 : 주 나이지리아 대사

제 목 : 아국유엔가입문제

　　본직은 91.4.5. 주재국 외무부 ADEYEMI 차관보(최근까지 국제기구차관보, 현 아프리카 지역담당)를 만찬에 초청, 아국유엔가입추진과 관련한 주재국 정부의 입장을 타진한바 다음 보고함.

　　1. ADEYEMI 차관보는 최근 북한대사가 찾아와 한국정부의 유엔단독가입 움직임을 알리면서 북한측의 논리에 따른 한국유엔가입 반대입장을 역설하고 주재국 정부가 이에 동조 또는 지지하지 말도록 요청하였다함. 동차관보는 북한측의 논리가 비현실적임을 지적하고 제 3 세계를 포함한 대부분의 국가가 과거의 경직된 관념으로부터 탈피하여 실리적인 방향으로 새로운 변화와 질서에 적응하려는 추세가 지배적인 현실을 보면 오히려 남한유엔가입반대보다는 동시가입방향으로 변화를 모색함이 좋을것이라고 답변하였다함. 동차관보는 이와관련 금년내 한국의 유엔가입추진여부를 반문함.

　　2. 본직은 정부의 금년 유엔가입추진입장, 최근의 한. 중관계 진전사실등 설명하고 이를 위해서는 아프리카 최대국인 나이지리아의 아국입장지지가 절대적으로 필요함을 역설 협조를 요망함. 동차관보에 의하면 주재국의 대남북한 태도는 균형을 취한다는 입장이긴하나 국제기구(회의)에 있어서는 반드시 중립만을 취할수 없는 것이라고 하고 한(344)의 유엔가입에 관한한 지지하는 입장이라고 말함.

　　3. 특히 ADEYEMI 차관보는 사견임을 전제, 주재국이 한국의 유엔가입을 지지하지 않을수 없는 이유로서는 (1)NWACHUKWU 외무부장관이 친한적인 입장을 취하고 있으며 (2)심화되어 가는 양국경제및 협력관계를 무시할수 없으며 (3)최근 국제정세의 급변과 대부분 국가들의 여론이 한국유엔가입을 지지하는 분위기라고 설명함.

　　4. 그러나 개인적으로 유엔총회 다수국가의 찬성에 불구하고 유엔안보리 상임이사국의 반대로 유엔회원국이 될수 없음은 불합리하다고 지적하면서 문제는

국기국　　장관　　차관　　1차보　　중아국　　정와대　　안기부

PAGE 1

91.04.07　　09:54

외신 2과　통제관 DO

0209

중국이 한국유엔가입관련 적극적인 반대표시를 하지 않도록 함이 핵심이 될것이라함.

　　5.　주재국　정부의　대유엔　관심사항은　금년　개선예정인　유엔사무총장직,
유엔총회의장국 출마, 안보리 이사국 피선문제라고하고 유엔사무총장직과 관련 91.6월
ABUJA 에서 개최되는 OAU 정상회담에서 아프리카 단일후보에 합의할 가능성은 거의
없다고 말함.

　　(대사 조명행-국장)

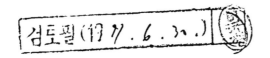

검토필 (17 기 . 6 . 3 .)

원 본

암호수신 ✓

외 무 부

종 별 :

번 호 : MOW-0171   일 시 : 91 0408 1230

수 신 : 장관(국연)

발 신 : 주 모로코 대사

제 목 : 유엔가입 메모랜덤

대:EM-0009,0011

대호 4.8 배포될 유엔 안보리문서의 불문본을 지급 타전 바라며 주재국 외무성 국제기구국에는 영어 해득자가 별무함으로 향후 안보리 문서는 반드시 불문으로 송부바람. 끝

(대사이종업-국장)

국기국

외 무 부

관리번호 91 -2184

종 별 :

번 호 : UNW-0832   일 시 : 91 0408 1830

수 신 : 장관(국연,아프일,기정)

발 신 : 주 유엔 대사

제 목 : 유엔가입 교섭

　　1. 본직은 금 4.8.(월) 신임인사차 BECHIO 주유엔 아이보리코스트 대사를 예방, MEMORANDUM(불어본)을 수교하고 아국의 유엔가입 당위성과 추진현황을 설명하고 안보리 이사국인 아이보리코스트의 적극적인 지지와 협조를 요청하였음.

　　2. 이에대해 동 대사는 양국간 전통적인 우호협력 관계를 강조하면서 아이보리코스트는 아국의 유엔가입을 적극 지지한다고 말하고 향후 유엔문제를 포함한 제반 분야에 걸쳐 양대사및 공관간 긴밀한 협조를 하자고 다짐하였음.

　　3. 또한 동대사는 약 10 일간 예정으로 금주중 일시귀국 예정인바, 동기회에 ESSY 외무장관과 BOIGNY 대통령에게 아이보리코스트의 아국지지 입장을 다시한번 확인하겠다고 부연하였음. 끝

　　(대사 노창희-국장)

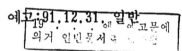

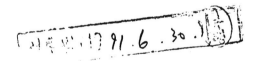

국기국	장관	차관	1차보	중아국	청와대	안기부

PAGE 1   91.04.09   08:55

외신 2과 통제관 FD

0212

√

관리 번호	91 — 2154

분류번호	보존기간

발 신 전 보

WUN-0792   910408 1838   FL

번   호 : _____   종별 : _____

수   신 : 주 유엔   대사. 총영사///

발   신 : 장 관   (국연)

제   목 : 유엔가입관련 나이지리아 입장

　　　나이지리아 외무부의 MBOKWERE 국제기구차관보는 4.5.(금) 주나이지리아

대사와의 면담에서, 금년 한국의 유엔가입 추진관련 북한측 주장은 현실성이 없고

단일의석 가입의 경우 대유엔 기능이 불가능하다는 견해를 피력하면서 나이지리아의

한국 유엔가입에 대한 지지입장에는 변함없다고 말했음.　　　　끝.

예 고 | 19 91.12.31. 일반문에
의거 일반문서로 재분류됨 |

(국제기구조약국장 문동석)

검토필(1991. 6. 30.)

보 안 통 제	*Uy*

앙 고 재	91 년 4 월 8 일	응 애 과	기안자 성명		과 장	국 장	차 관	장 관

외신과통제

0213

관리 번호	91 —2453

분류번호	보존기간

발 신 전 보

번 호 : WUN-0793   910408 1839 FL   종별 :

WUS -1413

수 신 : 주 유연, 미국   대사. 총영사////

발 신 : 장 관   (국연)

제 목 : 유연가입관련 스와질랜드 입장

91.3.24-27간 방한한 바 있는 스와질랜드 외무장관은 본직과의 회담에서,
한국의 유연가입에 대한 스와질랜드의 지지에는 아무런 문제가없다고 말했음을
참고바람.   끝.

예고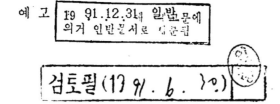

(국제기구조약국장 문동석)

검토필(1) 91. 6.)

보 안 통 제	44.

앙 고 재	91년 4월 8일	기안자 성명 과		과 장		국 장		차 관	장 관	

외신과통제

0214

관리
번호 ─2202

외 무 부

종   별 :

번   호 : ZRW-0191   일   시 : 91 0409 1300

수   신 : 장관(아프이,아프일,국연) 사본:주유엔대사-필

발   신 : 주 자이르 대사

제   목 : 신임외상 면담

대:WZR-0093, EM-0009

연:ZRW-0157

1. 본직은 금 4.9(화) 11시 외무성으로 최근 새로 취임한 INONGA LOKONGO L'OME 외상을 방문 면담, 양국간 우호협력문제에 관하여 의견을 교환하고, 동시에 장관님 축하의 뜻을 아울러 전달하였음. 동 외상은 장관님의 축하에 감사하고 각별한 안부를 전달해 달라고 하였음

2. 동 장관은 현재 양국 우호관계에 만족을 표하기에, 본직은 아국이 금년도에 유엔 가입을 신청할 계획임을 알리고 지지를 요청함과 동시, 5.14(화)-5.17(금)간 김창훈 대봉령 특사가 대봉령각하의 친서를 휴대하고 방문할 예정임을 알리고 협조를 당부하였음. 동 장관은, 본직을 신임과 동시에 우선적 만나는것은 그만큼 한국과 자이르간의 우호관계가 중요하기 때문이라고 말하고, 전임 장관들이 지원했던것과 똑같이 지원을 아끼지 않겠다고 말하였음

3. 본직은 동 장관에 고급자개 서류함을 선물로주고 재임중 큰 성공을 기원하였음

(대사 홍승호-국장)

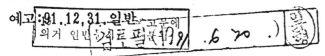

예고:91.12.31.일반 고문에 의거 인반 검토필(91 .6 20 .)

중아국   장관   차관   1차보   2차보   중아국   국기국

원 본

외 무 부

종 별 :

번 호 : CMW-0142

일 시 : 91 0409 1520

수 신 : 장 관(국연)

발 신 : 주 카메룬 대사

제 목 : 유엔가입

대:EM-0009,0011

1. 4.8 본직은 외무부 국제기구국장 GUY LUCIEN SAO 와 아프리카. 아시아국부국장 MADELAINE SAO(양인은 부부임)를 만찬에 초대, 대호 각서에 따라 아국정부가 유엔가입 신청을 결정하였음을 전달하였음.

2. 본직은 아국이 150 국과 수교하고있고 소련과 국교를 수립하였으며, 중국과는 통상대표부를 교환설치하였고 양국간 교역은 40 억불에 달하며 89-90 년간 5 만이상의 중국인이 한국을 방문하는등 양국간의 실질적인 통상협력 관계가 급격히 신장하고 있고, 과거 이념대립때와는 달리 중국이 합리적이고 국제양식에상응하는 노선을 취하고 있기때문에 중국이 안보리에서 한국 가입을 반대할 입장에 있지 않은것으로 판단한다고 말하였음.

3. 따라서 상기와 같은 정세변화에 따라 한국의 유엔가입 신청시기가 성숙하였으며 아국의 유엔가입은 당연히 이루어질 것이라고 말하고, 그러나 북한을 가능한 동시 가입토록 유도하고 중국의 대북한 관계에서의 체면을 세워주기 위해서는 카메룬 정부가 한국의 유엔가입의 당위성을 공개적으로 천명하여 주는것이 도움이 될것으로 생각한다고 말하였음.

4. SAO 국제기구국장은 한국의 가입문제를 가지고 주재국 정부의 특수한 역활이 있으면 이를 아국에 대한 흥정으로 사용할수 없을까 하고 잠깐 궁리하는 표정을 지었으나, 곧의어 안보리에서 채택되면 총회에서는 자동적으로 비준, 채택되는 것 아니냐고 하면서 당지 중국대사를 만나는 기회에 중국 정부측 입장을 알수 있는지 타진해보겠다고 함.

5.MADELAINE SAO 부국장은 북한의 단일의석 가입논리는 유엔헌장 규정에 위배된다고 지적하고 남북한 동시가입이 통일에 방해가 된다는 논리는 최근

국기국	장관	차관	1차보	2차보	중아국	청와대	안기부

PAGE 1

91.04.11   07:18

외신 2과 통제관 FE

0216

독일및예멘의 통일이 입증하듯이 상궤를 벗어난 것이라고 말하였음.

(대사-국장)

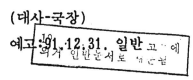

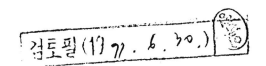

원 본

관리 번호 91/26

외 무 부

종 별 :

번 호 : GAW-0055

일 시 : 91 0409 1620

수 신 : 장관(아프일,국연,경이),사본:주유엔 대사-필

발 신 : 주 가봉 대사

제 목 : 쌍토메 대통령 면담

대:EM-0011, 연:GAW-0052

1. 본직은 4.9 제 7 차 중부아프리카 경제공동체 정상회의 참석차 당지에 체류중인 TROVOADA 쌍토메 프린시페 대통령의 요청으로 동인과 면담함.

2. 동 대통령은 노대통령께서 동인의 대통령 당선후 장전을 보내 주신데 대해 재삼 사의를 표명하고 동인의 각별한 안부를 전해줄 것을 요청함.

3. 동 대통령은 구 맑스주의 정권의 실정으로 피폐된 동국의 경제사정을 호전시켜 진정한 자유선거에 의해 선출된 신정부가 민주주의의 우월성을 국민에게 보여줄수 있도록 우방국가들이 가능한 범위내에서 도와줄 것을 요청함.

4. 본직은 남남협력 정신에 입각하여 아국이 경제발전 과정에서 축적한 경험과 기술을 개도국에게 제공하고 있으며 동국에 (042)해서도 무상원조와 기술협력을 제공해오고 있으며 앞으로도 가능한 범위내에서 계속 제공할 것이라고 설명함.

5. 본직은 동대통령에게 아국의 유엔가입의 당위성과 북한의 단일의석 가입안의 비현실성 및 북방외교의 성과등에 관해 설명하고 금년에 아국이 유엔에 가입할 수 있도록 적극 지지해 줄 것을 요청하고 대호 유엔 가입 문제에 관한 정부 각서를 수교함.

6. 이와관련, 동대통령은 본직의 설명에 대해 공감을 표시하고 아국의 유엔 가입을 지지하겠다고 언급함.

7. 동국은 구정권하에서는 유엔 총회 기조연설에서 북한지지 또는 중도 입장을 취해 왔는바 신정부의 등장으로 아국입장에 대한 태도가 호전될 것으로 전망됨. 끝.(대사 박창일-장관)

예고:1991.12.31 일반

검토필(1991. 6. 30.)

중아국	장관	차관	1차보	2차보	국기국	경제국	정와대	안기부

91.04.10   05:40

외신 2과 통제관 CF

0218

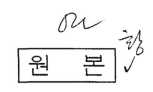

외 무 부

관리
번호 *기*
-221

종 별 :

번 호 : UGW-0146   일 시 : 91 0409 1700

수 신 : 장관(국연, 아프이)

발 신 : 주 우간 다대사

제 목 : 유엔 가입 추진

대:EM-9,11,13

1. 본직은 금 4.9. 외무부 IRUMBA 국제기구국장을 방문, 대호 아국의 유엔가입 타당성과 유엔 가입정책을 설명하고 금년중에는 유엔 가입을 정식으로 신청할 예정임을 밝히고 이에대한 주재국의 지지를 교섭하였으며 대호 메모란덤을 수교하였음.

2. 동국장은 이를 TAKE NOTE 하겠다고하고 자신은 개인적으로 아측입장을 이해하고 지지한다고 말하고 주재국 정부의 입장은 외무부 장, 차관등 고위인사의 결재를 거쳐 결정하게될것이라고 말함.

3. 본직은 유엔의 보편성 원칙등 객관적인 기준에따라 아국의 유엔가입을 지지해 주기 바란다고하고 주재국이 지난번 88 서울올림픽시 참가한것같이 현명한 결정을 하기를 바란다고 말함. 끝. (대사 김재규-차관)

예고:91.12.31.일반문에 의거 일반문서로 재분류됨

검토필(19 91. 6. 30.)

국기국   장관   차관   1차보   2차보   중아국   청와대   안기부

외 무 부

관리
번호 91
-2232

종 별 :

번 호 : GAW-0056   일 시 : 91 0409 1800

수 신 : 장관(아프일,국연),사본:주 유엔대사(중계필)

발 신 : 주 가봉 대사

제 목 : 대통령 비서실장 면담

대:WGA-0038, EM-0011

1. 본직은 4.9 주재국 봉고대통령의 비서실장 LEMBOUMBA-LEPANDOU 와 면담하고 대호 봉고대통령 방한 문제와 아국의 유엔 가입문제등에 관해 협의함.

2. 본직은 대호에 따라 동비서실장에게 금년 5-6 월중에는 동대통령의 방한영접이 불가능하며 7-8 월 경에나 가능하다고 봉보한바, 동인은 봉고대통령이 5.17-21 간 중국을 방문한후 재차 7-8 월에 방한하기는 어렵다고 전제, 동대통령이 중국방문후 5.21-31 사이에 단 하루만이라도 방한 할수 있게 되기를 간절히소망(SOUHAITE VIVMENT)하고 있는 점을 아국 정부에 보고하여 줄것을 요청함.

3. 동 비서실장에 의하면, 작년부터 민주화 개혁조치를 취하고 있는 봉고 대통령이 아국의 민주화 경험에 관하여 노태우 대통령으로 부터 설명을 듣고 배울수 있게 되기를 희망하고 있다고 함.

4. 본직은 동비서실장에게 아국의 유엔가입의 당위성과 북한의 단일의석 가입안의 비현실성에 대해 설명하고 금년에 아국이 유엔에 가입할 수 있도록 주재국이 적극 지지해 줄것을 요청하고 대호 유엔 가입문제에 관한 정부 각서를 수교함.

5. 이와관련, 동인은 본직의 설명에 대해 공감을 표시한후 동 각서를 봉고 대통령에게 제출하고 아국의 유엔 가입을 지지하도록 적극 건의하겠다고 언급함.

6. 당지 주재 AN FENGSHI 중국대사가 비공개 조건으로 전한바에 의하면, 작년 8.4 결혼한 봉고 대통령의 부인(SASSOU NGUESSO 콩고 대통령의 장녀)이 현재 임신 4 개월이 되어 5 월이후에는 해외여행이 불가능하다고 하는바, 봉고 대통령의 간절한 소망을 감안,5.21-31 간 하루라도 방한할 수 있을지 검토하여 주실 것을 건의함. 끝.

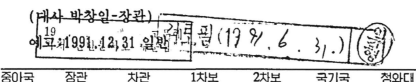

(대사 박창일-장관)
예규제1991.12.31 일반 필(19 9. 6. 31.)

중아국   장관   차관   1차보   2차보   국기국   청와대

원 본

관리번호 91 -2278

외 무 부

종 별 :

번 호 : ETW-0187

일 시 : 91 0409 2000

수 신 : 장관(국연,사본:주유엔대사)(중계필)

발 신 : 주 이디오피아 대사

제 목 : 유엔가입추진

대:EM-0009

1. 본직은 금 4.9 외무성 국기국장 SEYOUM 대사를 방문, 대호 메모란덤을 수교하고 아국입장에대한 설명과함께 주재국 정부의 지지를 요청한바 동인의 반응 아래보고함.

가. 한국의 입장을 이해하나 북한측에서도 북한입장에대한 강력한 지지요청이 있는바 이디오정부는 남북한 어느일방에대한 지지를 표명할수있는 입장이아님. 제일 바람직한 방안은 남북한간 협의를 계속, 자체적으로 해결하는것이라고 생각함.

나. 남북한 유엔가입문제는 TESFAYE 외상의 관심사항이므로 즉시 한국입장을 외상에게 보고하겠음.

다. 한국이 유엔가입을 신청하게되면 동문제가 자동적으로 뉴욕주재 비동맹국대사 정기회의에 제기되며 비동맹국간의 공동입장이 마련될것으로보고있음.

라. 현시점에서 자신이 확실하게 말할수있는것은 이디오정부가 금후 어떤문제이든 소수의견에 가담하는일은 없게될것이라는점임.

2. 아울러 UNECO 및 IMO 입후보 관련 재차 지지교섭함. 끝

(대사 김승영-국장)

예고:91.12.31. 일반문서에 재분류됨

검토필(17 91. 6. 20 .)

국기국	장관	차관	1차보	2차보	중아국	청와대	안기부

원 본

관리 9/
번호 -2252

외 무 부

종 별 :

번 호 : NMW-0300

일 시 : 91 0410 0830

수 신 : 장관(국연,아프이)

발 신 : 주나미비아 대사

제 목 : 유엔가입추진

대:EM-9.11

1. 대호 메모레덤을 주재국및 겸임국인 보츠와나 레소토외무부에 발송하였으며 교섭진전사항 수시 보고하겠음.

2. 당관은 당지 언론에 대호 메모렌덤내용을 적극 홍보하였으며 4.9. 자 TIMES OF NAMIBIA 지는 동내용을 인용, 아국이 금년 하절기에 유엔가입을 추진할 것이라고 발표했다고 보도함. 끝.

(대사 송학원-국장)

예고91.12.31. 일반문고문에
의거 인반문서로 대분됨

검토필(1991. 6. 30.)

국기국   중아국

PAGE 1

91.04.10   15:58
외신 2과 통제관 BN

0222

원 본

외 무 부

관리 번호	91 -2283

종 별 :

번 호 : MIW-0062

일   시 : 91 0410 1030

수 신 : 장관(국연,아프이,사본:주유엔대사)(중계필)

발 신 : 주 말라위 대사

제 목 : 아국 유엔가입

연:MIW-0042

1. 본직은 4.5 KAMBAUWA 외무차관을 방문, 회의참석차 귀국하게되었다고 말한후 연호 아국유엔가입 지지입장을 재확인한바, 동 차관은 "서울에 있는 내 COUNTER PART 에게 말라위는 ONE OF BEST FRIENDS" 라고 말을 전해달라는 말로 답하였음.

2. 한편 4.9 자 국영 영자지 DAILY TIMES 는 SOUTH KOREA TO APPLY FOR UN MEMBERSHIP 이란 제하에 REUTER 통신을 인용, 노창희대사의 기자회견을 개제, 한국은 9 월 정기총회 이전 아마도 8 월에 가입신청할것이라고 보도하였기 보고함. 끝.

(대사 박영철-국장)

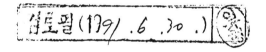

예구:91.12.31 일반공문예

심도필(1791.6.30.)

국기국	장관	차관	1차보	2차보	중아국	청와대	안기부

PAGE 1

91.04.10   23:34

외신 2과 통제관 DO

0223

외 무 부

관리
번호 91
－2274

원 본

종   별 :

번   호 : SRW-0132   일   시 : 91 0410 1400

수   신 : 장관(국연,아프일-사본:주유엔대사)(중계필)

발   신 : 주 시에라레온 대사대리

제   목 : 유엔가입 추진

대:EM-0009,0010,0011,0013

1. 본직은 금 4.10. 오전 주재국외무부 H.CONTEH 국제기구국장, W.JONES 차관보 및 C.WYSE 차관을 차례로 면담, 대호 메모랜덤을 수교하면서, 아국의 유엔가입 입장에 대한 지지입장을 적절한시기에 공개적으로 밝혀 줄것을 교섭함.

2. 보편성원칙을 전통적으로 적극 지지하여 왔으며 작년도 유엔총회 기조연설을 통하여 아국입장을 전적으로 지지한바 있는 주재국 정부인 만큼, 동인들은 본직 요청에 가능한 최대한의 노력을 경주하겠다는 반응을 보임.

3. 동건 KOROMA 외무장관에게도 교섭한후 결과 추보하겠음.

(대사대리 전용덕-국장)

국기국	장관	차관	1차보	2차보	중아국	청와대	안기부

관리	91
번호	~2276

외 무 부

원 본

종 별 :

번 호 : UGW-0147   일 시 : 91 0410 1700

수 신 : 장관(국연,아프이)

발 신 : 주 우간다 대사

제 목 : 유엔 가입 추진

　　대:EM-9,11,13
　　연:UGW-0146

　　1. 본직은 금 4.10. 외무부 MUWANJE 아주국장을 방문, 아국의 금년중 유엔가입 신청 방침을 알리고 이에대한 주재국의 지지를 교섭하고 대호 메모란덤을 수교하였음.

　　2. 동국장은 제반사정을 고려하여 주재국의 정책이 결정될것이라고 말하고 한국이 먼저 가입한 경우에 북한이 유엔에 가입하기는 미국의 거부권행사예상으로 어려울것이라는 견해를 표명함. 이에대해 본직은 한국은 북한의 가입을 적극찬성하는 입장임을 재강조함.

　　3. 외무부장관, 부장관 및 차관에게는 본직 서한과 함께 대호 메모란덤을 송부하였음. 끝.

　　(대사 김재규-국장)

예고:91.12.31. 일반에

검토필(17 91. 6. 30)

국기국	장관	차관	1차보	2차보	중아국	청와대	안기부

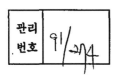

외 무 부

종 별 : 지 급

번 호 : GHW-0186

일 시 : 91 0410 1730

수 신 : 장관(아프이,국연,아프일)

발 신 : 주 가나 대사

제 목 : 특사파견

대:WGH-0071

대호 아래 보고함

1. 본직은 4.9.19:30-20:15 간 주재국 DR.CHAMBAS 외무차관을 자택으로 방문, 아국의 유엔가입건과 아울러 특사파견에 대해 언급한바, 동차관도 아국 특사의 방가에 대해 이미 보고를 받았는바, 방가를 환영하며, 특사가 주재국 고위층과의 면담이 이루어 지도록, 주선에 최대한 노력할 것이라고 언급하였음

2. 본직은 또한 4.8. 오전 주재국 외무부 OSEI-HWEDIEH 의전장을 면담, 특사파견구상서를 전달하면서 주재국의 협조를 요청한바, 동의전장은 현재로서는 5.11.-5.15 간 고위층의 특사접수에는 별문제가 없는 것으로 생각한다는 반응을 보였음.

3. 4.8. 외무부 아시아중동국장 대리 AL HASSAN 을 면담, 상기 구상서 사본을 전달하면서 협조를 요청한바, 상부에 보고하겠다 하였음. 끝.

(대사 오 정일 -국장)

예고:91.12.31 일반.

검토필 (1991. 6. 30.)

1991 12. 31.

중아국   차관   1차보   중아국   국기국

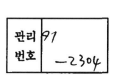

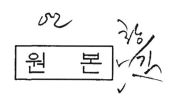

외 무 부

관리 91
번호 -2304

종 별 :

번 호 : GHW-0187 　　　　　일　시 : 91 0410 1800

수 신 : 장관(국연,아프일) 사본:주 유엔대사(중계필)

발 신 : 주 가나 대사

제 목 : 유엔가입 추진

대:EM-0009,0010

1. 본직은 4.9. 저녁 DR.CHAMBAS 외무차관을 자택으로 방문, 유엔가입 지지교섭차 면담하였는바, 동차관의 반응을 하기 보고함.

　-주재국은 한국및 북한과 공히 외교관계와 우호협력관계를 유지하고 있는 입장에서, 기본적으로 남북간의 제반문제는 쌍방간의 직접대화를 통해 평화적으로 해결되기를 희망함.

　-유엔가입관련 한국과 북한은 사실상 주권국가로서 각각 또는 동시에 유엔회원국이 될 수 있는 충분한 자격을 갖고 있다고 생각하나, 남북한간의 계속적인원만한 대화유지 측면에서, 한국이 인내를 갖고 가능한한 북한과의 대화를 통해 해결하는 것이 바람직하다고 생각함.

　-현실적으로로는 안보리 상임이사국중 중국의 태도가 가장 관심이 될것이며안보리를 성공적으로 통과한후, 총회로 회부될 경우, 한국의 능력, 대다수 국가와의 외교및 우호협력관계 유지 및 세계적 위상등의 제반사실에 비추어 많은 국가로부터 지지를 받을 것임.

2. 동건, 본직은 4.8. 오후 아시아 중동국장 대리 AL HASSAN 을 면담, 아국의 유엔가입지지를 요청한바, 동인은 이를 바로 상부에 보고하겠다고 언급한 바 있음

3. 당관은 연호 메모랜덤을 외무부관련 고위간부(차관, 정무경제차관보, 국제기구국장, 아시아중동국장)앞으로 4.8. 오후 각기 전달하였으며, 주요언론사 간부(DAILY GRAPHIC, GHANAIAN TIMES, MIRROR, SPECTATOR, GNA)에도 배포하였음.끝.

（ 대사 오 정일 - 차관 ）

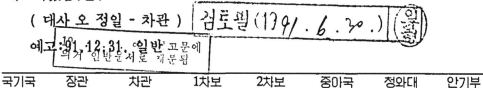

검토필(1991. 6. 20.)

예고:91.12.31. 일반 고문에 의거 인반문서로 재분류됨

국기국 　 장관 　 차관 　 1차보 　 2차보 　 중아국 　 정와대 　 안기부

PAGE 1 　　　　　　　　　　　　　　　91.04.11　07:57

　　　　　　　　　　　　　　　　　　외신 2과 통제관 BW

　　　　　　　　　　　　　　　　　　　　　　　　0227

원 본

외 무 부

종   별 :

번   호 : UNW-0870   일   시 : 91 0410 1930

수   신 : 장관(국연,아프일)

발   신 : 주 유엔 대사

제   목 : 유엔가입교섭

1. 당관 강참사관은 금 4.19(수) 주유엔 SENEGAL 대표부의 SENE 참사관을 면담, 메모랜덤(불어본)을 수교하고 서부아프리카 지역의 지도국인 세네갈의 적극적인 협조와 지지를 요청하였음.

2. 동 참사관은 과거 한반도 문제에 대해 세네갈은 남. 북한에 대해 엄정한중립을 견지해왔으나 금번 아국의 유엔가입 신청문제는 별개의문제로서 세네갈의 지지를 확신해도 좋을것이라고 말하면서 곧 본국정부에 보고하겠다고 하였음. 끝

(대사 노창희-국장)

예고 91.12.31개 일반 문에
의거 일반문서로 재분

검토필(19 91. 6. 30.)

국기국   장관   차관   1차보   2차보   중아국   청와대   안기부

PAGE 1   91.04.11   10:05
                                                    외신 2과 통제관 FE
                                                    0228

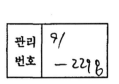

관리	9/
번호	-2298

외 무 부

종 별 :

번 호 : UNW-0872　　　　　　　　　일 시 : 91 0410 1930

수 신 : 장관(국연,아프이)

발 신 : 주 유엔 대사

제 목 : 유엔가입 교섭

　　1.　당관 강참사관은 금 4.10(수) 당지 케냐대표부 GATHUNGU 참사관을 면담,메모랜덤을 수교하고 동부아프리카 지도국인 케냐의 적극적인 아국입장 지지와협조를 요청하였음.

　　2.　이에대해 동참사관은 양국간 전통적 우호관계 및 아국이 유엔에 가입할 모든조건을 구비하고 있는 상황에서 케냐의 아국입장 지지에는 변함이 없다고 말하고 특히 북한의 가입을 적극 유도하고 있는 아국의 태도가 제 3 세계 국가들에게 좋은 인상을 주고있다고 하면서 곧 본국정부에 보고하겠다고 하였음.

　　3.　또한 중국의 태도문제와 관련, 이미 아국의 유엔가입을 당연한것으로 받아들이는 것이 세계적 추세임을 감안할때 중국이 VETO 권을 행사하지는 않을것으로 확신한다고 말하면서 향후 계속적인 협조를 해나가기로 하였음. 끝

　　(대사 노창희-국장)

예관:91.12.31. 일반문에 의거 일반문서로 재분류됨

검토필(17 91.6.30.)

국기국	장관	차관	1차보	2차보	중아국	청와대	안기부

PAGE 1

91.04.11　10:07

외신 2과 통제관 FE

0229

관리 91
번호 -2327

원 본

외 무 부

UN / 협

종 별 :

번 호 : GAW-0057   일 시 : 91 0411 1130

수 신 : 장관(국연,아프일),사본:주 유엔 대사(중계필)

발 신 : 주 가봉 대사

제 목 : 유엔 가입 추진

대:WGA-0043, EM-0009,0011

연:GAW-0056

1. 본직은 4.11 주재국 외무부 국제기구국장 MRS.MEMIAGHE 를 방문, 대호 아국의 유엔 가입 문제에 관한 정부 각서를 수교하고 금년에 아국이 유동해에 가입 할수 있도록 공개적으로 적극 지지해 줄 것을 요청함.

2. 동국장은 자신이 지난 1989 년 부임후 부터 주재국이 유엔 총회 기조연설에서 아국의 유엔 가입을 지지하도록 외무장관에게 건의하였으나 주재국에 남북한 상주 대사관이 설치되어 있는데 대한 정치적 고려에 따라 남북한 평화봉일 지지나 남북고위급 회담 지지등 중도적인 발언을 하는데 그쳤으나 금년 3 월 북한 대사관이 폐쇄됨에 따라 상황이 유리하게 변경되었다고 전제, 아국의 유엔 가입 문제를 금년도 대유엔 대책의 주요 안건으로 채택, 아국의 유엔 가입을 적극 지지하도록 장관에게 건의 하겠다고 언급함.

3. 주재국은 1977 년 부터 유엔총회 기조연설에서 외세간섭을 배제하고 남북한간 대화를 통한 평화적인 봉일을 지지한다는 중도적인 발언을 해왔는바, 금년도에는 아국의 유엔 가입을 지지하게 될 것으로 전망됨. 끝.

(대사 박창일-차관)

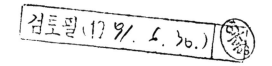

국기국	장관	차관	1차보	2차보		중아국	청와대	안기부

원 본

외 무 부

종 별 :

번 호 : KNW-0360   일 시 : 91 0411 1400

수 신 : 장관(국연),사본:주유엔대사-중계필

발 신 : 주 케냐 대사

제 목 : 유엔 가입 추진

대 EM-0009,0011

본직은 4.10 주재국 외무부 관계관(LIILU 국기국장 대리 DR. MUMIU 및 담당관
MAKUMI)방문 대호 메모란담을 수교하고 유엔 가입 관련 아측 입장 설명함과 동시에
주재국의 지지 요청한바 한. 캔 긴밀관계 감안, 금년에도 아국 입장 계속지지
방향으로 노력하겠다고 하면서 아국 특사가 오는 5 월 주재국 방문 고위층과의 면담시
거론 희망한다고 언급함. 끝

(대사 이동익-국장)

예고1991.12.31에 일반고문에
의거 일반문서로 재분류됨

검토필(1991. 1. 50.)

국기국   장관   차관   1차보   2차보   중아국   정와대   안기부

PAGE 1   91.04.11   22:32
                                              외신 2과 통제관 BS
                                                 0231

원 본

관리번호 91 -2320

외 무 부

종 별 : 지급

번 호 : ZMW-0046

수 신 : 장관(국연,아프이)

발 신 : 주 잠비아 대사

제 목 : 유엔가입

일 시 : 91 0411 0830

대:EM-11

1. 당관 김참사관은 4.9. 주재국 외무성 KUNDA 유엔국장을 면담, 아국의 유엔가입 입장을 설명하고 대호 각서를 전달함. 동국장은 동서독의 경우와 같이 남북한 별도 유엔가입이 통일에 해가될수 없다는 아국입장을 이해한다고 말하고, 장차관에게 아국입장을 적의 설명하겠다고 말함.

2. 본직은 4.12(금)예정된 외무장관 면담시 본건 재차 설명코저함. 끝.

(대사 성필주-국장)

예고: 1991.12.31. 일반에

원토필(1991. 6. 30.)

국기국	장관	차관	1차보	2차보	중아국	청와대	안기부

PAGE 1

91.04.11   22:08

외신 2과 통제관 BS

0232

원　본 ✓

외　무　부

종　별 :

번　호 : SRW-0136　　　　　　　　　일　시 : 91 0411 1530

수　신 : 장관(국연, 아프일-사본:주유엔대사(중계필)

발　신 : 주 시에라레온 대사대리

제　목 : 유엔가입 추진

　　연:SRW-0132

　　본직은 주재국외무부의 연호 인사 면담에 이어 금 4.11 A.K.KOROMA 외무장관을 방문코 아국의 유엔가입입장에대한 지지입장을 적절한시기에 공개적으로 밝혀줄것을 교섭하였던바, 동 장관은 다음요지 답변함.

　　1. 시에라레온은 전통적으로 유엔의 보편성원칙을 적극 지지하여 왔으므로 한국입장 지지에는 변함이 없음.

　　2. 시에라레온 정부가 한국입장 지지의뜻을 공개적으로 밝히는 문제는, 원칙적으로 한국이 유엔가입 신청을 하면 그 시점에서 할수있겠다고 보나, 그 전단계의 적절한시기에 이를 행하는 여부는 MOMOH 대통령의 재가를 요하는 사항임.

　　(대사대리 전용덕-국장)

예곡:91.12.31. 일반문에 개분됨

검토필(1)91. 6. 20.)

국기국	장관	차관	1차보	2차보	중아국	정와대	안기부

PAGE 1

91.04.12　23:15
외신 2과　통제관 BW

0233

원 본

외 무 부

종 별 :

번 호 : UNW-0885   일 시 : 91 0411 1930

수 신 : 장관(국연, 서부아),

발 신 : 주유엔대사

제 목 : 잠비아 대사대리 접촉

대:WUN-0738

신기복 대사는 4.10 CHABALA 잠비아대사대리 (대사 공석중)와 면담, 유엔가입 문제에 관한 아측입장을 설명, 지지를 교섭하고(메모란덤 수교) 대호건 관련 의견을 교환한바, 요지아래와 같음.

1. 유엔가입문제

동 대사대리는 아국의 입장에 이해를 표명하며 금일 면담내용을 메모란덤과함께 곧 본국정부에 보고하겠는바, 본부 반응 있는대로 알려주겠다함.

2. 동 대사대리는 당지 부임전 수상경제 고문직에 있던 인사로서 전선국 그룹 활동에 관하여 비교적 소상히 알고있었는바, 주요 설명요지 아래와같음.

가. 전선국 그룹 7 개국은 정상급, 외무장관급, 대사급회의가 부정기적으로개최되고있으며 정상회의는 2,3 개월 내외의 빈도로, 외무장관급 회의도 그와 유사한 빈도로열리고 있고 유엔에서의 대사급회의는 경우에 따라서는 주 1-2 회 만날 정도로 자주열리고 있음. 최근 정상회의는 90.2.6-7 간 HARARE 에서 개최되었는바, 현재도 외상회의가 개최중이고 6 월에는 OAU 총회가 있으므로 5 월중에는 정상회의가 있게되지 않을까 짐작되나 확실한 것은 알수 없음.

나. 동 그룹 의장국은 75 년 그룹형성후 일시 탄자니아가 맡은 적이 있으나그후 계속 잠비아가 의장국으로서 주도적 역할을 하고있으며 명일에도 유엔대사급 회의가 있을 예정인바, 동 대사대리 자신이 회의를 주재하게됨.

다. 동그룹의 각급회의는 극히 INFORMAL 한 분위기속에서 격식없이 이루어지고있으며 정상회의 결과는 콤뮤니케 형식으로 정리되어 OAU 에 보고됨.

라. 각급 회의의 주된 협의사항은 대남아공 정책, 역내 경제문제등인바, 최근에는 경제문제 협의에 더 많은 비중을 두고있음. 역외 문제도 다루기는 하나 그것도 역내

국기국   장관   차관   1차보   2차보   중아국   청와대   안기부

경제문제와 관련된 국제문제, 예컨데 동서해빙이 역내 경제발전에 미치는 영향, 국제금융구조 조정문제, 아프리카와 EC 와의 경제협력 방안들이 논의된바 있으며 직접 관련이 없는 국제정치 문제는 별로 다룬적이 없는 것으로 알고있음. 그러나 국제정치 문제를 다루지 않는다는 원칙이 있는것은 아니며 회원국들이 관심을 표명하는 중요한 문제라면 예외적으로 다룰수 있다함.

3. 신 대사가 아국이 동 그룹 회원국중 4 개국과 아직 미수교 상태임을 알려주고 아국으로서는 이들과의 관계개선을 희망하고 있으나 아직 뚜렷한 진전이 없는바, 앞으로 동 그룹 지도국인 잠비아가 적극적으로 나서서 이들 4 개국과의 관계개선에 측면에서 협조하여 줄것과 특히 유엔가입 문제와 관련 짐바베에 대한설득에 적극 나서 줄것을 당부한바, 동인의 반응 아래와같음.

가. 이들 국가가 그간 북한과 긴밀한 관계를 유지해온 것이 사실이나 이들이 더이상 대북관계에 큰비중을 두고 있다고는 보지 않으며 이들의 실용주의 노선으로의 변모에 따라 대한국 관계도 시간이 가면 자연스럽게 풀릴것으로 봄.

나. 이들과의 관계개선 노력을 위하여는 KAUNDA 대통령의 개인적인 협조를 얻는것이 크게 도움이 되리라고 보며 그 점에서 지난번 FRANCIS KAUNDA 중앙위원의 방한은 크게 활용될수 있을 것으로 보는바, 아국의 희망은 본국정부에 상세히보고하겠음.

다. 이들 4 개국중 짐바베를 움직이는데에는 인근 국가중 모잠빅이 가장 바람직하나 모잠빅이 어렵다면 차선책으로는 잠비아 이외에 나이제리아에게 측면 지원을 요청할수도 있을 것으로 보임.

4. 신대사가 당지에서도 이들 4 개국 대사 접촉시 자연스럽게 아국의입장을전달해 줄것과 특히 유엔가입 문제관련 짐바베 설득에 측면 지원해 주기를 당부하자 동 대사대리는 최선을다 해보겠다 하면서 신대사 귀임시 다시 접촉하자 하였음.

5. 전선국가 그룹의 구성및 성격에 비추어 이들 미수교 4 개국과의 관계개선 문제 또는 유엔가입 문제를 직접 정상회의에 제기하는 문제는 좀 더 시간을 두고 검토함이 좋지않을까 생각되고 현재로서는 잠비아와의 접근을 강화하고 잠비아를 통한 이들 국가와의 개별적 설득에 주력함이 보다 효과적인 방안이 아닌가 판단됨. 끝

(대사 노창희-국장)

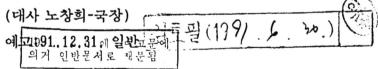

원 본

외 무 부

관리 번호 91 -2398

종 별 :

번 호 : IVW-0215

일 시 : 91 0412 1200

수 신 : 장관(국연,아프일,사본: 주 UN 대사:중계필)

발 신 : 주 코트디브와르 대사 대리

제 목 : UN 가입 교섭

대:WIV-0105

연:IVW-0173

1. 당관 이광재 참사관 금 4.12 주재국 외무성 AKA UN 및 국제 기구 담당 부국장을 면담, 대호 정부 각서를 전달하고 아국의 금년중 UN 가입 실현 의지및 당위성을 재차 설명하는 한편, 안보리 이사국으로서의 주재국의 적극적인 지지와협조가 긴요함을 강조, 주재국의 적극적인 대 아국 지지표명을 요청함.

2. 동 부국장은 연호 3.28 자 김대사의 AMARA 외상 면담시 거론된 본건 관련 내용에 관해 DEBRIEFING 을 받았다고 언급하고, 동 면담시 기 표명된바, 양국간 기존 우호 관계에 입각한 주재국의 대아국입장지지에 문제가 없을것이라고 말하고 상기 아국 정부각서 내용을 외상께 보고 하겠다고 함.

(대사 대리-국제 기구 조약국장)

예고:1991.12.31일반공문에 (1)91 . 6 . 30.)

국기국   차관   1차보   2차보   중아국   청와대   안기부

관리 91
번호 -2373

외 무 부

종 별 :

번 호 : MSW-0056   일 시 : 91 0412 1500

수 신 : 장관(아프이,국연,경이,사본:주유엔대사(중계필)

발 신 : 주 모리셔스 대사대리

제 목 : 외상면담

연: 주모셔 20615-190(88.10.27.), MSW-0135(89.9.21.)

대:WMS-0115(89.9.30.)

본직은 4.12.(금), 신임 인사차 주재국 데레스트락 외무장관을 면담하고 양국관계, 아국의 유엔가입문제, 남남협력 및 남북문제등에 관하여 협의하였는바, 동 요지 하기 보고함.

1. 아국의 유엔가입 문제

가. 본직은 90 년 제 45 차 유엔총회시 동 장관이 아국의 유엔가입을 지지하는 발언을 한데 대하여 사의를 표하고 4.5. 안보리에 배포된 유엔가입에 관한 메모랜덤에 관하여 설명하고 지지를 당부함.

나. 동 장관은 한국의 유엔가입지지를 공개적으로 밝힌 것은 주재국정책의 변화(SHIFT)라고 할 수 있으며, '남북대화가 방해받지 않고 북한의 유엔가입 가능성이 배제되지 않는한 한국의 유엔가입을 지지한다'는 것이 주재국 정부의 기본원칙이며 동 원칙에 변화가 없다고 말함.

다. 또한 동 장관은 이러한 입장을 대외적으로 표명할 적절한 기회가 있으면 이를 밝힐 용의가 있다고 확약함.

라. 동 장관은 지난 2 월 김영남 북한 외교부장 방모시에도 이러한 입장을 북한 외교부장에게 직접 설명한바 있다고 부언함.

2. 남남협력문제

가. 동 장관은 한국의 아프리카 지역에 대한 외교방침에 대하여 문의하면서,모리셔스의 경우 한국의 국력과 능력에 비추어 활동및 기여가 미흡하다고 판단하고 있다고 말함.

나. 이 문제에 관하여 본직은 3.29. 자 장관님의 KOREA HERALD 지 기자회견내용을

중아국	장관	차관	1차보	2차보	국기국	경제국	정문국	청와대
안기부								

PAGE 1

91.04.13   00:50

외신 2과 통제관 BW

0237

언급하고, 아국은 남남협력 차원에서 상호 유익한 방향으로 실질협력을강화하는 데 주력하고 있음을 강조함.

3. 주재국 기술개발 계획지원문제

가. 동 장관은 88 년 10 월에 제시된 기술개발 사업에 대한 지원요청에 대하여 아측의 아무런 대응이 없는데 대하여 유감을 표시함.

나. 본직은 동 제의가 상당한 재원을 요하는 3 건의 사업을 포함하고 있으며 주재국 외무부 경로를 거치지 않고 경제계획 및 개발부가 직접 제시한 점등 문제점을 언급하고 보다 구체적이고 현실적인 제의가 요망된다고 설명함.

다. 동 장관은 담당부서에 재검토시키겠다고 말함.

4. 남북한 문제

가. 동 장관은 아국이 대리대사를 파견한 사실에 대하여 관심을 표명하면서특히 북한이 무역대표부 설치 추진등 대주재국 외교를 강화하고 있는 점과 대비하여 오해를 불러 일으킬 가능성이 있다고 말함.

나. 이 문제와 관련, 동 장관은 만약 가까운 시일내(주재국에 대하여 실질적 기여가능성이 없는)북한이 대사관을 설치하고 실질협력 잠재성이 큰 한국이 공관을 격하(DOWN GRADE)한다면본인 자신이 그 결과를 정부에 설명하기 어려울것이라고 말함.

다. 이에 대하여 본직은 대사대리의 임명은 순전히 아국정부 내부사정에 기인하며, 정치적 의미를 내포하지 않고 있음을 설명함.

5. 평가

가. 주재국은 유엔문제에 대하여 작년 유엔총회에서 밝힌 아국지지 입장을 견지하고 있다고 판단됨.

나. 대외 개방과 경제개발을 추진하고 있는 주재국으로서는 아국의 경제지원(원조및 투자)을 기대하고 있는 것으로 판단되며, 북한의 적극적인 대주재국 외교를 아국으로부터의 경제지원을 확보하는 데 활용하고자 하는 의도가 있는 것으로 사료됨.

다. 주재국은 북한의 무역대표부 설치등 적극적인 접근에 대하여 아국과의 관계를 손상하지 아니하는 범위내에서, 내심 환영하는 입장임.

끝.

(대사대리 신연성-국장)

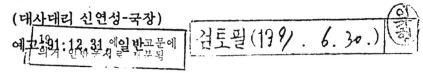

원 본

관리 번호	9/ -2392

외 무 부

종 별 :

번 호 : ZRW-0194　　　　　　　　　일 시 : 91 0412 1500

수 신 : 장관(국연,아프이) 사본:주유엔대사-중계필

발 신 : 주 자이르 대사대리

제 목 : 유엔가입관련 정부각서

대:EM-0009

연:ZRW-0191

1. 당관 박서기관은 금 4.12(금) 11 시 외무성으로 LOLONGA DELA LOKONGA 국제기구국장을 방문면담, 대호 메모랜덤 내용을 상세히 설명함과동시 이를 수교하고 자이르 정부의 적극적인 지지를 요청하였음

2. 이에 동 국제기구국장은 지난해 주재국 외무장관의 유엔총회 기조연설에 나타난 남북한 유엔가입에대한 주재국의 입장을 다시한번 상기시키고 한국이 유엔회원국이 아닌것은 부자연스러운일이며 북한이 유엔에 가입하고 안하고는 그들의 문제인만큼 자이르로서는 금년에 한국이 유엔가입을 신청하면 이를 적극 지지할것이라 하였음. 끝.

(대사대리-국장)

예고:91.12.31. 일반

의거 일반문서로 재분류됨 (1 91. 6. 30.)

국기국　　장관　　차관　　1차보　　2차보　　중아국　　청와대　　안기부

관리 91
번호 -2391

외 무 부

종 별 :

번 호 : SLW-0328   일 시 : 91 0412 1800

수 신 : 장관(아프일,국기,국연,경이,사본:허승대사)

발 신 : 주 세네갈 대사대리

제 목 : 깝베르데 대사면담

1. 당관 정동일참사관은 4.11 당지 깝베르데 FIDALGO 대사요청의거 면담한바 요지 아래와같음.

가.91 년도 무상원조로 차량 10 대 지원요청(구상서수령) : 별전참조

나. 과학기술협력협정:협정안 3 항은 중요장애사항이 아니므로 가능한 조속서명희망

다. 경제협력: 선박분야, 경젝배발분야 외국인부자증진또는 유리한조건의 협력차관 지원가능성타진(이는 중요사안이므로 대사님 귀국후나 신임장제정시 협의하는것이 좋을것이라고답함.)

2. 동기회에 다음사항 요청함.

가. 대사 신임장제정:대사 연설문초안을 전달하고 협조요청함.(대봉령은 신정부업무에 매우분주하나 대사 귀국직후 5 월중순부터 가능토록 건의하겠다고함.)

나. 유엔가입지지, 유네스코 이사국, 국제해양기구(IMO) 이사국 입후보지지요청:별전참조.끝.

(대사 대리정동일-국장)

예굑:91.6.30 일반 고문 분원 토필 (179. 6. 70.)

중아국   1차보   2차보   중아국   국기국   국기국   경제국

PAGE 1   91.04.13   07:27
                                          외신 2과 통제관 CH

                                          0240

외　무　부

원　본

```
관리 │ 91
번호 │ -2386
```

종　별 :

번　호 : UNW-0900　　　　　　　　　　일　시 : 91 0412 1930

수　신 : 장관(국연,아프일)

발　신 : 주 유엔 대사

제　목 : 유엔가입교섭

　　당관 강참사관은 4.12(금) SILGA 주유엔 부르키나파소 대표부 참사관을 면담, 메모랜덤(붙어본)을 수교하고 아국입장 적극 지지를 요청한바, 동인 발언요지 아래보고함.

　　-아측 메모랜덤을 이미 상세히 검토한바 있다고 하면서 특히 독일, 예멘이 유엔회원국으로 동시가입된 상태에서 통일을 이룩한 사실 및 아측이 그간 남,북한 동시가입을 위해 노력한 흔적이 명확하게 제시되어 있어 과거 어느때보다도 많은 유엔 회원국들의 공감과 이해를 불러 일으키고 있다고 하고 비록 아국대사관이 철수하고 북한대사관만이 남아 있어 그간 북한대사관측으로 부터 집요한 북한의 단일의석 가입지지를 요청받아 왔으나 북측의 주장이 비현실적이고 많은 문제점을 내포하고 있어 유엔가입 문제에 관한한 아측의 입장과 공감대를 같이하는것이 본국정부의 입장인 것으로 알고 있음.

　　-아측지지 요청사실을 즉각 본국에 보고, 본국 출장중에 있는 대사가 보다 확고한 "브" 정부 입장을 결정할수 있도록 조치하고 결과를 알려주겠음.

　　-안보리에서의 상임이사국중 중국의 태도가 문제일것이나, 소련의 명시적 지지확보가 있을경우 중국이 VETO 권을 행사하는것은 불가능할것임.

　　-북한도 급변한 국제정세를 빨리 인식, 보다 현실적 접근노선으로 변경해야하는데 일인 독재체재의 경직성으로 인해 구태의연한 자세를 보이고 있음은 매우 안타까운 일임.끝

　　(대사 노창희-국장)

검토필(1991. 6. 30.)

예고:91.12.31 에 일반문에 의거 일반문서로 재분류됨.

국기국	장관	차관	1차보	2차보	중아국	청와대	안기부

PAGE 1

관리
번호 91
-2460

원 본

외 무 부

종 별 :

번 호 : UNW-0941

일 시 : 91 0416 2000

수 신 : 장관(국연,아프일,기정)

발 신 : 주 유엔 대사

제 목 : 유엔가입교섭

1. 본직은 금 4.16(화) 주유엔 세네갈대표부 DIALLO 대사를 방문, 정부각서를 안보리문서로 배포한 사실을 상기시키고 서부아 지역의 지도적 위치에있는 세네갈의 적극적 지지와 협조를 요청하였음.

2. 이에대해 동대사는 아국가입문제에 대해 본국정부에 상세한 보고를한바, 아직 구체적인 지침을 받은바는 없으나, 유엔의 보편성원칙 및 양국간 전통적 우호관계로 보아, 아국의 단독 선가입에 대한 "세" 의 지지는 어렵지 않은 것으로 본다고 말하고, 81-88 간 본국 외무성 정무국장으로 재직하면서 남. 북한을 각각 방문한바도 있어 특히 한국문제에 관심이 많다고 하면서 아측에대한 협조를아끼지 않겠다고 부언하였음.

3. 동대사 발언등으로 보아 "세" 정부의 아국입장지지는 확실한 것으로 보이나 DAKAR 에서 보다 분명하게 "세" 정부입장을 천명하도록 교섭함이 필요하다고 생각됨. 끝

(대사 노창희-국장)

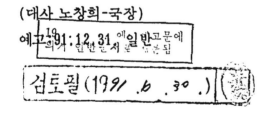

예고:91.12.31. 에 일반문서에 분류됨

검토필(1991. 6. 30.)

국기국   장관   차관   1차보   2차보   중아국   청와대   안기부

PAGE 1

91.04.17   10:03

외신 2과 통제관 BW

0242

원 본

외 무 부

종 별 :

번 호 : UNW-0942   일 시 : 91 0416 2000

수 신 : 장관(국연,아프일,기정)

발 신 : 주 유엔 대사

제 목 : 유엔가입교섭

1. 당관 강참사관은 금 4.16(화) 주유엔 GAMBIA 대표부의 SALLAH 참사관을 오찬에 초청, 아측메모랜덤을 수교하고 적극적인 지지와 협조를 요청했음.

2. 동참사관은 양국간 전통적 우호관계등 비추어 GAMBIA 정부의 아국입장 지지태도에는 변함이 없으며 금년중 가입실현을 위해 최대한 협조할것을 약속하면서 , 곧 본국정부에 보고하겠다고 하였음. 끝

　　(대사 노창희-국장)

예고 : 91.12.31. 일반문에

재분류 인반문서로 됨

검토필(?? 81. 6. 30.)

국기국　　장관　　차관　　1차보　　2차보　　중아국　　청와대　　안기부

관리 91
번호 ─2498

원 본

외 무 부

종 별 :

번 호 : UNW-0952   일 시 : 91 0417 1930

수 신 : 장관(국연,아프일,기정)

발 신 : 주 유엔 대사

제 목 : 유엔가입교섭

　　1.　당관　강참사관은　4.17(수)　주유엔 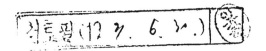 NIGER 대표부　SOUMANA　참사관과
면담,정부각서를　수교하고　NIGER　정부의　적극적　지지와　협조를　요청함.

　　2.　동참사관은　금번　아국　정부의　결정은　급변하는　국제정세감안,　시의적절한
조치이며　전통적인　양국간　우호관계　특히　경제면에서　지극히　어려운　빈국인　NIGER 에
대해　그간　아국정부가　보여준　원조등　성의표시에　보답하는　의미에서도 NIGER 정부의
지지는　당연하다고　말하고　즉시　아국정부각서를　본국정부에　보고하겠다고　하였음. 끝

　　(대사 노창희-국장)

예고:91.12.31에 일반문서에
의거 일반문서로 재분류됨

검토필(1??. 6. ??.)

국기국　　장관　　차관　　1차보　　2차보　　중아국　　정와대　　안기부

PAGE 1   91.04.18   10:32

원 본

관리 번호 91 -2541

외 무 부

종 별 :

번 호 : NJW-0308

일 시 : 91 0418 1700

수 신 : 장 관(국연,아프일,조명행 대사),사본:주유엔대사-중계필

발 신 : 주 나이지리아 대사대리

제 목 : 유엔가입추진

대:EM-0009,11,13

연:NJW-0270,0269

4.17. 소직은 외무부(ABUJA) 국제기구차관보 MBOKWERE 를 방문, 대호의 유엔가입관련 아국입장을 설명하고 관계 메모랜덤을 전달함. 동차관보는 주재국의 아국 유엔가입 지지입장을 확인하면서 문제는 중국의 거부권 행사라고 지적함.

(공사 최광식-국장)

예고:1991.12.31 일반 문 에 의거 인반문서로 ....

검토필(1991. 6. 30.)

국기국   중아국   중아국

원 본

외 무 부

관리 9/
번호 一2543

종 별 :

번 호 : UNW-0964   일 시 : 91 0418 1830

수 신 : 장관(국연,아프일)

발 신 : 주 유엔 대사

제 목 : 유엔가입 교섭

　　당관 강참사관은 금 4.18(목) 주유엔 MALI 대표부 DIARRA 수석참사관(대사대리)과
면담, 정부각서를 수교하고 아국입장을 적극 지지해 줄것을 요청한바, 동참사관은
아측각서 및 지지요청 사실을 즉각 본부에 보고, 지침을 받는대로 알려주겠다고
하였음.(동　참사관은　향후　하달될　지침에따라　행동할것이라고　하면서아국
유엔가입문제에 대한 구체적 언급을 회피하고 있는바, 아직 명확한 입장 정립이 없는
상태인것으로 보임.)끝

　　(대사 노창희-국장)

예고:91.12.31.에 일반고문에
　의거 일반문서로 재분류

검토필(17 91. 6. 30.)

국기국　　장관　　차관　　1차보　　2차보　　중아국　　정와대　　안기부

외 무 부

원 본

종 별 :

번 호 : UNW-0975

일 시 : 91 0419 1600

수 신 : 장관 (국연,아프일,기정)

발 신 : 주 유엔 대사

제 목 : 유엔가입 교섭

당관 강참사관은 4.19(금) 주유엔 CAPE VERDE 대표부 차석 DUARTE 1 등서기관을 오찬에 초청, 정부각서를 수교하고 CAPE VERDE 정부의 적극적 지지와 협조 요청한바 동인 반응 아래 보고함.

-아측 정부각서를 이미 검토한바 남. 북한 양측이 슬기와 지혜로서 대화를 통한 평화적 방법으로 한반도 문제를 해결하는것을 지지하는것이 "깝" 정부의 기본 원칙임.

-그러나 아국의 유엔가입 문제 경우 남. 북한 대화를 통해 합의점에 도달하는것이 가장 이상적인 것이나 만약 양측이 합의에 실패, 아측이 선가입을 신청할경우 이는 통일을 위한 남북대화 와는 별개의 것으로 간주, "깝" 정부는 아국입장을 전폭적으로 지지할것임.

-이는 급변하는 세계 정세속에서 개방과 실리를 추구하는 신정부의 보다 현실적 다 한반도 정책의 일환으로 구정부의 교조적, 명목적 대외정책에 대한 수정의 결과인 것으로 알고있음.

-아프리카 역내 여타 포어권 국가들에 대해서도 기회있는대로 아측입장을 설명, 지지 분위기 확산에 협력하겠음. 끝

(대사 노창희-국장)

예고:91.12.31. 일반 (1991. 6. 30.)

국기국	장관	차관	1차보	2차보	중아국	정와대	안기부	안기부

관리 91
번호 －2732

원 본

외 무 부

종 별 :

번 호 : ZMW-0053

일 시 : 91 0422 0900

수 신 : 장관(국연,아프이)

발 신 : 주 잠비아 대사

제 목 : 짐밥웨 고등판무관 접촉

대:EM-0011

1. 본직은 4.22(월) 잠비아주재 짐바브웨 고등판무관 SOLOMON MAHAKA(무가대봉령과 친분이 두터운 정치인 출신 외교관)를 예방, 면담하였는바, 본직은 한. 잠비아간의 관계발전의 예에따라, 한, 짐바브웨간에도 공식관계 수립을 적극 고려해야할 시기가 되었음을 지적하고, 이를위해 동인과 빈번히 접촉하면서 상호협력할 것을 제의하였음.

2. 동인은 짐바브웨의 ?? 과의 돈독한관계및 북괴의 대남 비타협적인 자세로 어려움이 있음을 시인하고 한국과 실질협력차원에서 현실적인(REALISTIC) 관계증진을 희망한다고 말하면서 상호접촉을 환영하였음.

3. 본직은 동인에게 남북한간의 대화와 교류증진 상황을 설명하였으며, 특히 아국의 금년도 유엔가입의지와 배경을 설명한바, 동인은 짐바브웨측이 유엔에서 이문제로 잠비아대표부와 의견을 교환한적이 있다고 하면서 UN 가입에 대한 한국의 입장을 설명하는 메모렌담을 보내주면 UN 등 국제기구대표에 배포해 아국입장을 이해시키겠다고 함. 당관은 대호 메모렌담을 전달 예정임.

4. 동인과의 재접촉결과 특이사항 있는대로 추보하겠음. 끝.

(대사성필주-국장)

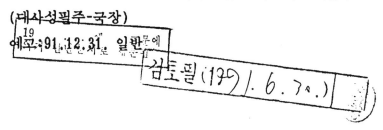

국기국   차관   1차보   2차보   중아국

PAGE 1

91.04.25   21:13
외신 2과 통제관 DO
0248

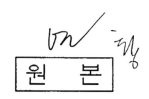

외 무 부

관리
번호 91
-26fp

원 본

종 별 :

번 호 : SLW-0349   일 시 : 91 0422 1500

수 신 : 장관(국연,아프일,사본:유엔대표부,허승대사)

발 신 : 주 세네갈대사대리

제 목 : 유엔가입

대:EM-13,124

1. 정참사관은 4.22 SECK 국제기구국장 면담, 대호 각서를 전교하고 지지교섭함.

2. 동국장은 고르비의 한국방문등 금년이 한국의 유엔가입에 유리한 해라고 전제 남북한이 수많은 국제기구의 회원국인데 유엔기구에만 양국이 가입 하지못하는 것은 불합리 하다고 말하고 한국의 입장을 새외상 KA 에게 최대한 잘설명할수있도록 수시로 당관에 자료를 요청 하겠다고 말함.

2.(둘만의 대화전제임) 정참사관은 SY 장관이 경질되고 KA 외상이 외상이되므로서 세네갈의 대한정책(특히 유엔가입)의 변동가능성을 문의하자 동국장은 대외정책은 대통령이 거의 결정하므로 장관이 바뀌었다고해서 대한 정책에 큰변동은 없을것이라고말함.

4. 당관 전 파견관 이종신서기관(감사차 당지방문)에의하면 KA 장관은 중도내지 친북한이며 당지 북한대사관 행사등에 수시로 초청되는등 주의를 요한다고말함. 끝.

(대사대리 정동일-국장)
예고:91인6월30세일반 91

국기국   장관   차관   1차보   2차보   중아국   중아국   정와대   안기부

PAGE 1   91.04.23   07:29
                                                    외신 2과 통제관 FE
                                                         0249

외 무 부

원 본

종 별 :

번 호 : UGW-0173

일 시 : 91 0422 1600

수 신 : 장관(국연,아프이,정홍)

발 신 : 주 우간다대사

제 목 : 유엔가입 관련 정부각서 언론보도

대:EM-11

주재국 영자일간지 THE STAR 지는 4.20.자 5면의 약 3분의 2를 할애 'SEOULCALL PYONGYANG TO JOIN UNTIEDNATIONS' 제하 대호 각서 내용의 대부분을 게재하였음.

또한 현지어 일간지 NGABO 신문은 4.19자 3면에 'KOREA SEEKS UNITED NATIONSMEMBERSHIP' 제하 대호 정부각서 내용을 발췌 보도함.

끝.

(대사대리 이동숙-국장)

국기국   1차보   중아국   정문국   안기부

PAGE 1

91.04.22   23:27 DA

외신 1과 통제관

0250

원 본

<table>
<tr><td>관리
번호</td><td>91
- 264g</td></tr>
</table>

외 무 부

종 별 :

번 호 : UNW-0995   일   시 : 91 0422 1830

수 신 : 장관(국연,아프이,기정)

발 신 : 주 유엔 대사

제 목 : 유엔가입 교섭

1. 당관 강참사관은 금 4.22(월) 주유엔 BRUNDI 대표부 N'DAYIZIGA 수석참사관을 오찬에초청, 양국간 관계개선 및 아국유엔가입 문제에 대해 의견교환(정부각서 및 아국의 외교관계수립 현황 자료수교)한바, 동인 반응및 발언요지 아래보고함.

가. 공식 관계수립문제

-신정권은 출범이래 개방과 실리추구 정책을 취해오고 있는바, 아국과 공시관계를 맺는것에 어떠한 장애도 없으며 공식관계수립을 통해 브룬디의 경제개발분야등에 협력을 도모해야할 단계라고 생각함.

-동경주재 자국대사관을 대아국 관계개선 창구로 활용하고있는 것으로 알고있으나 뉴욕주재 대표부를 통해 추진할수도 있는바 가까운 시일내 양국대사가 만나 쌍방의사를 공식확인함이 좋을것으로 생각함.

나. 유엔가입문제

-아국 유엔가입 관련 정부각서를 자세히 검토한바 아국의 요청이 극히 합리적인 것으로 보고있으며 특히 독일, 예멘등의 선례는 가입이 통일에 장애가된다는 북한측 주장과는 달리 오히려 통일을 촉진하는 요소로서 작용할것인바 아국의가입 신청할경우 거부될 이유가 없을것임.

2. 동인반응 감안, 본직은 가까운 시일내 동국대사와 접촉, 양국관계 개선문제에 관해구체적 의견교환코자 하는바, 지시사항 있을시 회시바람. 끝

(대사 노창희-국장)

예규:91.12.31. 일반문에
의기 인반문서로 재문류됨 (17 91 . 6. 30.)

국기국   장관   차관   1차보   2차보   중아국   청와대   안기부

PAGE 1   91.04.23   08:59

원 본

관리
번호 91
-2676

외 무 부

종 별 : 지 급

번 호 : SLW-0353   일 시 : 91 0423 1800

수 신 : 장관(국연,아프일,사본:주유엔대표부:중계필,허승대사)

발 신 : 주 세네갈 대사대리

제 목 : 유엔가입

1, 연호, 정참사관은 당지 FIDALGO 깝베르데대사를 면담, 아국의 금년 유엔가입
입장을 설명, 지지 교섭함.

2, 동인은 깝베르데는 금년 유엔안보리 비상임 이사국에 입후보 예정이라고하면서
유리한 입장에서 아국의 유엔가입을 도울수있을지 모른다고 하면서, 동서독,
남북예멘의 유엔가입 역사적교훈에 비추어 아측의 입장이 합리적이라고 평가함. 끝,

(대사대리 정동일-국장)
예고 91.6.30 일반

검토필 (17 8 . 6 . 30 .)

국기국   차관   1차보   2차보   중아국   정와대   안기부

PAGE 1   91.04.24   05:50
                                              외신 2과 통제관 CH

0252

원 본

관리 91
번호 —2654

외 무 부

종 별 :

번 호 : UNW-1008

일 시 : 91 0423 1900

수 신 : 장관(국연,아프일,기정)

발 신 : 주 유엔 대사

제 목 : 유엔가입교섭

1. 본직은 금 4.23(화) 주유엔 가나대표부 AWOONOR 대사와 면담, 아국 정부각서가 안보리문서로 배포된 사실을 상기시키고 아국입장에 대한 적극적 지지를 요청하였음.

2. 이에대해 동대사는 작년 유엔에서의 양국 외무장관 면담시에도 언급된바와 같이 가나는 한국의 유엔가입을 지지한다고 말하고 남북한 동시가입이 분단을 영구화시킨다는 북한측의 주장은 독일의 경우에서 나타난바와같이 맞지 않는것이며 오히려 남. 북한 관계 정상화에 도움이 된다고 지적하면서 금년도 한국의 유엔가입 신청에대한 지지에는 어려움이 없다고하였음.

3. 또한 동대사는 유엔의 가치가 국제적으로 부각되고 있는때인 만큼 한국의 유엔가입은 더욱 뜻있는 것이라고 말하면서 9 월 가나의 ACCRA 에서 개최될것으로 예정되고 있는 비동맹 외상회의에서 만약 한국가입에 대한 지지결의가 있으면 중국에 대하여 결정적 영향을 미칠것이라고 하였음.

4. 이에대해 본직은 북한은 비동맹 회원국이나 아국은 비회원국이기는 하나, 유엔가입문제는 보편성원칙에 관한 문제인만큼 만약 아크라회의시까지 아국의 유엔가입 문제가 결정되지 않아 동 외상 회의에 회부될경우 주최국으로서 가나가 제반면에서 적극적인 협조를 해줄것을 재차 당부하였음. 끝

(대사 노창희-국참 통 필 (1391. 6. 31.)

예고:91.12.31. 일반문에 의기 단단.서 개문됨

| 국기국 | 장관 | 차관 | 1차보 | 2차보 | 중아국 | 정와대 | 안기부 |

외 무 부

종 별 :

번 호 : SLW-0359   일 시 : 91 0424 1800

수 신 : 장관(아프일,유엔,정일,기정,사본:허승대사)

발 신 : 주 세네갈 대사대리

제 목 : 출장결과 보고(자응 34호)

연:SLW-347

1. 당관 최성주서기관은 4.22-23 간 연호 YOUTH CENTER 준공식에 참석차 감비아 출장한바, 결과 아래보고함.

가. YOUTH CENTER 준공식 참석

-4.23 10:00 JAWARA 대봉령 내외를 비롯, DARBO 부봉령, OUMAR SEY 외무장관등 정부각료, 그리고 외교사절 및 다카르 교민 등 약 400 명이 참석, 성황을 이루었음.

-JAWARA 대봉령은 준공식 치사를 통해, YOUTH CENTER 을 건설한 아국선교사팀의 노고를 치하하면서, 동 센타가 청년들을 위해 잘 활용되길바란다고 말함.

나. 신임장 제정일교섭

-준공식에 이어 개최된 리셉션장에서 BOBB 의전장을 접촉, 문의한바, 대봉령의 외유일정 관계상 5 월말경 신임장제정 가능하다고함.

다. 아국의 유엔가입교섭

-4.23 오후 동국 외무부에서 SOULAYMAN JACK 사무차관을 면담코, 아국의 유엔 가입의 당위성과 필요성을 설명하면서, 감비아의 지지를 요청함.

-동차관은 감비아정부가 과거 아국을 지지한데로, 보편성의 원칙에 입각, 아국을 지지하는데 문제가 없을것이라고 언급함.

라. 북한동향

-특이동향없는것으로 파악됨.

2. YOUTH CENTER 개관

가, YOUTH CENTER 의 총면적은 62,000 평방미터(약 18,700 평)이며, 대강당, 작업장, 기숙사등 7 동의 건물로 이루어짐.

나. 동센타는 아프리카 선교회의 지원을 받은 아국선교사팀(단장: 이재환 목사)에

중아국   중아국   국기국   정문국   안기부

의해 건설된바, 실질적인 감비아 청년교육및 훈련을 위해, 수공예, 목공, 재봉,
농업기술등 직업훈련프로그램, 및 축구장, 야구장등 스포츠시설, 그리고 시청각실,
도서관및 기숙사를 구비하고있음. 끝.

(대사대리 정동일-국장)

예고:91.12.31 일반 고문에
의거 일반문서로 재분됨

필(17 91.6.30.) 收

관리
번호 91
－2712

원 본

외 무 부

종 별 :

번 호 : UNW-1027

일 시 : 91 0424 1900

수 신 : 장관(국연,아프일,기정)

발 신 : 주 유엔 대사

제 목 : 유엔가입교섭

당관 강참사관은 4.24(수) 주유엔 CHAD 대표부 HAGGAR 수석참사관(대사 워싱톤 상주)을 면담, 정부각서사본을 수교하고 아국입장 적극지지 요청한바 동인 발언요지 아래보고함.

-아국 정부각서를 아직 읽어보지 못했으나 9 년간 유엔근무하면서 한반도 문제를 계속 접해오고 있어 잘알고있음.

-45 차 총회시 한반도 문제에대한 언급이 없었음은 아국입장을 반대해서가 아니고 리비아-차드간 분쟁으로 인한 복잡한 국내정세에 기인한바, 아국이 금년도에 유엔가입 신청할경우 본국정부의 최종결정이 있어야 하나 차드의 지지를 확신하여도 좋을것임. 다만 안보리에서 중국의 태도가 문제일것인바, 중국의 VETO 권 행사 여부에대해서 속단할 수는 없으나 한국가입문제 관련 중국의 거부권행사는 하지 않기를 희망함.

-차드, 리비아간 불화관계가 완전해소된것은 아니나 평화적 해결을 위한 양국정부의 노력이 계속되고있음. 끝

(대사 노창희-국장)

예고:91.12.31.에 일반문서에
끝(1771.6.37.)

국기국	장관	차관	1차보	2차보	중아국	정와대	안기부	안기부

원 본

관리 번호	9/ -384

외 무 부

종 별 :

번 호 : UNW-1028   일 시 : 91 0424 1900

수 신 : 장관(국연,아프이,기정)

발 신 : 주 유엔 대사

제 목 : 유엔가입교섭

　　당관 강참사관은 4.24(수) 주유엔 LESOTHO 대표부 KOLANE 참사관을 면담, 정부각서사본을 수교하고 아국입장에 대한 적극적 지지와 협조를 요청한바, 동참사관은 양국간 전통적 우호 협력관계에 비추어 동시가입은 물론 아국 선가입 신청경우에도 LESOTHO 정부의 적극적인 지지태도에는 전혀 변함이 없다고 말하였음.끝

　(대사 노창희-국장)

　　예고:91.12.31. 일반

　　　　　　　　　(1991. 6. 30.)

국기국	장관	차관	1차보	2차보	중아국	정와대	안기부

원 본

관리 번호	91- 2148

외 무 부

종   별 :

번   호 : UNW-1033

일   시 : 91 0425 1530

수   신 : 장관(국연,아프이,기정)

발   신 : 주 유엔 대사

제   목 : 유엔가입교섭

당관 강참사관은 금 4.25(목) 주유엔 루완다 대표부 MUNYAMPETA 참사관과 면담, 정부각서 사본을 수교하고 아국입장 적극 지지요청한바, 동인 발언요지 아래보고함.

-독립이후 자유주의를 신봉해온 루완다는 전통적 우호형제국으로서 아국의 유엔 단독 가입을 적극지지함. 아국을 적극지지하는 내용의 보고서를 곧 본국정부에 보내겠음.

-아국이 유엔회원국이 아님은 불공정한 일이며, 이미 독일, 예멘의 명백한 선례가 있어 북한이 주장하는 유엔가입이 통일에 방해된다는 논리는 허구임.

-작년이후 세계는 급변한바, 공산주의는 완전히 패배, 북한의 독재자인 김일성의 설땅이 없어지어, 남한주도의 통일이 불원간 달성될것으로 생각함. 끝

(대사 노창희-국장)

예고:91.12.31. 일반문에
의거 인반문서로 재분됨

검토필(2 7. 6. 30.)

국기국	장관	차관	1차보	2차보	중아국	정와대	안기부

91.04.26   07:36

외신 2과 통제관 CA
0258

외 무 부

원 본

종 별 :

번 호 : SJW-0056

일 시 : 91 0430 1500

수 신 : 장관(국연,아프이,사본:주유엔대사-필)

발 신 : 주 스와지랜드 대사대리

제 목 : 유엔 가입 추진

대:EM-9, 13, 16

연:SJW-28

아국의 유엔가입추진 관련, 본직이 금 4.30 주재국 외무차관(PHILEMON DLAMINI)을 면담, 대호 메모랜덤을 수교하고 아측 입장을 설명한 바, 동 차관이 밝힌 반응 요지는 다음과 같음.

1. 주재국 외무장관의 최근 방한등을 통하여 유엔가입 의사등 아국입장에 관하여 충분히 이해하고 있음.

2. 한국이 유엔 가입을 신청하는 경우 그것이 남북한 동시 가입이든 한국의 단독 가입이든 아국 입장을 지지한다는 것이 주재국 정부의 확고한 정책 임.

3. 그러나 이러한 주재국 입장을 공개적으로 밝히는 문제는 특별한 계기가 없는한 아국이 유엔 가입 신청조치를 취한 후에 유엔 총회에서의 기조연설등에 반영 시킨다는 것이 현재로서의 입장 임.끝

(대사대리 차준길 국장)

91 12 31 일반

국기국   장관   차관   1차보   2차보   중아국   청와대   안기부

원 본

```
관리 91
번호 -2860
```

외 무 부

종 별 :

번 호 : UNW-1090

수 신 : 장관(국연,아프이,기정)

발 신 : 주 유엔 대사

제 목 : 유엔가입교섭

일 시 : 91 0430 1930

1. 당관 강참사관은 금 4.30(화) 주유엔 (MADAGASCAR) 대표부 차석대표 RAKOTONDRAMBOA 공사를 오찬에 초청, 아국 유엔가입문제 및 양국관계 회복문제등에 관해 의견교환한바, 동인 발언요지 아래보고함.

가. 유엔가입문제

-5 년간 유엔근무하면서 한반도 문제와 캄보디아 문제를 다루어온바, 지난 4.5. 자 아국 정부각서를 면밀히 검토, 아국 유엔가입문제에 대한 상세한 대본국 정부 보고서를 작성중에 있음.

-아국 정부각서 검토결과, 안보리 상임이사국중 이미 소련을 포함한 4 개국의 지지확보는 물론 중국이 거부권을 행사하지 않는 단계에까지 도달했다는 한국정부의 자신감을 읽을수있어 이미 대세의 향방을 알수있었음. 천안문사태이후 고립상태에 처한 중국이 한국가입문제에 거부권을 행사하므로써 세계적 추세에 역행하는 무감각의 외교행태를 벌이지는 않을 것이며 일익 확대되는 양국관계의 추이를 볼때 중국이 한국가입 문제에 최소한 기권할 것으로 전망하고있음.

-본국내의 잦은 정권교체에도 불구 23 년간이나 주유엔 대사직을 고수하고있는 RABETAFIKA 대사의 편견이 있으나 한반도를 위요한 급변하는 작금의 정세를설명, 어느정책의 선택이 보다 더 큰 이익을 줄것인지 설득토록 하겠음.

-46 차 총회 아국가입에 관한 CO-SPONSOR 가담여부는 현단계에서 밝힐수는 없으나 대세에 역행하는 일은 없을 것이며 본국정부 훈령있는대로 알려주겠음.

나. 관계회복

-72 년 이래 양국관계가 동결된 상태인바, 이는 김일성과 RATSIRAKA 대통령과의 개인적 친분관계에 기인한것으로 그간 한국과의 관계회복 문제는 금기시 되어온것이 사실임.

국기국　차관　　1차보　　2차보　　중아국　　청와대　　안기부

PAGE 1

91.05.01　　09:21

외신 2과　통제관 BW

0260

-그러나 동.서 냉전체제 붕괴, 공산이념의 완전한 실패 및 이에 따른 관련 공산정권의 몰락등 세계정세의 급변에 맞추어 마다가스칼내에도 실리추구 우선 경향이 두드러지게 나타나고 있는바, 대한반도 정책도 여사한 변화의 맥락에서 관계회복을 추구하는 단계에 이르렀다고 생각되며, 작년도중 자국외무장관이 민간 경제대표단장 자격으로 비공식 방한한것은 여사한 변화의 징후였다고 믿음.(동인은 자국 외무장관 방한 사실을 확신하면서 보고서 작성에도 필요하니 동장관의 방한 사실을 재확인해 줄것을 요망함.)

-양국 관계 회복문제 협의를 위한 주유엔 양국대사의 면담등 접촉은 RABETAFIKA 대사의 본국 출장 귀임후 추진토록 함이 좋겠으나, 동면담 여부는 본국정부의 허가사항임을 양지바람.

다. 기타

-남.북한 문제는 남.북한 스스로가 협의에 의해 해결하기 바라며 제 3 국을 더이상 피곤하게 하지 말기바람.

-김일성이 죽기전까지 남.북통일은 어려울것이며, 김일성 사후 북한의존재는 없어질 것으로 생각함.

2. 주유엔 마다가스칼 대표부의 계속적 접촉에 필요한바 현재까지의 양국간접촉등 진전사항 회시바람. 끝

(대사 노창희-국장)

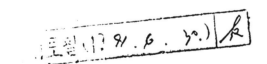

PAGE 2

0261

남북한 유엔가입, 1991.9.17. 전41권 (V.12 한국의 유엔가입 지지교섭 : 중동.아프리카지역) 267

원 본

외 무 부

종 별 :

번 호 : UNW-1091   일 시 : 91 0430 1930

수 신 : 장관(국연,아프일,기정)

발 신 : 주 유엔 대사

제 목 : 유엔가입교섭

　　1. 본직은 금 4.30(화) REWAKA 주유엔 가봉대사와 면담, 정부각서 배포사실등 유엔가입관련 사항을 설명하고 전통적인 양국간 우호관계에 비추어 가봉의 공개적인 지지의사 표명을 요구하였음.

　　2. 이에대해 동 대사는 4.5. 자 아국각서를 검토한바, 한국의 년내 유엔가입결의가 확고한점, 북한이 동가입을 반대하고 있다는 사실및 당지의 보편성원칙에 대한 일반적 지지경향등을 종합하여 본국정부에 보고하겠다고 하면서, 아직 본국정부의 지침은 받은바 없으나 가봉정부가 아국의 유엔가입을 지지못할 이유가 없다고 말하였음.

　　3. 또한 동대사는 가봉의 공개적인 지지표명이 아국의 유엔가입 추진에 크게 유리하다는 본직의 지적에 대해 동 요청사실을 본국정부에 보고하겠다고 답변하였음.
끝

　　(대사노창희-국장)

예고 : 91.12.31. 일반문에
의거 일반 서류 ...

청 1791. 6. 70.

국기국　　차관　　1차보　　2차보　　중아국　　청와대　　안기부

<아프리카지역>

국 명	주 재 국	유 엔
자 이 르	○ 국기국장 면담(3.10) - 적극지지 약속 ○ 아주국장 면담(3.25) - 전폭 지지 ○ 외상면담(4.9) * 각서수교 - 아국가입지원 약속 ○ 국기국장 면담(4.12) *각서수교 - 가입 적극지지	○ 주유엔대사 면담(1.31) - 가입지지, 가능하면 동시가입 희망 ○ 주유엔대사 면담(2.13) - 가능한 지원 약속

코트디브와르	○ 국기담당 부국장(2.28)
	 - 동시가입 희망하나 아국
	   단독가입이 불가피함.
	
	○ 지역담당 부국장 면담(3.7)
	 - 단독가입 위한 지원 약속
	
	○ 유엔담당 부국장, 정무국
	   부국장 면담(3.12)
	 - 아국지원 약속
	
	○ 외무장관 면담(3.28)
	 - 보편성원칙상 지지
	
	○ 유엔 및 국기담당 부국장 면담
	   (4.12) * 각서수교
	 - 가입지지에 문제없음.
		○ 주유엔대사 대리 면담(2.1)
		 - 가입지지
		
		○ 주유엔대사 면담(4.8)
		           *각서수교
		
		 - 적극지지

세 네 갈	○ 국방장관 면담(2.4)
	 - 금년의 아국가입은 문제없음.
	
	○ 관방장 면담(2.7)
	 - 가입지지
	
	○ 외무차관 면담(2.21)
	 - 호의적 검토
	
	○ 국기국장 면담(2.26)
	 - 금년은 가입이 가능
	
	○ 외상면담(3.28)
	 - 가입지지
	
	○ 국기국장 면담(4.22) * 각서
	                    수교
	 - 외상경질 불구 지지입장
	   불변
		○ 주유엔참사관 면담(4.9)
		           * 각서수교
		 - 가입지지 확인
		
		○ 주유엔대사 면담(4.16)
		 - 아국 선가입 지지
		   어렵지 않음.

0263

국 명	주 재 국	유 엔

카 메 룬	○ 아시아.아프리카국 부국장
	  면담(4.8) * 각서수교
	  - 북한주장의 비합리성 지적	

짐바브웨	○ 주잠비아 고등판무관 면담
	                    (4.22)
	  - 유엔대표에 아국입장
	    설득노력 약속	

잠 비 아	○ 유엔국장 면담(4.9) * 각서수교
	  - 아국입장 이해, 장관에 적의
	    설명
		○ 주유엔 잠비아대사 대리
		  면담(4.10) * 각서수교
		  - 아국입장 이해, 본부에
		    보고

깝베르데	○ 주세네갈대사 면담(4.23)
	  - 가입지지, 협조 언급
		○ 유엔대표부 차석 면담
		  (4.19) * 각서수교
		  - 아국 선가입 지지

부르키나파소		○ 주유엔참사관 면담(4.12)
		                    * 각서수교
		  - 아측입장에 공감

감 비 아	○ 사무차관 면담(4.23)
	  - 보편성원칙상 가입지지
		○ 주유엔 참사관 면담(4.16)
		  - 지지불변, 협조약속

루 안 다	○ 주자이르대사 면담(3.13)
	  - 본부에 아국지지 건의
		○ 주유엔참사관 면담(4.25)
		                    * 각서수교
		  - 단독가입 적극지지

레 소 토		○ 주유엔참사관 면담(4.24)
		                    * 각서수교
		  - 선가입도 적극지지

가 나	○ 정무, 경제차관보 면담(3.14)
	  - 아국은 가입자격이 있으므로
	    지지
	
	○ 외무차관 면담(4.9) * 각서수교
	  - 아국의 가입자격은 충분,
	    가능한 한 대화를 통한 대결
	    희망
		○ 주유엔대사 면담(4.23)
		  - 가입지지

가 봉	○ 외무장관 면담(3.15)
	  - 대통령에 아국지지 건의
	    약속	

0264

국 명	주 재 국	유 엔
	○ 대통령 비서실장 면담(4.9) 　　　　　　　* 각서수교 - 대통령에 아국가입지지 　건의 약속 ○ 국기국장 면담(4.11) *각서수교 - 장관에 아국가입 적극지지 　건의	
이디오피아	○ 국기국장 면담(4.9) * 각서수교 - 남북한 어느 일방에 지지 　표명은 불가 - 즉시, 한국입장을 외상에 　보고	
나이지리아	○ 국기차관보 면담(4.5) - 가입지지 불변 ○ 차관보 면담(4.5) - 가입지지 ○ 국기차관보 면담(4.17) *각서 　　　　　　　　　　　수교 - 가입지지 확인	
쌍 토 메	○ 외무장관 면담(4.4) - 가입 적극지지 ○ 대통령 면담(4.9) - 가입지지	
말 리		○ 주유엔 수석참사관 면담 　(4.18) * 각서수교 - 즉각 본부에 보고
콩 고	○ 아주국장, 수석정책 보좌관 면담 - 아국지지에 적극노력	
니 제 르		○ 주유엔참사관 면담(4.17) 　　　　　　　* 각서수교 - 아국가입지지
모리셔스	○ 외무장관 면담(3.26) - 김영남 방모시 독립국가의 　가입을 지지한다고 언급 ○ 외무장관 면담(4.12) *각서수교 - 가입지지 불변	

0265

국 명	주 재 국	유 엔
탄자니아	ㅇ 주케냐대사 면담(4.4) - 북한이 동시가입 거부시 단독가입 반대 불가능	
브 룬 디		ㅇ 주유엔 수석참사관 면담 (4.22) * 각서수교 - 가입 거부할 이유 없음.
우 간 다	ㅇ 국기국장 면담(4.9) *각서수교 - 개인적으로 지지 ㅇ 아주국장 면담(4.10) *각서수교 - 아국 선가입후 북한의 가입은 미국의 veto로 어려울 것	
차 드	ㅇ 외무장관 면담(3.14) - 가입지지	ㅇ 주유엔 수석참사관 면담 (4.24) * 각서수교 - 가입지지 확인
말 라 위	ㅇ 외무차관 면담(3.20) - 단독가입지지 약속 ㅇ 외무차관 면담(4.5) - 지지입장 재확인	
시에라에온	ㅇ 외무차관, 차관보, 국기국장 면담(4.10) * 각서수교 - 보편성원칙상 적극지지 ㅇ 외무장관 면담(4.11) - 지지입장 불변	
스와질랜드	ㅇ 국왕 면담(2.28) - 가입지지	

케 냐	ㅇ 정무차관보 면담(3.7)
	- 지지입장 불변
	
	ㅇ 국기국장 대리, 담당관 면담
	  (4.10) * 각서수교
	- 아국입장 계속 지지
		ㅇ 주유엔참사관 면담(4.10)
		               * 각서수교
		- 가입지지 불변

0266

원 본

관리 91
번호 -2955

외 무 부

종 별 :

번 호 : UNW-1131

일 시 : 91 0503 1830

수 신 : 장관(국연,아프이,기정)

발 신 : 주 유엔 대사

제 목 : 유엔가입 교섭

당관 강참사관은 5.3.(금) 주유엔 지브티 및 소말리아 관계관과 접촉, 정부각서 사본을 수교하고 아국입장을 적극지지해 줄것을 요청한바, 반응요지 아래보고함.

1. 지부트(DORANI 참사관, 대사 워싱톤상주)

-아국 단독 수교국으로 양국간 긴밀한 전통적 우호협력관계에 비추어 동시가입은 물론 아국단독 선가입을 적극지지함.

-(코스타리카등 예를 들면서 유엔 문서등을 통한 공개적 지지표명 요청에대해) 아국입장에 대한 공개적 지지표명을 본국정부에 적극 건의하겠으며 동결과를 알려주겠음.

2. 소말리아(HASSAN 참사관, 여)

-남. 북한 문제는 협의를 통해 평화적으로 해결되기를 기대하는바, 동시 유엔가입이 바람직하나 북한이 끝까지 가입을 거부할경우 한국만의 단독가입실현도 유엔의 보편성원칙에 따라 당연한 것임. 아국입장을 지지하는 보고서를 곧 본국 정부에 보내겠으며 동결과를 알려주겠음. 끝

(대사 노창희-국장)

예고:91. 12. 31. 일반고문에 의거 일반문서로 재분류됨

토필(17 91. 6. 30.)

국기국   장관   차관   1차보   2차보   중아국   청와대   안기부

PAGE 1

91.05.04   08:01

외신 2과 통제관 DO

0267

원　본

```
판리  91
번호  -2956
```

외　무　부

종　별 :

번　호 : UNW-1132   일　시 : 91 0503 1830

수　신 : 장관(국연,아프일,기정)

발　신 : 주 유엔 대사

제　목 : 유엔가입 교섭

　　당관 강참사관은 금 5.3(금) 주유엔 (중앙아) 대표부 GOUNDJI 참사관을 면담, 정부각서사본을 수교하고 아국입장을 적극지지해줄것을 요청한바, 동인반응 아래 보고함.

　　-중앙아는 남. 북한과 동시수교하고 있으며 양측과 공히 좋은 관계를 유지하고 있어 한반도 문제에 관한한 중립적 입장을 견지해왔음.

　　-한반도 통일문제가 유엔의 테두리내에서 논의되어 해결방안이 모색되어야 한다는 원칙에서 한국의 공동 또는 단독 유엔가입을 지지하는것이 중앙아 정부의 입장인바, 아국의 유엔가입을 지지하는 내용의 보고서를 본국정부에 보내고 결과를 알려주겠음.

　　-중앙아가 서울에 영사관을 개설할것으로 알고있는데 한국이 공관을 철수해서 유감임. 끝

　　(대사 노창희-국장)

```
예고:91.12.31. 일반에
의거 일반문서 ...됨
```

```
...일(1791. 6. 30.) ...
```

국기국　　장관　　차관　　1차보　　2차보　　중아국　　청와대　　안기부

관리
번호 91
-1946

외 무 부

종   별 :

번   호 : KNW-0409   일   시 : 91 0504 1500

수   신 : 장관(아프이,건설부)

발   신 : 주 케냐 대사(HABITAT 총회 대표단)

제   목 : 제 13차 회의

1. 표제회의는 4.29.10:00 시 HARARE 국제회의장에서 개막식을 갖고 전체회의와 제 1,2 위원회별로 별다른 ISSUE 없이 순조롭게 진행되고 있는바, 아국 수석대표인 윤대사는 4.30. 오후 제 4 차 전체회의에서 한국의 주거 전략에 관한 기조연설을 하였으며 기타 대표들도 위원회에서 관계 발언을 적절히 하였음. (북한도 옵서버로 등록되어 있으나 회의에 거의 참석하지 않고 있으며 아국 수석대표기조연설 직전에 대사관 직원 1 명(서기관)이 회의장에 약 10 분간 앉아있다가돌아갔으며 5.3. 오전에 회의장 로비에 잠시 나타남)

2. 동 회의 참석과 아울러 윤대사는 CHIKOWOREEE 건설장관, GOCHE 외무부 정치 경제담당 DEPUTY SECRETARY(차관보급), MUDARIKI 국제의원등 짐바브웨 주요인사들 및 YEO 말레이지아 대사 PETTERSON 미국대사등과 접촉을 갖고 한-짐바브웨 관계 개선, 아국의 유엔가입 문제등에 대한 우리입장을 설명하고 짐측 견해를들었는바, 이에대해 간략히 보고함.

가. 한-짐바브웨 관계 개선 문제

짐측 인사들은 세계적인 변화의 추세에 따라 짐바브웨도 서서히 변하고 있고 이에 따라 한국과의 관계도 단계적으로 개선될것으로 보고있으며 무역투자유치등 한국과의 경제 협력에 많은 관심을 표함. 특히 YEO 말레이지아 대사의 오찬모임 주선은 내밀히 만난 (국교개설전 외교관등 아국 정부인사의 짐바브웨 외무부 인사 공식접촉이 불가하다는것이 짐측의 일관된 입장이라함)GOCHE 차관보는외무부측에서 한-짐 관계개선을 무가베 대통령에게 건의하였으나 거부당한바 있음을 시사하였는바, 김일성-무가베간의 긴밀한 관계가 수교에 중요장애가 되고있는것으로 관측됨.

나. 아국의 유엔가입 문제

GOCHE 차관보는 아국의 유엔가입에 대한 짐측입장이 아직 결정되지 않았으나

중아국   차관   1차보   2차보   국기국   청와대   안기부   건설부

PAGE 1   91.05.04   21:59

짐측의 지원없이도 한국의 유엔가입에 별문제 없지 않느냐는 반응을 보이면서도 가입문제가 현실화되는 경우 짐측이 이를 검토할것이라 하였는바, 동시 가입을 포함 아국의 유엔가입문제에 대한 동 정부의 입장이 부정적이지 않은것으로 간주되었음. 또한 국제기구를 관장하는 CHICHAYA 외무부 ASSISTANT SECRETARY(과장급으로 HABITAT 회의 대표단원)는 아국의 유엔가입에 대한 짐측입장 결정시 호의적인 고려를 요청하자 짐바브웨가 OPEN DIPLOMACY 를 추구하고 있어 GULF 사태시 미측의 결의안에 지지를 보냈음을 예시하면서 적극적인 검토를 하겠다고 언급함.

KNW-0410 으로 계속됨.

PAGE 2

관리
번호

외 무 부

종   별 :

번   호 : KNW-0410   일   시 : 91 0504 1500

수   신 : 장관(아프이,건설부)

발   신 : 주 케냐 대사(HABITAT 총회대표단)

제   목 : KNW-0409 의 계속

　　다. 대표단 입국시 임시 입국허가서 발급문제짐바브웨측이 HABITAT 대표단이 비자없이 입국시 공항에서 FREE COURTESY 비자를 발급하겠다고 하였으나 아국대표단 입국시 1 인당 70 미불 상당을 징수하고 우무인을 찍게한 후 임시 입국허가서를 발급한것과 관련, 회의 개막후 아국대표단이 아국인의 짐바브웨 입국절차 개선을 거론한바, 짐바브웨 외무부, 건설일반측은 여러부서에서 관련되어 있고 서로 손발이 맞지않아 실수를 하였다고 수차 정식사과하고 수수료를 환불해 주었으며 아국인의 동국 출입에 있어 앞으로는 이러한 제한이 재발하지 않겠다고다짐하였음.3. 5.2. 오전 아국 대표단의 금번 HABITAT 의장인 건설장관 예방시 동 장관은 운대사의짐바브웨 외무장관 면담주선을 제의하였고 5.3. 재 방문시 외무장관이 몹시 바빠 먼저장관 친서를 받아보고나서 면담시간을 결정하겠다는것이 외무장관의 입장이라고 알려와 장관 친서를 전달하였으며 동 건설장관은 그후 5.6.(월)중에 외무장관의 면담이 이루어 질수있다고 알려온바, 외무장관 면담 대기를 위해 운대사의 일정을 예정보다 하루늦추어 　　5.6.2215　　시　　런던향발　　예정임을　　보고함. 끝. (대표단-국장)

해공:1991.12.31. 일반
의거 일반문서로 분류됨

중아국　　　차관　　　1차보　　　2차보　　　국기국　　　정와대　　　안기부　　　건설부

외 무 부

종 별 :

번 호 : ZMW-0061

일 시 : 91 0506 0900

수 신 : 장관(아프이,국연)

발 신 : 주(잠비아)대사

제 목 : 외무차관면담

관리
번호 : 91-2987

대:WZM-049(287)

1. 본직은 5.3(금) 오전 E.CHIZI 주재국 외무차관을 면담, 대호 KAUNDA 대통령의 방한과 아국 UN 가입에대한 주재국입장을 문의한바, 동인의 언급내용 아래보고함

가. KAUNDA 대통령의 방한계획은 금년초 KAUNDA 대통령의 해외방문 일정으로 이미잡혀있고, 10 월 다당제선거를 앞두고 선거일정이 확정되는 5 월말 이후에공식화 될것으로보이며, 늦어도 6 월까지는 귀국에 공식봉고 될 것임.

나. 잠정부는 한국 UN 가입입장을 지지하며 주재국의 공식입장은 외무성관계국이 준비중인바, 특사방문시 혹은그이전이라도 동 입장이작성되는대로 귀하에게전달할수 있을것임.

2. 상기진전사항있는대로보고위계임.끝.

(대사성필주-차관)

예고:91.12.31 서일반 고문에 준됨

검토필(19 . 6 . 30 .)

중아국   차관   국기국

PAGE 1

91.05.07   07:45

외신 2과   통제관 CA

0272

278 남북한 유엔 가입 지지 교섭 3: 중동, 아프리카, 그 외

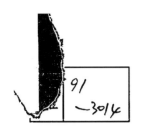

원 본

외 무 부

종 별 : 지 급

번 호 : ZRW-0232　　　　　　　　　　일 시 : 91 0506 1430

수 신 : 장관(국연,아프이) 사본:주유엔대사-본부중계요망

발 신 : 주(자이르)대사

제 목 : 유엔가입 추진

연:ZRW-0194

　　금 5.6(월) 당관 박서기관이 주재국 외무부 YANSOMWE MUSEU 국제기구 1 과장을
접촉한바에의하면 BAGBENI NZENGEYA 주재국 주유엔대사는 아국 주유엔대표부의
요청을받고 아국의 유엔가입에대한 본국정부의 입장을 요청하였다하며 이에주재국은
5.3(금) 아국의 유엔가입을 적극지지한다는 입장을 작성, 현재 장관 결재 대기중에
있다함

　　끝.

(대사 홍승호-국장)

예고:91.12.31. 일반에
의거 일반문서로 재분류됨

검토필(1) 91. 6. 30.)

국기국　　장관　　차관　　1차보　　2차보　　중아국　　청와대　　안기부

PAGE 1

관리 번호	91 -2996		분류번호	보존기간

발 신 전 보

번 호 : WUN-1227   910507 1616 FN   종별 :

수 신 : 주 유연   대사. 총영사!

발 신 : 장 관   (국연)

제 목 : 유연가입관련 짐바브웨 반응

4.29-5.8간 짐바브웨 수도에서 개최중인 HABITAT 총회에 참석하고 있는
운하정 수석대표는 짐바브웨 주요인사들과 접촉을 갖고, 유연가입문제 관련
짐바브웨측 반응에 대해 아래와 같이 보고해 옴.

- 아 래 -

1. Goche 외무부 정치경제담당 차관보는 한국의 유연가입에 대한
   짐측 입장이 아직 결정되지 않았으나 짐측의 지원없이도 한국의
   유연가입에 별문제 없지 않느냐는 반응을 보이면서도 가입문제가
   현실화되는 경우 짐측이 이를 검토할 것이라 하였는 바, 동시
   가입을 포함 아국의 유연가입문제에 대한 동 정부의 입장이 부정적
   이지 않은 것으로 간주되었음.

2. 또한 국제기구를 관장하는 CHICHAYA 외무부 과장은 아국의 유연
   가입에 대한 짐측입장 결정시 호의적인 고려를 요청하자 짐바브웨가
   OPEN DIPLOMACY를 추구하고 있어 걸프사태시 미측의 결의안에 지지를
   보냈음을 예시하면서 적극적인 검토를 하겠다고 언급함.   끝.

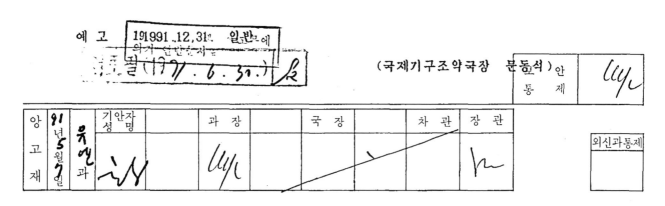

예 고 1991.12.31. 일반으에

(국제기구조약국장 분동석)안

앙 고 재	91 년 5 월 7 일	유연 과	기안자 성명		과 장		국 장		차 관	장 관		외신과통제

외 무 부

종 별 :

번 호 : FRW-1226 　　　　　　　　　일 시 : 91 0507 1840

수 신 : 장관(아이)

발 신 : 윤하정 HABITAT-사절단장

제 목 : (짐바웨)-출장 제3보

　　1. 5.6(월)일 오전 짐바웨 건설부장관(HABITAT 의장)은 직접 전화로 동국 외무부장관에 본직을 접견할 것을 거듭 요청하였으나 동 외무부장관은 해외여행 준비로 도저히 시간을 낼수 없어 본직의 방문을 받을수 없다고 함으로써 본직과의 면담을 회피하였음.

　　2. 한편 외무성 국제기구과장(ASSISTANT MINISTER, HABITAT 대표)과 오찬을 같이하고, 재차 양국간 국교개설과 유엔가입문제에 관하여 아국정부 입장을 설명한바, 대략 아래와 같은 반응을 다시 보임.

　　가. 자기가 보기로는 양국관계 개설은 시간문제로서 대략 일년내에 틀림없이 결정적 변화가 있을 것이라고 말함.

　　나. 동국의 독립부쟁 시기는 끝났으며 이제부터 국가건설과 경제발전이 주요과제임에 비추어, 한국과의 긴밀한 무역. 경제협력이 절실하게될 것이라고 전망함.

　　다. 한국 유엔가입 문제에 대하여는 아측입장에 전적으로 지지한다고 하고 아직 동국정부가 이문제에 대한 입장을 결정한바는 없으나 상당히 긍정적인 견해를 표시하였음. 끝.

예고:91.12.31 일반 고문에

검토필(1? 91.6.30.)

아주국	장관	차관	1차보	2차보	국기국

원 본

관리 91
번호 ㅡ3032

외 무 부

종 별 :

번 호 : UNW-1167   일 시 : 91 0507 1900

수 신 : 장 관(국연,아프2,기정)(사본:주우간다대사-중계필)

발 신 : 주 유엔 대사

제 목 : 우간다 대사면담

1. 본직은 5.7. KARUKUBIRO-KAMUNANWIRE (우간다) 대사를 면담, 가입문제에 대한 아국입장과 최근 상황을 상세히 설명하면서 우간다의 지지를 요청하고 또한동지지입장이 공개적으로 표명되기를 요망하였음.

2. 동대사는 수일전 본부에서 아국가입문제에 대해 현지 상황을 보고하라는지시를 받아 미국대사등을 접촉하였는 바, 모두 한국의 회원국 가입문제에 대해긍정적이고 호의적인 반응을 보였다고 말하면서 그에따라 자신의 평가와함께 본부에 보고예정이라 하고 우간다 정부는 아국입장지지 결정을 할것으로 확신한다고함. 지지입장 공개표명 요청에 대해서는 별도로 본부에 보고하겠다고 함.끝.

(대사노창희-국장)

예고:91.12.31.에 일반문서로 의거 인반문서로 재분류 (1979. 6. 30.)

국기국   장관   차관   1차보   2차보   중아국   청와대   안기부

PAGE 1   91.05.08   09:19
                                                    외신 2과   통제관 BS
                                                    0276

원 본

관리	91
번호	-302号

외 무 부

종 별 :

번 호 : UNW-1173   일 시 : 91 0507 2030

수 신 : 장관(국연,아이)

발 신 : 주 유엔 대사

제 목 : 유엔가입교섭

　　당관 강참사관은 5.7(화) 주유엔 (보츠와나) 대표부 LEGWAILA 참사관을 접촉, 정부각서 사본을 수교하고 아국입장 적극지지 요청한바, 동참사관은 보츠와나는 전통적 양국관계에 기초하여 아국문제에 대처할 것이나, 구체적 정부입장에 관해서는 곧 본국정부에 보고, 결과를 알려주겠다고 하였음. 끝

　　(대사 노창희-국장)

예고 :91.12.31. 일반고문에 의거 일반문서로 재분류됨

통제필(19 91. 6. 30.) k

국기국	장관	차관	1차보	2차보	아주국	정와대	안기부

PAGE 1   91.05.08   10:07

분류번호	보존기간

발 신 전 보

번 호 : WUN-1252   910508 1626   FO   종별 :

수 신 : 주 유연   대사. 총영사

발 신 : 장 관   (국연)

제 목 : 유연가입문제 잠비아측 반응

　　　　잠비아의 Chizi 외무차관은 5.3(금) 주잠비아대사와의 면담시, 잠정부는

한국의 유연가입 입장을 지지하며 잠비아의 공식입장은 외무성에서 작성중이라고

말하였음.　　　끝.

예 고 : 19　1991.12.31.　일반

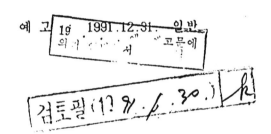

검토필(1? 91. 6. 30.)

(국제기구조약국장　문동석)

보 안 통 제	⋎⋎

앙고고재	91년 5월 8일	응인 과	기안자 성명		과 장		국 장		차 관	장 관		외신과통제

원 본

관리 번호	91 -3049

외 무 부

종 별 :

번 호 : UGW-0185   일 시 : 91 0508 1800

수 신 : 장관(국연,아프이)

발 신 : 주 우간다대사

제 목 : 유엔 가입 추진

연:UGW-0146,0147

1. 본직은 5.7. AGARD DIDI 외무부 부장관을 면담, 아국의 유엔 가입입장을설명하고 주재국의 이에대한 지지를 재차 교섭함. 동부장관은 동문제가 외무부내에서 일단 논의가 된바 있다고 하면서 한국의 유엔가입에 반대하는 북한의 입장은 납득할수 없으며 주재국으로서는 한국의 유엔가입에 반대할 이유가 없다고 생각한다고 말함.

2. 동장관은 당지 북한대사관측에서는 작년도에는 유엔관련 로비활동이 활발하였으나 금년도에는 작년에비해 저조한것 같다고 말함. 끝. (대사 김재규-국장)

예고:1991.12.31 일반문에
의거 일반문서로 재분류됨

검토필(1791.6.40.)

국기국	장관	차관	1차보	2차보	중아국	청와대	안기부

관리	91
번호	-3095

외 무 부

원 본

종 별 :

번 호 : KNW-0414

일 시 : 91 0509 1630

수 신 : 장관(국연,아프이),사본:주유엔대사-중계필

발 신 : 주 (케냐) 대사

제 목 : 유엔가입 추진

대:WKN-0237(UNW-0872)

연:KNW-0360

1. 금 9 일 당관 김참사관은 주재국 외무부 GICHANGI 국기부국장을 방문, 아국의 유엔가입 입장 설명하고 주재국의 계속 지지 요청함.

2. 동 부국장은 한. 케 긴밀관계 감안, 주재국의 아국 입장 계속 지지는 변함 없을것이며 아국의 유엔가입이 실현되기를 희망한다면서 남북한 관계 및 아국의 소련및 중국관계에 대하여 문의하여 남북한 대화재개 노력, 최근의 소련과의 국교수립및 양국 정상 상호방문, 중국과의 무역대표부 개설등 관계발전에 대하여설명해 줌.끝.

(대사 라원찬-국장)

예고:1991.12.31. 일반문에 의거 일반문서로 재분류됨

검토필(1991. 6. 30.)

국기국	장관	차관	1차보	2차보	중아국	청와대	안기부

원 본

관리	91
번호	-3090

외 무 부

종 별 :

번 호 : UNW-1194   일 시 : 91 0509 1650

수 신 : 장관 (국연,아프일,기정) 사본:주시에라대사(중계필)

발 신 : 주 유엔 대사

제 목 : 유엔가입 교섭

　　　당관 강참사관은 5.8. 주유엔 시에라레온 대표부 MANSARY 참사관과 면담, 아국
유엔가입 관련 추진상황을 설명하고 아국입장을 적극 지지해줄것을 요청한바
동참사관은 전통적으로 시에라레온은 남. 북한의 유엔가입을 지지해 왔으며
동시가입이 가장 바람직 스러우나 북한이 가입을 거절할 경우 한국만의 단독가입은
어쩔수없는 상황이 아니겠느냐고 반문하면서 이미 4.5. 자 정부각서와 함께
아국입장을 지지하는 보고서를 본국 정부에 보냈다고 말하였음. 끝

　　(대사 노창희-국장)

예고 1991. 12. 31.에 일반고문에
의거 일반문서로 재분류됨　　(91. 6. 30.)

국기국	장관	차관	1차보	2차보	중아국	청와대	안기부

원 본

외 무 부

종 별 :

번 호 : UGW-0190

일 시 : 91 0510 1100

수 신 : 장관(국연,아프이,사본:주유엔대사-중계필)

발 신 : 주(우간다)대사

제 목 : 유엔 가입 추진

연:UGW-0185

1. 본직은 5.8. 외무부 MWANJE 아주국장 및 IRUMBA 국제기구국장을 각기 오찬 및 만찬에 초대코 아국의 유엔가입지지를 재교섭하고 주재국의 입장을 타진함.

2. 동국장들과의 접촉에서 확인한바에 의하면 주재국은 우선 아국의 가입을반대하지 않는다는 중립적 입장을 정해놓고 있으며 구체적인 방법으로는 현재로서는 북한과의 긴밀한 관계에 비추어 투표시 기권할것이 확실리되나, 추후 유엔에서의 전반적인 분위기(압도적 다수가 찬성하는 경우등)에 비추어 찬성투표를하게될 가능성도 전혀 없는것은 아니것으로 판단됨.

3. 앞으로 주재국 외무장관 및 차관등과도 접촉, 계속 교섭 예정임.끝.(대사 김재규-국장)

예고:1991.12.31.에 일반고문에 의거 일반문서로 재분됨

검토필(17 91. 6. 30.)

국기국   중아국

원 본

관리 번호	91 ~3/38

외 무 부

종 별 : 지 급

번 호 : ZRW-0244   일 시 : 91 0510 1200

수 신 : 장관(국연,아프이) 사본:주유엔대사-본부중계 요망

발 신 : 주 자이르대사

제 목 : 유엔가입 지지교섭및 유엔산하 기구 이사국 지지교섭

대:WZR-0131,0132

연:ZRW-0232

1. 본직은 5.9(목) 13:00 시 외무성 LOLONGA 국제기구국장및 관계과장 3 명을 오찬에 초대하고, 유엔가입지지교섭 및 UNESCO, FAO, IAEA, IMO 등 이사국 지지교섭을 시행하였음

2. 동국장은 이미 수차 입장을 밝힌바와같이 한국이 유엔에 가입하는것은 당연한일로 자이르 정부로서는 적극 지지함에 변동이없고, 4 개 유엔산하기구 이사국 입후보에 관해서도 관련 공한을 전부 검토한바, 이사국으로서 충분한 요건을 갖추었으므로 자이르 정부로서는 지지하는 입장에 아무런 문제가 없다고 답변하였음

3. 다만 한국은 경제발전의 모델로서 자이르와 한국이 협력관계를 발전시켜, 자이르의 경제발전에 기여하는 방향으로 노력해주기를 당부하였음

(대사 홍승호-국장)

예고:1991.12.31에 일반문서에
의거 인반문서로 재분류

검토필(1991. 6. 30.)

국기국	장관	차관	1차보	2차보	중아국	청와대	안기부

관리
번호 91 -3158

외 무 부

종 별 :

번 호 : SLW-0398   일 시 : 91 0510 1600

수 신 : 장관(아프일,국연)

발 신 : 주 (세네갈) 대사

제 목 : 유엔가입교섭

연:SLW-388

1. 본직은 아국의 유엔가입 문제에 관한 세네갈 각의의 협의에 대비하여 5.10 DIOP 법무장관을 방문, 남북한의 유엔가입을 지지하여 줄것을 요청함.

2. DIOP 장관은 남한만 하여도 4 천 2 백만이 넘는 국민이 유엔회원국이 아닌것은 부당하며, 한국은 이제 세계에서 무역및 경제대국으로 성장하여 당연히 유엔에 가입 하여야 한다고 언급하고, 세네갈이 작년도와 마찬가지로 남, 북한이유엔가입을 지지하도록 각의에서 아국입장을 지지하겠다고 약속 하였음.

3. DIOP 법무장관은 현정부의 각료서열 2 위이며, 예산, 봉상, 농업개발, 공업개발장관을 역임하였으며 84.7 DIOUF 대통령 수행방한, 87.9 세계 에너지회의 참석차 방한 한바 있음. 끝.

(대사 허승-국장)

예고:191.12.31 일반
의거 인반문서

검토필(17 91. 6. 30.)

중아국   장관   차관   1차보   2차보   국기국   청와대   안기부

원 본

외 무 부

종 별 :

번 호 : UNW-1216   일 시 : 91 0510 2000

수 신 : 장관(국연,아프일)

발 신 : 주 유엔 대사

제 목 : 유엔가입교섭

　　1. 당관 강참사관은 5.9. 주유엔 COTE DIVOIRE 대표부 안보리 담당관 KABA 참사관을 오찬에초청, 표제관련 사항협의한바, 동인은 북한의 유엔단일의석 가입, 통일후 가입방안은 실현 불가능한것을 가능케 하려는 현실을 무시한 주장이며, COTE DIVOIRE 정부는 동시가입 이든 선단독 가입이든 어느경우에도 한국입장을 지지한다고 말함.

　　2. 또한 ZIMBABWE 태도와관련, 동인이 안보리내에서 관찰한 바로는 ZIMBABWE 가 어느경우에도 대세에 역행하는 극단적인 행태를 보인바는 없으며 아국가입문제에 대해서도 반대입장을 취할것으로는 생각하지 않는바, 자신이 알기로는 제반상황으로 미루어 NIGERIA 와 GHANA 의 영향력이 클것으로 보며 이 나라들을 통하여 적극적인 교섭을 시행할경우 좋은결과를 얻을수 있을것이라고 말함. 끝

　　(대사 노창희-국장)

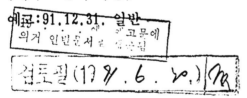

원 본

관리 번호	91 -342

외 무 부

종 별 :

번 호 : SLW-0400

일 시 : 91 0513 1800

수 신 : 장관(국연,아프일)

발 신 : 주 세네갈 대사

제 목 : 유엔가입지지교섭

연:SLW-0388

1. 본직은 5.13 CHEIKH A.CISSOKHO 주재국 농업개발장관을 방문, 아국의 유엔가입을 세네갈각의에서 지원하여줄것을 요청하였음.

2. 이에 대해, 동장관은 세네갈정부가 아국의 유엔가입을 지지토록 적극노력하겠다고 언급하였음.

3. 동장관은 이어 아국이 지원한 세네갈 수도작시범농장사업의 성공에 사의를 표하였음. 끝.

(대사 허승-장관)

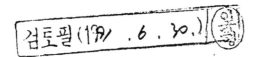

검토필(1991 . 6 . 30 .)

국기국   장관   차관   1차보   2차보   중아국   청와대   안기부

PAGE 1

91.05.14   05:59

외신 2과 통제관 DO

0286

원 본
✓

관리 번호	91 -3211

외 무 부

종 별 :

번 호 : SLW-0401

일 시 : 91 0513 1800

수 신 : 장관(국연,아프일)

발 신 : 주 세네갈 대사

제 목 : 유엔가입교섭

연:SLW-388

1. 본직은 5.13 DIOP 청년체육부장관을 방문하고 각의에서 한국의 유엔가입을 지지하여주도록 교섭한바 동장관은 한국의 유엔가입을 적극지지하며 동료장관들에게도 지지토록 설득하겠다고 약속하였음.

2. DIOP 장관은 한국의 유엔가입을 지지하는 이유로서, 첫째 한국이 일본 버금가는 경제발전으로 세계경제대국이 되었는바, 일본과는 달리 여전히 제 3 세계에 속하며, 중요한 국제문제에서 제 3 세계를 대변할수있는 중요한나라임. 둘째, 한국이 사상최대규모의 훌륭한 올림픽 주최국이며, 4 천만이 넘는 한국인이 유엔에 들어오지못하고 있는것은 부당함. 셋째 세네갈은 이념상으로도 북한보다는 한국에 가까우며, DIOUF 대통령도 한국을 높이 평가하고 성원하는입장이라고 설명함.

3. 동 장관은 각의에서 협의가되는대로 본직에게 그결과를 전화해주겠다고 약속하였음.

4. DIOP 장관은 서울올림픽 세네갈 단장으로 방한하였음. 끝.

(대사 허승-국장)

예고:91.12.31 일반

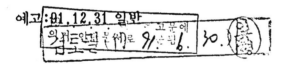

국기국	장관	차관	1차보	2차보	중아국	청와대	안기부

외 무 부

관리번호 91 -3261

원 본

종 별 :

번 호 : UNW-1238   일   시 : 91 0514 1945

수 신 : 장 관(국연,아프일,기정) 사본:주세네갈대사-중계필

발 신 : 주 유엔 대사

제 목 : 유엔가입교섭

연:UNW-1216

1. 당관 강참사관은 5.15(화) 주유엔 GUINEA-BISSAU 대표부 CABRAL 수석참사관과 접촉, 표제건 협의한바,(정부각서 사본수교) 동참사관은 전통적 양국관계에 비추어 GUINEA-BISSAU 정부의 아국입장지지에는 변함이 없다고 하면서 아국입장을 지지하는 내용의 보고서를 빠른시일내에 본국정부로 발송하겠다고 말하였음.

2. 동일 강참사관이 접촉한 당지 주재 COTE DIVOIRE 대표부 안보리담당관 KABA 참사관은 짐바베 대표부 안보리담당 관계관에게 아국과의 실무급 접촉을 은근히 타진한바, 동 짐바베 담당관은 본국정부로 부터 유엔문제 관련하여 아국관계관과는 당분간 일체 접촉하지 말라는 훈령을 받고 있는 상황이기 때문에 아측과의 접촉을 기피하는 반응을 보였다고하면서 연호 2 항의 관련국들을 통한 짐바베 수도에 대한 적극적인 교섭이 필요할 것이라는 의견을 피력하였음.끝.

(대사 노창희-국장)

예고:191.12.31. 일반고문에 의거 인반문서로 ...됨

검토필(1971. 6. 30.)

국기국	장관	차관	1차보	2차보	중아국	정와대	안기부

PAGE 1   91.05.15   10:04
                                          외신 2과   통제관 BS

0288

관리
번호 91
-3263

원 본

외 무 부

종 별 :

번 호 : UNW-1239   일 시 : 91 0514 1945

수 신 : 장 관(국연,아프일,기정) 사본:주아이보리대사-중계필

발 신 : 주 유엔 대사

제 목 : 유엔가입교섭

　　당관 강참사관은 5.14(화) 주유엔 BENIN 대표부 MISSINHOUN 1 등 서기관과 접촉, 표제건 협의한바, 동인반응 아래보고함.

　- 작년 10월 양국간 수교시 NATA 외상도 분명히 밝혔듯이 BENIN 의 한국입장 지지에는 변함이 없으며 한국입장을 지지하는 보고서를 곧 본국정부에 보내겠음.

　- SOGLO 수상의 방한이 연기되었음은 큰 유감이었는 바, 지난 3.20 대통령으로 당선되었으나 그간 지병으로 취임을 보류하고 있었음. 이제는 건강상태가 어느정도 호전되어 수주일내로 대통령직에 취임, 본격적 집무개시 예정인바, 수상시절의 동인에 대한 한국측의 공식초청이 계속 유효한것으로 간주, 대통령 자격으로 가까운 시일내 방한하게 되기를 기대하고있음.끝.

　(대사 노창희-국장)

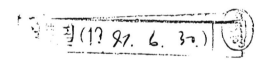

예고:91.12.31.에 일반고문에
의거 인반문서로 재분류

질(1? 81. 6. 3ㄱ.)

국기국	장관	차관	1차보	2차보	중아국	청와대	안기부

관리 번호	91-3326				

기 안 용 지

분류기호 문서번호	국연 2031 - 555	(전화:)	시 행 상 특별취급	
보존기간	영구·준영구· 10. 5. 3. 1	장 관		
수 신 처 보존기간				
시행일자	1991. 5. 14.			

보조 기관	국 장	전 결	협 조 기 관		문서통제 검열 1991. 5. 16
	과 장	내			
기안책임자	정대수				발송기안 반송 1991. 5. 16 외무부

경 유		발 신 명 의	
수 신 참 조	수신처 참조		

제 목	전문 송부

귀관앞 전문(EM-17)을 정파편으로 송부합니다.

첨 부 : EM-0017 전문 1부. 끝.

예 고 : 91.12.31. 일반

수신처 : 주몽골, 쿠웨이트, 잠비아대사   0290

관리
번호 91
-9-5

발 신 전 보

EM-0017   910604 1212 CT

번   호 : _____

종별 : _____

수   신 : 주   EM 공관장   대사. 총총총장

발   신 : 장   관   (국연)

제   목 : 유엔가입추진

WHG-460, WPD-418, WX-367
WRM-322, WSU-1345,
WBL-290, WCZ-354

* 단 : 몽고, 쿠웨이트, 잠비아는
주무라에서 다뤄진 송부바람

    일부공관 보고에 의하면, 아측이 유엔가입을 정식으로 신청하지
않은 상태에서 주재국에 대해 공개적인 지지입장을 표명해 줄 것을
요망하는 것을 주재국측이 다소 의아하게 생각하고 있다고 하는 바,
그러한 경우 하기논지로 적의 설득 바람.

   ㅇ 우리는 남북한이 하루빨리 유엔에 함께 가입, 국제사회의
      책임있는 일원으로서 정당한 역할과 의무를 다하여야
      한다고 믿음.

   ㅇ 남북한의 유엔가입이 이루어질 경우 이는 지난 40여년이상
      한반도정세를 지배하여 왔던 냉전의 논리가 제거되고,
      국제사회의 신조류인 화해와 협력의 정신을 한반도에도
      적용시키는 남북한관계의 새로운 출발점이 될 것임.

   ㅇ 중국은 90년도 우리가 가입신청치 않은것을 평가하고,
      북측의 단일의석 가입안이 실현불가능 하며, 현시점에서
      남북한의 유엔동시가입이 가장 바람직한 것으로 보고,
      이를 북한이 받아들이도록 북한측을 설득하고 있는 것으로
      알려짐.

                    /계속...

0291

ㅇ 따라서 중국측에게 우리의 유엔가입에 대한 국제사회의
  확고한 지지분위기를 분명히 전달하고 우리의 연내 유엔
  가입이 돌이킬 수 없는 대세라는 점을 분명히 인식시킬
  경우 중국측은 이러한 국제사회의 대세를 바탕으로 북한
  에게 남북한의 유엔가입문제와 관련, 더욱 현실적인 자세를
  취하도록 강력하게 설득해 나갈 수 있을 것으로 봄.

ㅇ 우리로서는 주재국이 우리와 가까운 우방으로서 상기 취지를
  감안하여, 우리가 아직 가입신청서를 제출하지 않은 상황이라
  하더라도, 우리의 가입문제에 대하여 공개적으로 확고한 지지
  입장을 표명해 줄 것을 요망하는 것임.

예 고 : 91.12.31. 일반

                                          (차   관)

0292

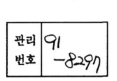

원 본

외 무 부

종   별 :

번   호 : MSW-0086   일   시 : 91 0515 1100

수   신 : 장관(국연,아프이,정일,정이,사본:주유엔대사-필)

발   신 : 주 모리셔스대사대리

제   목 : 아국 유엔가입문제(자료응신 제 18호)

연:1)MSW-0036(91.3.22.)

2)MSW-0056(91.4.12.)

3)MSW-0075(91.4.29.)

1. 본직은 5.8(수) 쟈그나트 수상의 군축담당 고문인 BERENGER 와 아국의 유엔가입 문제에 관하여 요담한 바, 90 년 유엔총회시 주재국 외무장관의 아국지지 발언은 결과적으로 큰 문제는 없다고 보나 동 장관이 정부내 정책결정기관과 사전 협의를 거치지 않았다는 점에서 다소 논란의 대상이 되고 있다고 언급함.

2. 이에 대하여 본직은 90.11. 당시 동 고문이 전임 '정'대사에게 주재국의 아국지지 결정은 MMM 당의 공식결정에 의한 것이라고 언급한 바 있음을 지적한 바 (연호1 참조), 동인은 잘못 이해된 것 같다(MIGHT BE MISLEAD)라고 대답함.

3. BERENGER 고문은 90.7. 여당연합에 참여한 MMM 당의 최고 실력자이며 사회주의 이론가임. 동인은 쟈그나트 정부의 정책결정에 중요한 역할을 하고 있으며 (데레스트락 외무장관은 MMM 당 출신임), 사회주의 정치이념을 배경으로 북한과 긴밀한 관계를 유지해온 인물임.

4. 동인의 이러한 이례적 언급은 주재국 총선이 임박하고 있으며 연호 3)으로 기보고한 바와 같이 수상의 북한 방문이 검토되고 있는 등 변화된 여건속에서 가급적 아국에 대한 부담을 줄이고 남북관계를 정치적으로 이용하겠다는 의도에 기인하는 것으로 판단됨.

5. 상기에도 불구하고 종래 한. 모 양국관계에 비추어 궁극적으로는 아국지지 입장에 근본적인 변화가 있을 것으로 보지는 않으나 동 이슈를 정치적으로 이용하고자 할 가능성을 배제할 수 없으며, 현 여건하에서 유엔가입 신청전 주재국의 적극적 지원을 기대하기는 어려울 것으로 판단됨을 첨언함.

국기국	차관	1차보	2차보	중아국	정문국	정문국	청와대	안기부

PAGE 1   91.05.15   21:25

외신 2과 통제관 CF

0293

끝.

(대사대리 신연성-국장)

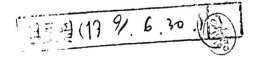
예고:91.12.31. 일반 에
의거 인반문서로 제

분류필(17 9/. 6. 30.

원 본

관리 번호	91 —8312

외 무 부

종 별 :

번 호 : NMW-0388

일 시 : 91 0515 1530

수 신 : 장관(국연,아프이)사본:주유엔대사(본부중계필)

발 신 : 주 (나미비아) 대사

제 목 : 유엔가입추진

연:NMW-0300

대:WNM-0206

1. 본직은 연호 메모렌덤을 주재국외무부에 전달한후 외무부차관, 사무차관,차관보등 외무성간부들을 수시접촉, 아국의 유엔가입당위성을 설명하고 아국입장을 지지해줄것을 적극 요청하였음.

2. 이에대해 동인들은 최근의 아국의 정유시설투자등 양국간 실질협력측면에서 아국의 입장을 어느정도 반영하는 입장을 취하는것이 타당하다고 생각하고는 있으나 과거 북한과의 긴밀한 유대로 이를 어떻게 조화시키느냐가 가장 어려운 문제라고 하면서 정원식특사방문시 까지는 주재국의 입장을 정립할수 있을것이라고 하였음을 보고함.

3. 당관이 탐지한 주재국의 현재 입장은 유엔문제는 남북한간의 대화를 통해 해결되어야한다는 입장으로 요약될수 있을것으로 판단되나 특사방문등 제반계기를 이용, 아국입장을 좀더 반영할수 있는 방향으로 계속 노력하겠음을 첨언함.끝.

(대사 송학원-국장)

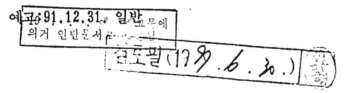

국기국   장관   차관   1차보   2차보   중아국   청와대   안기부

관리 번호 : 91- [   ] 3292

종 별 : 오기

외 무 부

번 호 : UNW-1252 일 시 : 91 0515 1830

수 신 : 장 관(국연,아프일,기정) 사본:주자이르대사-중계필

발 신 : 주 유엔 대사

제 목 : 유엔가입교섭

당관 강참사관은 5.15(수) 주유엔 (CONGO) 대표부 MOKA 참사관면담, 정부각서사본을 수교하고 콩고정부의 적극적인 지지를 요청한바, 동인발언 요지 아래보고함.

- 콩고가 남.북한과 공히 우호관계를 맺고있어 한반도 봉일문제에 대해서는 그간 중도적 태도를 견지해왔으나 유엔가입 문제의 경우 한국측이 주장하고 있는바가 논리적으로나 현실적으로 타당하므로 한국정부에게 협조와 지지를 해야할것으로 생각함. 이미 독일, 예멘과같이 서로다른 유엔회원국으로 가입, 봉일을이룩한 선례가있어 한반도 봉일문제도 남.북한이 함께 유엔에 가입하여 국제사회의 책임있는 일원으로서 유엔의 협조를 얻어 추진할경우 봉일의 가능성은 더커질 것으로 생각함.

- 한국의 입장을 지지하는 건의서를 본국으로 곧 보내어 정부의 확고한 입장을 유도토록 하겠는바, 한국의 유엔가입을 지지한다는 콩코정부 입장을 믿어도좋을 것임. 본국정부 지침 받는대로 알려주겠음.

- 한.콩고간 공식외교관계가 불과 1년 전에 회복되었으나 그간 여러분야에서 양국간 협조관계가 확대되고 있음은 만족스런 일이라고 생각하며, 국내적 제반 개혁노력이 정착되는대로 고위인사 방한등 양국관계 강화를 위한 조치가 뒤따를 것으로 기대되고있음.끝.

(대사 노창희-국장)

예고:91.12.31제 일반문에 의거 인반문서로 [   ] (1) 91. 6. 30.)

국기국	장관	차관	1차보	2차보	미주국	중아국	정와대	안기부

외 무 부

종 별 :

번 호 : UNW-1253   일 시 : 91 0515 1830

수 신 : 장 관(국연,아프일,기정)

발 신 : 주 유엔 대사

제 목 : 대 라이베리아 지지교섭

대:WUN-1358

　신기복 대사는 5.15. BULL 라이베리아 대사와 오찬, 가입문제 추진현황을 설명하고 라이베리아의 확고한 지지를 당부한바, 동면담 요지 아래와같음.

　1. 동대사는 라이베리아가 국내외적으로 아직 어려운 상황에 있는것이 사실이나 그러한 국내사정이 양국간의 전통적인 우호관계에는 아무런 영향을 미칠수없을 것이며 아국 가입문제에 관하여 본국정부로 부터 아직 연락은 없으나 아국입장을 적극 지지하는데 전혀 변화가 없을것으로 확신한다함.

　2. 동대사는 이어 금일 면담내용을 근거로 자국정부의 지지입장을 조속 확인해 주도록 건의하겠으며 5월말로 예정되어있는 외상 뉴욕 출장시에 직접 외상으로 부터 다짐받도록 하겠다함.

　3. 그러나 자국이 현재 분담금 체납문제로 유엔에서 어려운처지(부표권정지)에 있어 자국의 지지여부가 별 문제가 되겠는가 하기에 신대사는 아국정부가 벌리고 있는 지지교섭은 총회에서의 표결을 상정해서가 아니고 아국가입에 대한 압도적인 국제적 지지를 과시하므로써 중국 나아가 북한의 태도변화를 유도하는데 1차적 목적이 있다고 그 배경을 설명하자 동 대사는 그 취지를 알겠다고 하면서 자신이 할수있는 최대의 협조를 아끼지 않겠다함.

　4. 동대사는 과거 본성 정부차관보 재직시 비동맹문제로 아측에 많은 협조를 제공해준 인사인바 최근 비동맹내에서의 북한동향에 관하여 묻자 동대사는 별반 눈에 뜨이는 움직임이 없으며 비동맹 운동의 현재 양상으로 보아 북한이 한국의 유엔가입 문제를 포함한 한반도 문제를 9월 외상회의나 뉴욕 조정위에서 제기하려 한다해도 이에 동조할 나라는 별로 없을것으로 본다함.끝.

　(대사 노창희-국장)

국기국	장관	차관	1차보	2차보	미주국	중아국	정와대	안기부

PAGE 1

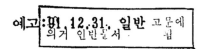

예고:?, 12.31, 일반 고 문에
의거 인반 문서   입

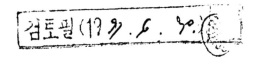

검토필(17?, 6. ?.

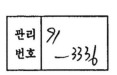

외 무 부

원 본

종 별 :

번 호 : UNW-1272   일 시 : 91 0516 1930

수 신 : 장관(국연,아프일,기정)사본:주아이보리대사

발 신 : 주 유엔 대사

제 목 : 유엔가입교섭

당관 강참사관은 5.16(목) 주유엔 토고대표부 LAWSON-BETUM 수석참사관을 오찬에초청, 아국 유엔가입 교섭 추진현황을 설명(정부각서 사본수교)하고 토고측의 적극적 지지와 협조를 요청한바, 동인발언 요지 아래보고함.

-동.서 냉전이 종료되고 새로운 조류가 지배하는 현세계적 상황은 한국의 유엔가입을 실현할 가장 적기라고 생각함. 남. 북한 양측이 합의에 의해 유엔에 동시가입함이 가장 이상적이나, 만약 북한이 한국측의 성실한 동시가입 노력을 끝내 외면한다면 북한이 국제사회에서 설망을 잃게되어 한국만의 단독가입은 당연한 사실로서 받아들여질 것으로 믿음.

-출장중인 대사가 귀임하는대로 아국의 입장을 지지하는 보고서를 본국으로보내겠으며, 정부지침 받는대로 알려주겠음.

-안보리에서의 문제만 해결된다면 총회에서의 절차는 형식적일것으로 생각하며 제반 정황으로 보아 중국이 거부권을 행사하지는 않을것으로 봄.

-ADODO 외무장관의 방한이 조속히 이루어지기를 희망하며 빠른 시일내 동장관의 방한 희망시기를 통보하겠음. 끝

(대사 노창희-국장)

예고문:91.12.31개 일반문에 의거 일반문서로 재분류됨

검토필(17 91. 6. 30.)

국기국	장관	차관	1차보	2차보	중아국	청와대	안기부

원 본 ✓

관리 번호 91 -3335

외 무 부

종 별 :

번 호 : UNW-1273

일 시 : 91 0516 1930

수 신 : 장관(국연,아프이,기정)

발 신 : 주 유엔 대사

제 목 : 유엔가입교섭

당관 강참사관은 5.16(목) 주유엔 (MOZAMBIQUE)대표부 ZIMBA 2 등서기관 (안보리등 정치문제 담당관)과 면담, 유엔가입(정부각서 사본수교)및 양국간 수교문제등 협의한바, 동결과 아래보고함.

1. 동서기관은 금번 면담이 대사지시에 의해 이루어지고 있음을 강조하고 자신은 82 년도 이래 유엔에 근무하면서 매년 한국문제에 접해왔는바, 근년에 와서는 한반도문제에 관한한 "모" 의 태도는 상금도 분명한 중립적 입장이라고 밝히고 유엔가입문제의 경우 남. 북한간 합의한 결과에 대해서만 지지를 할뿐 남. 북한 어느일방이 주장하는 바를 지지하지는 않는 객관적 입장을 취할것이라고 말하였음.

2. 또한 북한이 주장하는 단일 가입안 및 통일후 가입안의 비현실성, 대부분의 전세계 국가 특히 소련을 포함한 4 개 상임이사국의 아국입장 지지분위기, 중국의 태도등 유엔가입 추진현황에 대한 상세한설명에 대해 동서기관은 충분한 이해를 표시하고 여사한 내용을 대사와의 협의를 거쳐 본국정부에 보고하겠다고함.

3. 양국간 수교문제관련, 동서기관은 MOZAMBIQUE 내에도 과거에 집착하는 일부 수구세력이 아직 존재하고 있으나 냉전체제 붕괴에따른 이데오르기 추종 현상의 퇴색에 따라 실리를 추구하는 새로운 세력이 강력하게 등장하고 있고 특히 경제, 재정및 정치면에서 한국이 세계무대에 크게 부상하고 있다고 믿어 한국과의 수교를 오직 시간의 문제로 보는 분위기가 성숙되어가고 있어 가까운 장래에 수교가 이루어질 것으로 본다고 말하였음. 끝

(대사 노창희-국장)

예고:91.12.31. 일반 에 의거 인반문서로

검토필 (1991.6. 30.)

국기국   장관   차관   1차보   2차보   중아국   정와대   안기부

원 본

관리 번호	91 -3351

외 무 부

종 별 : 지 급

번 호 : SLW-0408　　　　　　　　　일 시 : 91 0516 2300

수 신 : 장관(국연,아프일,정일,기정)

발 신 : 주 세네갈 대사

제 목 : 아국유엔가입에 관한 세네갈입장

연:SLW-388

1. 연호 관련, 주재국은 5.14 개최된 각의에서 아국의 유엔가입지지 요청문제를 논의한바, 동 관련 당관이 주재국대통령실및 외무부관계자로부터 탐문, 입수한 내용을 아래보고함.

　가. DDUBO KA 외무장관은 동각의시, 아국이 유엔헌장상에 규정된 신규 회원국 가입조건에 충족되는 나라임을 설명한데이어, 아국의 유엔가입지지문제에 관해 다수각료간에 논의가 진행되었음.

　나. 각의를 주재한 ABDOU DIOUF 대통령은 상기논의를 경청한후, 동문제에관한 세네갈정부의 방침을 다음과같이 언급하였음.

　-세네갈정부는 남북한(LA COREE 라고 지칭)의 유엔가입을 지지한다.

　-남북한이 과거 독일이나 예멘처럼 두의석으로 가입신청할경우, 이를 지지한다.

　-만일 남북한중 한쪽이 상기방식에의한 가입을 거부하는경우, 세네갈은 유엔가입을 희망하는 다른한쪽을 지지한다.

2. 상기 사항은 비록 비공식이긴 하지만, 동내용이 사실이라면 이는 세네갈정부의 아국입장 전적지지로 평가되는바, 동관련 상세내용은 외무성의 공식입장 접수즉시 추보하겠음. 끝.

　(대사 허승-장관)

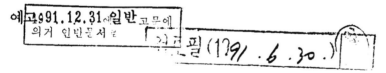

국기국	장관	차관	1차보	2차보	중아국	정문국	청와대	안기부

PAGE 1

관리 9l
번호 ─336)

원 본

외 무 부

종 별 :

번 호 : ZMW-0071　　　　　　　　　　일 시 : 91 0517 1700

수 신 : 장 관(국연,아프이) 사본:유엔 -중계필

발 신 : 주잠비아대사

제 목 : 유엔가입

　　본직은 5.16(목) H.B.KUNA 주재국 외무성 정무차관보(지역국 및 UN,
국제기구담당)와 만찬을 갖고 금번 특사방문관련 아국의 유엔가입 및 한반도 문제등에
관한 아국입장을 설명한 바, 동차관보는 자신이 과거 3회에 걸쳐 UN에 근무한바 있어
한국문제는 잘 알고있다고 말하고 북한의 단일의석 가입문제는 비현실적이며 설득력이
없어 많은 국가의 지지를 받지 못할것이며 아국의 UN 가입은 안보리 상임이사국간에
합의만 있다면 총회에서는 대부분 국가의 지지를 받을것으로본다고 하면서,
주재국으로서도 아국의 UN 가입을 지지하는 방향으로 입장을 정리중에 있있으므로
확정 되는되로 가급적 6월말 이전까지 알려주겠다고 함.끝. (대사 성필주-국장)

예고:91.12.31. 일반 ....고문에
의거 인반문서로 재....

검토필(199. 6. 30)

국기국　　　장관　　　차관　　　1차보　　　2차보　　　중아국　　　청와대　　　안기부

| 관리
번호 | 91
—3371 |

원 본

외 무 부

종 별 :

번 호 : UNW-1285

일 시 : 91 0517 1930

수 신 : 장 관(국연,아프이,기정) 사본:주소말리아대사-중계필

발 신 : 주 유엔 대사

제 목 : 유엔가입교섭

1. 본직은 5.17(금) 주유엔 소말리아대표부 OSMAN 대사와 면담, 아국의 유엔가입 추진현황을 설명하고 소말리아의 확실한 지지를 요청한바, 동대사는 7 년째 유엔근무중 2 차례 방한, 특히 87 년에는 양국수교 담당자였다고 하면서 수교이후의 긴밀한 양국 관계발전에 비추어 45 차 유엔총회 연설시 명시한바와 같이 소말리아정부의 한국입장 지지태도에는 변함이 없다고 말하였[5재소말리아정부의 한국입장 지지태도에는 변함이 없다고 말하였음.

2. 이에대해 본직은 "소"정부의 계속적인 지지에 감사를 표하고 적절한 계기에 지지의사를 공개적으로 표명함이 크게 도움이 될것이라고 말하자, 동대사는 검토해 보겠다고 답변하였음. 끝

(대사 노창희-국장)

예고:91.12.31. 일반 문에
의거 한반 문서

검토필(1/ 91. 6. 30.)

국기국	장관	차관	1차보	2차보	중아국	청와대	안기부

관리 9/
번호 ─3368
원 본

외 무 부

종 별 :

번 호 : UNW-1286

일 시 : 91 0517 1930

수 신 : 장 관(국연,아프이,기정)사본:주케냐대사-중계필

발 신 : 주 유엔 대사

제 목 : 유엔가입추진

1. 당관 강참사관은 5.17(금) 주유엔 SEYCHELLES 대표부 MARENGO 대사대리와 면담, 유엔가입 추진현황을 상세히 설명(정부각서 사본수교) 하고 SEYCHELLES의 적극적 협조를 요청한바, 동인은 남.북한 동시가입이 가장 바람직하나 만약 북한이 끝내 동시가입을 반대할 경우 한국만의 단독가입 신청은 주권국가인 한국이 유엔헌장에 따라 당연히 행할수있는 권리로서 이를 충분히 이해한다고 하면서 다만 동문제에 관한 SEYCHELLES 정부입장은 본국에서 결정할 문제로서 추후본부 지침있을시 알려주겠다고 말하였음.

2. 또한 동인은 80 년이래 단절된 양국간 공식관계가 냉전이 종식된 지금까지 계속되고 있음이 비정상적이라는 사실에 공감을 표시하면서 관계정상화를 위해 최선의 노력을 경주하겠다고 하였음. 끝

(대사 노창희-국장)

예고:91.12.31 에 일반문서로 재분류됨

검토필(1991. 6. 40.)

국기국	장관	차관	1차보	2차보	중아국	청와대	안기부

PAGE 1

91.05.18   10:03

외신 2과 통제관 BS

0304

원 본 ✓

관리 91
번호 -3427

외 무 부

종 별 :

번 호 : SLW-0414 　　　　　　　　일 시 : 91 0520 1200

수 신 : 장관(국연,아프일,사본:주유엔대사(본부중계필)

발 신 : 주 세네갈 대사

제 목 : 깝베르데 아국 유엔가입지지

　.1. 소직은 5.14 FONSECA 외상에게 신임장을 제출하고 나서 금년도에 아국이공식적으로 유엔가입을 요청할예정임을 설명하고 깝베르데가 아국의 유엔가입을 지지하여줄것을 요망하였음. 이에대하여 FONSECA 외상은 아국설명을 PRENDRE BONNE NOTE 하겠으며 아국이 이미 제출한 유엔가입 구상서와 함께 검토하여 깝베르데정부의 입장을 결정하겠다고 말하고 깝베르데의 대한반도 기본정책은 남북한 평화통일에 기여하는것이라고 말하였음.

　2. 소직은 5.16 MONTEIRO 대통령에대한 신임장 제정사에서 아국의 유엔가입지지를 요청하고 이어서 동 대통령과의 단독면담시에 대통령께서 깝베르데정부가아국의 유엔가입을 지지하도록 각별히 조치하여줄것을 거듭강조하였음.

　3. 외무성 DA ROSA 정무총국장은 5.16 소직과의 면담한 자리에서 깝베르데정부가 한국의 유엔가입지지요청을 법적및 정치적 측면에서 검토한바, 첫째는 법적측면에서는 한국이 유엔회원국 자격을 충분히 갖추고있으며 전연 문제가없고 정치적으로도 한국이 경제대국이며 또한 깝베르데와의 우호관계를 유지하고있으므로 깝베르데는 한국의 유엔가입을 지지할것이며 공식적인 입장은 8 월쯤 밝힐것이라고 말하였음.

　4. 동 총국장은 또한 6 월 포어권 장상회담시 각회원국으로 하여금 한국의 유엔가입을 지지하도록 요청하겠다고 약속하였음. 끝.

　(대사 허승-장관)

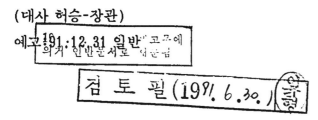

국기국 　　중아국

PAGE 1 　　　　　　　　　　　　　　　　　　　91.05.21　　06:57

관리 91
번호 -3418

외 무 부

종 별 :

번 호 : SLW-0412   일 시 : 91 0520 1200

수 신 : 장관(아프일,국연,경이,총인,의전)

발 신 : 주 세네갈 대사

제 목 : 깝베르데 신임장제정

대:의전: 20110-13815, WSL-159

연:SLW-366

1. 소직은 5.14-18 깝베르데출장(정동일참사관대동), 신임장및 소환장을
제정하였으며 출장중 훈령사항 교섭을위해 관련인사를 면담하였는바 활동결과
아래보고함.

2. 신임장제정은 소직의 신임장제정사, 신임장및 소환장 제출, MONTEIRO 대통령의
깝베르데 배석인사 소개, 소직의 수행원 소개에이어 소직과 대통령의 단독면담의
순서로 진행되었음.

-배석인사:FONSECA 외상, MONTEIRO 법무, 총무, 노동장관 ROSA 정무총국장,ROCHA
국제협력국장, RIBEIRO 대통령 외교고문, PEREIRA 아주과장

3.MONTEIRO 대통령과 단독면담.

가. 소직은 MONTEIRO 대통령이 지난 2 월 대통령선거에서 승리하여 깝베르데
민주화를 이룩하고 성공적으로 정부를 구성, 아프리카 여러나라의 모범이되고있는데
대하여 노태우대통령각하의 안부말씀을 전하였음.

나. 아울러 금년도에 아국이 공식적으로 유엔가입을 신청할것이바 그동안
우호협력관계를 유지해온 깝베르데가 한국의 유엔가입을 적극적으로 지지하도록
MONTEIRO 대통령께서 각별히 성원하여줄것을 요망하였음.

다. 동 대통령은 우선 노대통령 각하의 안부말씀에대하여 각별한 사의를 표하고
동대통령의 극진한 안부를 노대통령각하께 전달하여 줄것을 당부하였음.

라. 동 대통령은 한국이 유엔에 가입되어야한다는 소직의 상세한 설명을 경청하고
내각으로 하으금 검토하도록 지시하겠다고 말하였음.

마. 또한 동 대통령은 과거에 양국협력이 꾸준히 발전되어온데 대하여 만족하고

중아국	장관	차관	1차보	2차보	의전장	종무과	국기국	경제국
청와대	안기부							

경제적으로크게 발전된 한국이 깝베르데와 경제, 기술, 산업등 많은분야에서 협력을 더욱강화해줄것을 희망하고 이를위하여 관계부처 장관들과 긴밀히 협조하여 줄것을 당부하였음.

바. 소직은 신임장제정사에서도 아국이 유엔에 가입하여야된다는것과 아국의 가입을 위한 깝베르데 대통령의 적극적인 지원을 요청하였음.

사. 단독면담중 대통령은 소직이 증정한 자개전화기에 대하여 대단히 아름다운 제품이라고 격찬하고 오늘 이를 관저에 가져갔는바, 영부인께서도 동 전화기를 대산히 좋아하고 있다고 말하였음.

4. 주재국 국영 TV 는 5.15 밤 뉴스시간에 소직의 신임장 제정사실을 보도하였으며, VOZDIPOVO 지는 5.16 4 명의 외국대사(부르키나파소, 그리스, 토고, 한국)의 신임장 제정사실을 보도함.

동지는 상기 4 개국중 소직의 신임장 제정사를 비교적길게 인용(MONTEIRO 대통령의 당선축하, 민주적정권 교체는 타국의 모범이되고있다고 치하, 한국의 유엔가입지지요청), 한국에 관심을 표시함. (파편송부)

5. 아국의 무상원조 차량, 스텔라, 소나타, 등이 깝베르데 장관, 외무부의전 차량으로 중요하게 활용되고있었으며 소직을 포함하여 금번 신임장 제정차 깝베르데 방문한 각국대사에게도 아국이 제공한 차량이 배정되었음. 끝.

(대사 허승-장관)

예고:91.12.31 일반고문에 의거 일반문서로 재분됨

검 토 필 (1991. 6. 30.)

관리	9/
번호	-3422

외 무 부

종   별 :

번   호 : SLW-0413   일   시 : 91 0520 1200

수   신 : 장관(아프일,국연,경이)

발   신 : 주 세네갈 대사

제   목 : 깝베르데 외상면담

연:SLW-412

1. 소직은 5.14 깝베르데 FONSECA 외상을 예방, 신임장및 소한장을 제출하고 장관님의 안부를 전달하고, 깝베르데의 민주적선거를 통한 정권교체는 타개도국의 모범이되고 있다고 치하함.

2. 아울러 소직은 가을 유엔총회시, 외상 연설문에서 아국의 유엔가입을 지지한다는 내용을 포함하여줄것을 요청함.(동건 별전보고)

3. 이에 동 외상은 장관님의 안부, 특히 외상임명축하에 심심한 사의를 표시하고 장관님께 안부를 전해줄것을 요청함.

4. 동외상은 한-깝베르데 양국간의 우호협력관계의 강화와 다변화를 희망하고 대학생초청, 어업, 공업, 기술분야의 협력증진, 동분야에대한 부자증진을 위해 노력해줄것을 강조함. 끝.

(대사 허승-장관)

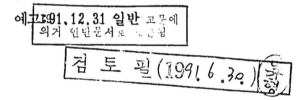

예고:1991.12.31 일반 고문에 의거 인반문서도 재분류함

검 토 필 (1991. 6. 30.)

중아국	장관	차관	1차보	2차보	국기국	경제국

PAGE 1   91.05.21   06:56
                                                         외신 2과 통제관 CA
                                                                   0308

관리	91
번호	~3437

외 무 부

종 별 :

번 호 : SLW-0417   일 시 : 90 1520 1200

수 신 : 장 관(아프일,국연)

발 신 : 주 세네갈 대사

제 목 : 깝베르데 전외상예방

1. 소직은 정동일참사관을 대동, 5.17 깝베르데 DA LUZ 전 외상을 사저로 방문, 신임정제정, 대통령, 외상면담결과를 설명하고 과거 동외상이 양국간의 국교수립등 협력을 해준데 사의를 표시하고 선물을 증정함.

2. 동외상은 국회에 비록 소수이지만 한국의 유엔가입등을 반대하는 세력이있는바 한국의 유엔가입을 위해 노력하겠다고 말함. 끝.

(대사 허승-국장)

예고:91.12.31 일반 고문에 의거 일반문서 로 재분류됨

검 토 필(1991. 6. 30)

중아국	장관	차관	1차보	2차보	국기국	정와대	안기부

원 본

관리 9/
번호 —3444

외 무 부

종 별 :

번 호 : SLW-0418

일 시 : 91 0521 1800

수 신 : 장 관(국연,아프일,정일,기정)

발 신 : 주 (세네갈)대사

제 목 : 아국 유엔가입에관한 세네갈 입장

(자료응신 37 호)

연:SLW-408

1. 당관은 5.14 개최 주재국 각의에 제출된 외무부 작성문서 (제목:남북한 유엔가입문제, 총 7 페이지)를 은밀히 입수한바, 동문서 요지 아래보고함.

가. 한반도정세 설명

-최근 한국의 국내 민주화, 경제발전에 이은 88 올림픽 개최및 148 개국과의 수교등으로 한국의 국제적 위상이 상승되고있으며, 특히 지난 3 년간 노대통령이 추진해온 북방외교결과, 소련등 동구권국가들과 수교함으로써, 평양측에 압력을 가하고있음.

-상기 북방외교의 성과로는 (1) 남북총리회담개최,(2)북한의 대일본 수교추진,(3)김일성, 현행 남북대화 진전에따라 남북 정상회담 수락용의표명,(4) 91.4 고르바초프 소련대토령 방한등을 들수있음.

-휴전 40 년이 지난 지금, 북한은 경제, 외교, 군사등 제분야에서 과거 동서독 격차이상으로 한국에 뒤져있음.

나. 유엔가입에 관한 남북한 입장 비교설명

-북한은 단일의석 가입을 주장하면서, 분리가입은 한반도 분단을 고착화시킨다고 함.

-한국은 이념과 체제가 다른 남북한의 단일의석 가입불가를 주장하면서, 남북한이 유엔분리가입또는 동시가입이 한반도 통일에 결코방해가 되지않는다고 강조.

다. 결론:세네갈 정부의 입장

-그간 세네갈은 남북한과의 친선관계를 감안, 한반도문제에관해 중립적인 입장을 취해왔음.

국기국	장관	차관	1차보	2차보	중아국	정문국	청와대	안기부

91.05.22   06:32

외신 2과 통제관 BS

0310

-그러나, 최근 수년간의 급격한 국제정치상황변동에 비추어, 명백한 입장표명을 해야할때가 온것으로 봄.(91.4. 방한한 고르바초프 대통령은 남북한의 유엔단일의석 가입의 비현실성을 지적함.)

-한국이 유엔헌장 4 조 1 항에 규정된 가입조건들을 충족시키고있음은 의심의여지가 없음.

2. 상기 문서및 요약 번역문 파편송부하겠음. 끝.

(대사 허승-국장)

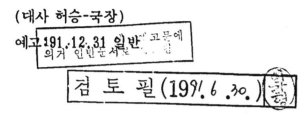

예고 191.12.31 일반 고문에 의거 인반문서...급

검 토 필 (1991. 6. 30.)

원 본

관리 번호	9/ —3463

외 무 부

종 별 :

번 호 : UNW-1309

일 시 : 91 0521 1800

수 신 : 장관(국연,아프일,기정)사본:주카메룬대사:중계필

발 신 : 주 유엔 대사

제 목 : 유엔가입교섭

　　본직은 금 5.21(화) 주유엔 (카메룬대표부) TANG 대사와 면담, 아국유엔가입 추진상황을 자세히 설명하고 카메룬정부의 적극적 지지와 협조를 요청한바, 동대사는 카메룬 자신도 분단국임어 비추어 남북한 통일을 지지하는 입장에서 남, 북한 동시가입을 원하나 만약 북한의 반대로 동시가입이 불가능하여 한국만이 선단독 가입 신청할경우 자신으로서는 카메룬정부가 한국입장을 지지하지 못할 이유는 없는것으로 보나 확실한것은 본국정부에 조회한후 알려주겠다고 말하였음. 끝

　　(대사 노창희-국장)

예고:91.12.31.에일반고문에
의거 일반문서로 재분류

검 토 필 (1991. 6. 30.)

국기국	장관	차관	1차보	2차보	중아국	정와대	안기부

91.05.22　　07:51

외신 2과　통제관 CH

0312

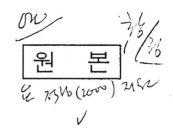

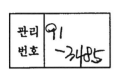

외 무 부

종   별 :

번   호 : SLW-0421   일   시 : 91 0522 1400

수   신 : 장관(국연,아프일)

발   신 : 주 세네갈 대사

제   목 : 활동비 지원 건의

1. 세네갈 정부는 아국의 유엔가입문제에 관하여 그간 중도적 입장을 취하여
왔으나, 금후로는 아국입장을 지지하는 분위기로 바뀌어가고 있음.

특히, 4.8 개각으로 외무장관에 취임한 DJIBO KA 장관은 과거 수차 방북 및 세.북
혼성위 주관등 다소간 친북 성향의 인사로 평가되어 왔으나, 최근 주재국 각의등에서
아국 입장 지지를 강조하는 등 국제정세 변화에 능동적으로 대처할줄아는 합리적
사고를 갖춘 인물인바, 금후로도 동 외무장관을 비롯, 세네갈정부측의 아국입장 지지
분위기를 지속시키고, 보다 심화시키기 위해서는 계속적인 대 주재국 정부요로 활동
추진이 필요하다고 봄.

2. 당관은 상기 주재국 각의 개최 이전에 아국입장 요약 문서를 외무부 관계자들
에게 사전 전달하여 외무성 실무자가 각의 상정 안건 작성에 당관이 제공한 문서를
기초로 하게되었으며, 동 각의시 아국입장의 타당성이 알려주게되었음.

3. 또한, 당관 겸임국 (감비아, 말리, 깝베르데, 기네비사오)등에 대한 지지
교섭을 위하여, 본직및 당관직원의 겸임국 출장시 뿐아니라, 겸임국 인사가 당지를
방문또는 경유할때, 이들과의 접촉을통해 계속적인 노력을 기울여야할 것으로 사료됨.

4. 상기와 같은 활동전개를 위해 필요경비 3,060 불을 아래와 같이 특별지원하여
주시기 바람.

가. 세네갈정부 요로 접촉 오만찬: 60 불 X 10 인 X 2 회 1,200 불

나. 겸임국 주요인사 당지방문(경유)시 접촉:60 불 X8 인 X2 회 960 불

다. 세네갈 대통령실 및 외무부관계요로 선물:50 불 X10 인 X1 회 500 불

라. 당지주재 겸임국 대사관접촉:50 불 X4 국 X2 인(대사, 참사관)400 불.끝

(대사 허승-국장)

예고:91.12.31.에 일반고문에 의거 일반문서 철
검 토 필 (1991. 6.30.)

국기국   중아국

원 본

외 무 부

관리 91
번호 -3487

종 별 :

번 호 : GHW-0256

일 시 : 91 0522 1710

수 신 : 장관(국연,아프일,정일,기정)

발 신 : 주 가나 대사

제 목 : 면담결과 보고

대:(1)EM-0019 (2)DI-0116 (3)EM-0017

연:GHW-0250 (가나 외상회어)

1. 본직은 5.22(10:00-10:40) 주재국 외무부 WILMOT 정무경제차관보와 면담, 대호 내용(비공식 영어번역문 전교)과 비동맹각료회의 관련 아국의 기본입장(89 년 비동맹회의 평가 및 향후 아국정책 방향자료 9 페이지)을 설명하였던바, 동 차관보의 발언요지 하기 보고함.

가. 유엔가입 관련

-한국의 유엔가입관련 중국의 입장을 파악하는데 참고가 될것임.동 중국입장 파악에 도움이 되는 자료가 계속 있을시 상호교환을 희망함.

-최근 특사 방가시에도 가나정부 고위층이 분명히 밝힌바와 같이, 남북한이 동시에 가입하든 북한의 입장 및 준비미비로 한국이 우선가입하든 간에 안보리를 통과하여 총회에 회보될 경우, 한국의 가입을 지지한다는 것이 가나정부의 방침임.

나. 비동맹각료회의 관련(동차관보 사견임을 전제)

-한반도문제는 국제사회의 평화와 안전유지에 중요한 영향을 미치는 문제로 보고있기 때문에 과거 전례와 같이 금번 비동맹 각료회의에서도 논의될 것으로 생각하며, 이경우 최종 문서에서도 한반도 조항이 포함될 것으로 예상됨.

-주재국은 남북한과 공히 외교 및 우호협력관계를 유지하고 있기 때문에 비록 한국이 비동맹회원국이 아니라 하더라도 한반도문제에 관한한 어느 일방에 치우친 편파적인 입장이 아닌 공정하고 공평한 입장과 시각에서 취급할 것이며 결코 어느 일방을 불리하게 하지는 않을 것임.

2. 주재국은 금번 비동맹각료회의 준비관련, 5월초-중순에걸쳐, 비동맹 관계국에 4개팀의 대표단(AMATEY 대사의 북한방문도 동 파견의 일환임)을 파견, 회의진행, 의제

국기국   차관   1차보   2차보   중아국   정문국   청와대   안기부

및 최종문서 초안작성등에 관해 협의하고 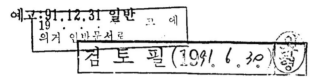동 대표단 방문 결과 보고서를 회의준비
사무국 (실무책임자: GBEHO 차관보)에 제출한 상황임을 참고로 보고함. 끝.

   (대사 오정일 - 국장)

예고 91.12.31 일반
19
의거 일반문서로

겸 토 필 (1991. 6. 30)

외 무 부

원 본

종   별 :

번   호 : UNW-1334

일   시 : 91 0522 2250

수   신 : 장 관(국연,아프일) 사본:주나이제리아 대사-중계필

발   신 : 주 유엔 대사

제   목 : 유엔가입교섭(나이제리아)

1.   표제건,   본직은   5.22   GAMBARI   주유엔   나이제리아   대사를 접촉하였는바,동결과를 아래요지 보고함.

가. 본직은 우선 아국의 유엔가입에 대한 나이제리아의 적극적인 지지에 사의를 표하고 계속적인 협조를 요청하였는바, 동 대사는 나이제리아의 아국 지지입장을 재 다짐하면서 가능한 지원을 아끼지 않겠다고 말함.(동 대사는 1985년 본직의 나이제리아 근무당시 외무장관임)

나.   상기와관련,   본직은   특히   나이제리아   측이   짐바브웨에   대해 유엔가입및한-짐바부웨 관계개선 문제에 대한 아국의 입장을 설명해줌과 동시에 이에대한짐바부웨측의 긍정적인 태도를 적극 촉구하여 줄것을 요청하고 본직은 주유엔 짐바브웨 대사 접촉주선을 부탁하였음.

다.   이에대해   GAMBARI   대사는   자신으로서는   상기   본직의   요청에대해 기꺼이협조하겠다고 말하고 짐바브웨 문제에 대하여는 자신이 ABUJA에서 개최되는 OAU 정상회담 관계로 곧 일시귀국할 예정이므로 동 기회에 바방기다 대통령과 외무장관에게 나이제리아의 협조를 건의하겠다고 말함. 이어 동 대사는 자신의 개인적인 SUGGESTION 이라고 하면서 대통령각하가 바방기다 대통령앞 친서를 통해 바방기다 대통령이 OAU 의장자격으로서 아국의 유엔가입에 대한 OAU 의 협조를 모색하여 주고, 또한 한-짐바브웨 관계 수립을 위해 가능한 중개역할을 해주도록요청하는것이 좋을것으로 본다고 말함.

2. 상기 대통령각하의 나이제리아 대통령앞 친서 송부건을 검토요망함. 끝

(대사 노창희-차관)

예고:91.12.31. 일반 고문에
의거 일반문서로 재분류

검 토 필(1991.6.30)

국기국	장관	차관	1차보	2차보	중아국	정와대	안기부

91.05.23   13:17
외신 2과 통제관 BS
0316

외 무 부

관리	91
번호	-5/8

종 별 :

번 호 : SLW-0427
일 시 : 91 0523 0900

수 신 : 장관(아프일,국연)

발 신 : 주 세네갈 대사

제 목 : 문교장관면담

1. 소직은 5.22 SONKO 문교부장관을 방문, 한국을 2 회나 방문한 우호적인 각료로서, 유엔가입등 국제무대에서 세네갈이 한국을 지원하도록 영향력을 행사하여줄것을 요청하였음.

2. SONKO 장관은 한. 소 제주도 정상회담을 높이 평가하고 대통령에게 기회있을때마다 한국을 지원하도록 건의하겠다고 언급하였음.

3. 동 장관은 학생들이 하계휴가중 활용할수있도록 운동용공과 셔츠(BALLONS ET MAILLOTS DE SPORT)를 지원해줄것을 요망하였음. 끝.

(대사 허승-국장)

예고:91.12.31 일반

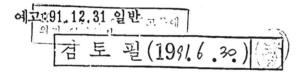

검 토 필 (1991. 6 .30)

중아국   국기국

PAGE 1

91.05.23   19:36

외신 2과 통제관 BA

0317

원 본

```
관리 91
번호 -3539
```

외 무 부

종 별 :

번 호 : SLW-0431   일 시 : 91 0523 1200

수 신 : 장 관(국연,아프일, 사본:주유엔대사-중계필)

발 신 : 주 세네갈 대사

제 목 : 세네갈, 유엔가입 아국입장지지

연:SLW-418

1. 소직은 5.23 엠브란스 5 대를 기증한 기회에 DIOP 보사장관과 아국의 유엔가입문제에 관하여 환담하였는바, 동장관은 언급내용 아래와같음.

가. 지난 각료회의시 한국의 유엔가입에 대한 토의가 있었는바, 대통령을 비롯, 모든 장관들은 한국의 유엔가입을 지지키로 하였음.

나. 세네갈은 남북한의 유엔가입을 조건없이 지지키로하였음. 남북한의 유엔가입은 각자 독자적으로 결정할문제이며, 국제법상의 권리임. 유엔가입과 통일문제는 별개의 문제임. 한국은 경제발전으로 국제사회에서 북한보다 더큰 대표성을 갖게되었음.

다. 소직의 북방정책성공, 북한 10 여개 공관 폐쇄설명에 대해, 동장관은 진실의 승리요 정의의 승리라고 논평하였음

라. 북한은 과거 압도적인 발간물과 거짓선전을 통하여 일부지역에서 사실을 왜곡한바 있으나 이제 진실을 알게되었음.

라. 연호로 보고한 세네갈 각의의 내용은 금일 소직과 보사부장관의 면담으로 사실상 공식확인되었다고 평가됨. 끝.

(대사 허승-장관)

예구 1991. 12. 31 일반 고문에 의거 일반문서로 재분됨

검 토 필 (1991. 6. 30)

국기국	장관	차관	1차보	2차보	중아국	청와대	안기부

관리	91
번호	-3524

외 무 부

종 별 :

번 호 : MSW-0095   일 시 : 91 0523 1400

수 신 : 장관(아프이,국연,정일,정이,사본:주유엔대사:중계필)

발 신 : 주 모리셔스대사대리

제 목 : 쟈그나트 수상 방북추진과 아국 유엔가입문제(자료응신 제19호)

연:1)MSW-0075(91.4.29.)

    2)MSW-0086(91.5.15.)

1. 본직은 5.23.(목) RINGADOO 주재국 총독을 예방, JUGNAUTH 수상 방북문제, 남북관계및 아국의 유엔가입 문제등에 관하여 협의한 바, 동 요지및 본직의 관찰의견을 하기 보고함.

가. JUGNAUTH 수상 방북문제

1)총독은 수상의 방북문제가 모.북한간 구체적으로 협의되고 있으며 시기는 6월말경이 될 가능성이 큰 것으로 알고 있다고 말함.(방문시기는 총선등 주재국 정세와 관련,6-8월 사이가 될 가능성이 크다는 것이 당관이 파악하고 있는 내용임)

2)총독은 동 방문의 목적및 실익등에 관한 구체적 언급을 회피하면서(동인은 구체적 정치문제에 대한 직접 개입을 삼가하고 있음), 수상의 방북이 실현된다면 북한 당국에게 국제정세의 변화에 대하여 조언(PREACH)할 수 있는 기회가 될것이라는 개인의견을 피력함.

3)주재국 정부 당국은 동 문제에 대한 엄격한 보안을 유지하고 있으며(기보고 내용 참조), 외무부 당국자들은 상금 이에 대하여 NO COMMENT 또는 부인하고 있는 바, 총독의 발언은 당관이 동 문제에 관하여 주재국 정부 고위 인사로부터의 직접 확인한 바로서는 최초임.

나. 아국의 유엔가입및 남북문제

1)총독은 남북한 통일논의에 있어서 신뢰구축을 선결요건으로 보는 한국측 주장에 전적으로 공감이라고 말함.

2)유엔문제에 있어서는 '북한이 주장하는 단일의석 가입방안의 실현 가능성이 의심스럽다'라고 우회적으로 자신의 입장을 피력함.

중아국	장관	차관	1차보	2차보	국기국	정문국	정문국	정와대
안기부								

PAGE 1   91.05.23   20:51

                                                외신 2과 통제관 CH

                                                   0319

2. 당관 의견및 건의

가. JUGNAUTH 수상은, 북한방문에 대한 외무부 실무자및 일반의 회의적 태도에도 불구하고, 총선을 앞둔 정국 타개노력의 일환으로 북한및 이란 방문을 강력히 추진하고 있는 것으로 판단됨.

나. 91.2. 김영남 북한 외교부장이 주재국및 짐바브웨를 방문한 바 있으며 '무가베' 짐바브웨 대통령이 최초로 91.5.16-19 간 주재국을 방문하였음. 이러한주재국의 대외동향은 JUGNAUTH 수상의 방북과 깊은 관련이 있는 것으로 보임.

다. 최근 주재국은 인도양 위원회(INDIAN OCEAN COMMISSION)을 중심으로 남부 아프리카 지역에대한 외교를 강화하고 있음.JUGNAUTH 수상의 방북추진을 주재국의 이러한 외교동향의 연장으로 파악하면, 동 역내국가들중 상당수(짐바브웨, 세이셸, 마다가스칼)가 북한과 긴밀한 관계를 맺고 있음을 감안할때 동 방북이 유엔문제등 아국외교 현안에 부정적으로 작용할 가능성이 높음.

라. 90 년 유엔총회에서 주재국이 아국지지 발언을 하였다는 사실에 기초하여 향후 이러한 태도가 지속될 것으로 보기는 어려운 실정임.(연호 2)참조)

마. 아국의 유엔가입 문제와 관련, 주재국을 비롯한 일부 아프리카 국가에 대한 북한의 동향을 예의 관찰, 검토할 필요가 있다고 판단됨.

바. 수상 방북추진및 유엔가입 문제에 관한 지시사항 있을시 회시해 주실 것을 건의함.

끝.

(대사대리 신연성-국장)

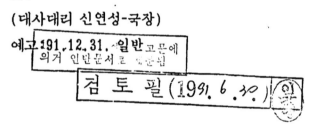

주 세 네 갈 대 사 관

주세정 20615-185   1991.5.23

수 신 : 장관

참 조 : 국제기구국장, 중동아프리카국장

제 목 : 아국 유엔가입에 관한 세네갈 입장

　　　연; SLU- 0418

연호, 아국의 유엔 가입 지지요청에 대한 세네갈의 입장을 기술하고있는 세네갈

외무부의 문서 및 관련 번역문을 별첨 송부합니다.

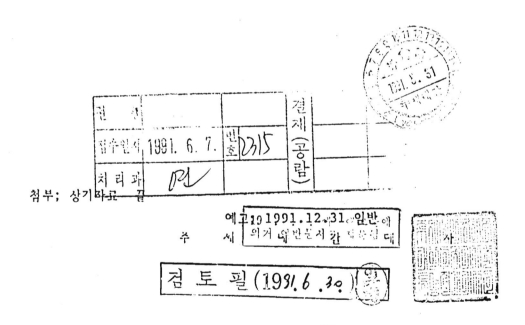

첨부; 상기마고 금.

0321

REPUBLIQUE DU SENEGAL
————

MINISTERE DES AFFAIRES ETRANGERES
————

DIRECTION AFRIQUE — ASIE
————

LA QUESTION DE L'ADMISSION
DE LA COREE A L'ORGANISATION
DES NATIONS-UNIES./-

—:—:—:—:—:—

0322

Son Excellence Monsieur le Président Abdou DIOUF a reçu en audience le 7 mai 1991, un envoyé spécial du Président de la République de Corée qui lui a remis à cette occasion, un message de Son Excellence Monsieur Roh - Tao - Woo.

Par ce message, la République de Corée sollicite le soutien du Sénégal pour son admission à l'Organisation des Nations-Unies.

La République de Corée estime en effet que le moment est venu pour elle d'apporter au sein de cette organisation, une contribution à la mesure de sa position dans la Communauté internationale.

L'envoyé spécial, l'Ambassadeur Chang Hoon Kim a tenu à préciser que son pays ne s'opposerait pas à l'admission simultanée de la République populaire démocratique de Corée, mais au contraire déploierait les efforts nécessaires pour la faciliter.

Compte tenu de la position du Sénégal en Afrique et du rôle de premier plan qu'il joue dans les instances internationales comme l'Organisation de l'Unité Africaine, l'Organisation des Nations-Unies, le Mouvement des Non-Alignés, pour ne citer que ceux-là, la République de Corée sollicite donc l'appui de notre pays pour devenir membre de l'Organisation des Nations-Unies avant l'ouverture de la quarante sixième session de l'Assemblée générale en septembre prochain.

Avant d'examiner l'attitude que notre pays pourrait adopter au sujet de cette demande, il convient de souligner que cette question de l'admission de la Corée, ou des deux Corées, est l'un des points les plus sensibles du contentieux entre les deux régimes ennemis qui se disputent la péninsule coréenne depuis plus de quarante cinq ans.

.../...

0323

2.

La division de la Corée en deux parties, Nord et Sud antago-
nistes, a constitué pendant des décennies l'un des symboles les plus ab-
surdes de la guerre froide.

Avec la fin des blocs, le rapprochement des grandes puissances,
la destruction du mur de Berlin et la réunification de l'Allemagne, cette
anomalie historique n'en est que plus criante.

Depuis la fin de la guerre de Corée qui a duré 3 ans (1950 -
1953) la question de la réunification de la péninsule est restée au coeur
des préoccupations des populations coréennes, même si Pyong-Yang et Séoul
se sont habitués à rejeter systèmatiquement toute proposition venant du
"frère ennemi".

Jusqu'à une date récente, les propositions de réunification
des deux Corées ne provenaient en fait que du Nord.

Cette situation s'expliquait en partie peut-être par l'isole-
ment du Nord par rapport au Sud dont la démocratisation du régime et les
performances économiques lui ont valu de grands succès sur le plan diplo-
matique : organisation des Jeux Olympiques en 1988, établissement de
relations diplomatiques avec 148 pays, etc...

Cette ouverture tous azimuts du Sud a constitué un facteur
inquiètant pour le Nord qui y voit son propre isolement.

Par ailleurs, ne pouvant ou ne voulant traiter directement
avec le Maréchal Kim Il Sung, le Président Sud-Coréen Roh -Tao - Woo a
initié depuis trois ans une "politique du Nord" destinée à faire pression
sur Pyong-Yang par le biais de ses alliés communistes.

C'est ainsi que depuis les Jeux Olympiques de 1988, des actions
ont été menées en direction de la Chine, des pays de l'Europe de l'Est
et de l'Union Soviétique.

.../...

0324

3.

Pékin est devenu un important partenaire commercial et les pays de l'Est n'on su résister aux promesses de coopération économique s'élevant à des dizaines de millions de dollars.

L'on observe la même attitude vis-à-vis de l'URSS pour laquelle Séoul a laissé entrevoir l'octroi d'une aide économique pouvant atteindre 5 à 10 milliards de dollars.

Enfin, Séoul a adhéré à la Banque Européenne pour la Reconstruction et le Développement.

Les résultats ne se sont pas fait attendre longtemps :

- ouverture de pourparlers intercoréens avec la rencontre des deux Premiers Ministres à Séoul en septembre et Pyong-Yang en octobre ;

- annonce en septembre par la Corée du Nord de son intention d'établir des relations diplomatiques avec le Japon au moment même où l'URSS en établissait avec la Corée du Sud ;

- acceptation par le Maréchal Kim Il Sung en octobre dernier, d'un sommet avec le Président Sud-Coréen si les pourparlers en cours apportaient des résultats positifs ;

- visite du Président GORBATCHEV en Corée du Sud au mois d'avril 1991.

La Corée du Nord, pour sa part, a continué à s'enfermer dans sa propagande communiste pour laquelle la Corée du Sud n'était "qu'un régime fantoche, laquais des Etats-Unis" dont le peuple coréen devait se libérer, au besoin avec l'aide des armées du Nord. Elle s'est opposée pendant longtemps avec le soutien de l'URSS et de la Chine, à l'admission de l'une ou l'autre Corée aux Nations-Unies avant leur réunification.

Force est de constater cependant que plus de quarante ans après la fin du conflit, le Nord accuse un retard par rapport au Sud dans tous les domaines - économique, diplomatique voire militaire - où le succès du Sud est frappant avec un écart encore plus large que celui de la Républi-

.../...

0325

4.

que Fédérale d'Allemagne sur la République Démocratique Allemande.

Et c'est certainement là l'un des écueils les plus difficiles à franchir, car tout compromis apparaîtrait comme une capitulation de Pyong-Yang.

En outre, un accord entre les deux Parties n'entraînerait pas ipso facto une réunification rapide. Là également, les ratés de la réunification à "l'allemande" pourraient inciter le Nord à plus de prudence.

.Enfin, cette réunification tout comme celle de l'Allemagne en Europe, est-elle vraiment souhaitée par Moscou, Pékin ou Tokyo que la perspective d'une Grande Corée d'environ 80 millions d'habitants, industrieuse et ambitieuse n'enthousiasme guère.

Toutefois, le problème de la réunification demeure au centre du dialogue intercoréen et est devenu l'enjeu d'une bataille diplomatique acharnée entre le Nord et le Sud pour l'acquisition d'une légitimité internationale que confère un siège à l'Organisation des Nations-Unies.

Position de la République Populaire Démocratique de Corée

Elle est fondée sur deux séries de raisonnement : la première récuse l'idée d'une admission séparée tandis que la seconde fait du projet de siège unique à l'Organisation des Nations-Unies pour les deux pays, une solution raisonnable du problème de la réunification.

- Le rejet de l'admission séparée

Le problème de la réunification des deux pays se posant "comme une tâche impérative et imminente", la République Populaire Démocratique de Corée estime que l'admission séparée aboutirait à la consécration de la division du peuple coréen imposée par "les puissances étrangères".

.../...

0326

5.

- <u>La proposition du siège unique</u>

Pour la République Populaire Démocratique de Corée, l'admission
à l'ONU de la Corée sous un seul nom après la réunification par la consti-
tution d'une Confédération (une nation, un Etat, deux systèmes et deux
Gouvernements) serait la formule idéale.

Toutefois, à condition que les deux parties soient admises à
l'ONU comme un seul membre, elle n'aurait pas d'objection à devenir membre
de cette organisation même avant la réunification.

La position de la République de Corée

Elle est en contradiction totale avec celle de la République
Populaire Démocratique de Corée.

- <u>La solution du "siège unique"</u> n'est pas viable. La République
de Corée estime que deux Etats avec philosophies et systèmes d'organisation
différents, ne sauraient avoir un siège unique à l'Organisation des
Nations-Unies.

- <u>Le principe de l'admission séparée</u>

La République de Corée estime que l'admission séparée, ou
simultanée des deux Corées à l'ONU ne saurait préjuger l'objectif ultime
qui est la réunification du pays.

Cette présence simultanée constituerait en réalité une mesure
de renforcement de la confiance, car elle témoignerait de la ferme volonté
des deux Corées de se conformer aux dispositions et aux principes de la
Charte des Nations-Unies.

.../...

0327

6.

L'unification de la RFA et de la RDA, du Yémen du Nord et du Sud
qui occupaient chacun un siège à l'ONU, réfute l'idée qu'une admission
séparée pourrait perpétuer ou légitimer la division de la nation coréenne
et entraver les efforts de réunification .

Attitude du Sénégal face au problème de l'admission des deux Corées à l'Organisation des Nations-Unies

Le Sénégal, pour sa part a toujours adopté une position équilibrée à
propos de la question coréenne compte tenu de ses relations privilégiées
avec ces deux pays.

Notre pays s'est traditionnellement limité, aux Nations-Unies, à
encourager les deux Etats à rechercher par des voies pacifiques, les solu-
tions les plus appropriées à leurs problèmes afin de réaliser dans l'intérêt
du peuple coréen tout entier, l'objectif commun de réunification.

Il s'est toujours abstenu de prendre position sur le problème de
l'admission de l'un ou l'autre Etat aux Nations-Unies.

Mais s'il a été possible de garder cette approche jusqu'à ce jour,
c'est que notre pays ne se trouvait dans aucune obligation de prendre position
et n'éprouvait pas non plus le besoin de se déterminer par rapport à un
problème qui restait à l'état d'hypothèse.

Le moment est peut être venu de se déterminer clairement à la lumière
des profondes mutations qui ont bouleversé la carte politique du Monde ces
dernières années.

L'URSS qui a toujours soutenu la Corée du Nord ne vient-elle pas de
déclarer récemment, par la voix du Président GORBATCHEV en visite en Corée
du Sud, que la proposition d'une entrée conjointe (des deux Corées) est
"irréaliste".

.../...

0328

7.

En tout état de cause, la République de Corée, forte de
l'appui d'un nombre important de pays membres de l'ONU et confiante en
la bienveillante neutralité, à défaut de soutien, de la Chine et de
l'URSS, au Conseil de Sécurité, a toutes les chances d'obtenir cette
admission tant attendue.

La procédure en matière d'admission d'Etats est définie à l'article
4 de la Charte de l'ONU dont le paragraphe 2 stipule que : "l'admission
comme Etat membre des Nations-Unies de tout Etat remplissant ces conditions
se fait part décision de l'Assemblée générale sur recommandation du
Conseil de Sécurité".

Les conditions requises d'un Etat demandeur sont définies au para-
graphe 1 du même article : être un Etat au sens du droit international ;
être un Etat pacifique ; accepter les obligations de la Charte, être capa-
ble de les remplir et enfin être disposé à les remplir.

Il ne fait aucun doute que la République de Corée remplit actuel-
lement toutes ces conditions./-

0329

남북한의 유엔 가입문제

(요약 번역)

1. 배경 설명

가. 한국 대통령특사 김창훈대사는 91. 5. 7 디우프대통령을 예방코, 노대통령의 친서를 전달한바 동 친서에서 한국은 유엔가입에 대한 세네갈의 지지를 요청함

나. 김특사에 의하면 한국은 남북한의 동시 유엔가입에 결코 반대하지 않으며 동시 가입 실현을 위해 노력중이라 함

다. 현재 남북한관계에서 유엔가입 문제는 가장 예민한 사안중의 하나임

2. 한반도정세 설명

가. 동서 데탕트, 독일통일 등 국제정세 변화에도 불구하고 냉전체제의 가장 비합리적인 유산중의 하나인 한반도 분단상황은 지속되고 있음

나. 6. 25전쟁 이후 통일문제는 비록 양측이 상대방의 제안을 서로 배척해 오긴 했지만 남북한 모두의 최대 숙원임

다. 최근 한국의 국내 민주화, 경제발전에 힘입어 88올림픽 개최, 148개국과의 수교 등 외교분야에서의 큰 성공으로 북한의 고립이 가중되고 있으며 특히 지난 3년간 노대통령은 북방외교를 통해 소련, 동구 공산권 국가와 수교함으로서 평양측에 압력을 가하고 있음. 한국의 대소 경협규모는 50~100억 달러 규모이며, 중국도 한국의 주요 교역 대상국이 되었음

라. 상기 북방외교의 성과로는 1) 남북 총리회담 개최 2) 북한의 대일본 수교 추진 3) 북한 김일성은 현행 남북대화 진전에 따라 남북 정상회담 수락 용의 표명 4) 91. 4 고르바쵸프 소련대통령 방한 등임

마. 한편 북한측은 한국은 미국의 괴뢰 정권이며 한국민은 북한 인민군에 의해 해방되어야 한다고 계속 주장하여 왔음

0330

바. 유엔 가입문제에 대해 북한은 오랫동안 중공과 소련을 등에 업고 한반도 통일전 유엔가입 반대 입장을 취하여 옴

사. 휴전 이후 40년이 지난 지금 북한은 경제, 외교, 군사 등 제반 분야에서 과거 동서독 간의 격차 이상으로 한국에 뒤져 있음. 이러한 상황 하에서 북한은 한국과의 어떠한 타협도 항복으로 간주하고 있음

3. 한반도 통일에 대한 주변국 반응

통일 독일처럼 산업이 융성하고 야망에 찬 한국 (GRANDE COREE)은 약 8천만의 인구를 갖게 되는 까닭에 소련, 중국, 일본이 한반도 통일을 적극적으로 반기지는 않을 것임

4. 유엔가입에 관한 북한 입장

가. 분리가입 반대

분리가입은 외세에 의한 한반도 분단을 고착화 시킨다고 주장

나. 단일 의석 가입 주장

－북한은 연방제 구성에 의한 통일후 단일국가로 유엔 가입하는 방식을 이상적인 것이라고 주장

－그러나 북한은 통일 전이라도 남북한 단일의석 가입조건으로 유엔 회원국이 되는데 반대하지 않음

5. 유엔 가입에 대한 한국의 입장

가. 단일의석 가입의 비현실성

－한국은 이념과 체제가 다른 남북한의 단일 의석 가입 불가 표명

나. 남북한 분리 가입

－한국은 남북한의 유엔분리 가입 또는 동시 가입이 결코 통일에 방해가 되지 않는다고 주장

－오히려 남북한 동시 가입은 양측의 유엔헌장 규정 준수 의지를 나타내는 것이므로 실제로 상호 신뢰회복 방안이라고 설명

0331

─과거 유엔 분리가입국이던 동서독과 남북 예멘이 통일된 것은 상기 북한측 주장을 논박하기에 충분함

6. 결론─세네갈 입장

가. 그간 세네갈은 남북한과의 친선관계를 감안, 한반도 문제에 대해 중립적인 입장을 취해 왔음

나. 전통적으로 세네갈은 유엔에서 남북한이 전국민의 숙원인 통일을 성취키 위해서 평화적 수단에 의해 가장 타당한 해결책을 찾도록 장려하는 선에서 그쳤음. 즉 세네갈은 항상 남북한의 유엔가입 문제에 대해서는 입장 표명을 삼가하여 왔음

다. 세네갈이 오늘날까지 이러한 입장을 견지해 올 수 있었던 것은 세네갈이 동 문제에 대해 결정을 내릴 필요를 느끼지 않았던 때문임

라. 그러나 최근 수년간의 급변하는 국제 정치 상황으로 볼 때 명백한 태도 표명을 해야할 시기가 온 것으로 보임. 북한의 전통적 우방이던 소련의 고르바초프대통령은 최근 방한 시 남북한의 유엔 단일의석 가입이 비현실적이라고 언급한바 있음

마. 현재 한국은 유엔 다수회원국의 지지를 받고 있고 특히 안보리에서 중국과 소련의 지지를 얻지는 못할 지라도 최소한 호의적 중립을 확신하고 있는 만큼 갈망하던 유엔가입의 절호의 기회를 맞게 됨

바. 신규 회원국의 유엔가입 절차는 유엔헌장 4조에 명시되어 있는바, 동2항 규정에 의하면, "상기 조건에 부합되는 모든 국가의 유엔 회원국 가입은 안보리의 권고에 의해 총회에서 결정"됨. 회원가입 신청국은 헌장 4조1항에 명시된 제반 조건에 합치되어야 하는바 동 조건은 1) 국제법 준수국 2) 평화 애호국 3) 헌장상의 의무를 수락하고 이를 이행할 자세와 능력을 갖추어야 함.

사. 현재 한국이 상기 제반 조건을 충족시키고 있음은 의심의 여지가 없음

0332

신연성 참사관께,

그동안 별고 없는지요?

생활여건도 좋지않고 한국사람도 많지 않은 곳에서 고생이 많지요?
아무쪼록 정착에 큰 문제 없었기를 바랍니다.

신형께서 열심히 하고 있는 것은 전보를 통해서 잘 알고 있습니다.
특히 우리의 유엔가입 문제와 관련해서 총독을 비롯하여 주재국 요로와
접촉, 교섭을 벌이고 있는 형의 적극적인 활동상황에 대하여 본부간부들은
매우 만족해 하고 있습니다.

이와관련 한가지 말씀드리자면, 우리의 유엔가입노력은 너무나 옳고
당연한 것이기 때문에 더욱 의연한 입장과 자세로 임하는 것이 좋겠다는
것입니다. 즉, 혹시 모리셔스가 북한 카드를 활용하여 우리로부터 무엇
인가 얻어내려 한다든가, 북한관계상 우리의 지지태도를 약화시키려 한다
하더라도, 우리의 당당한 기본입장을 밝히는 선에서만 대응하여도 무방하리라
봅니다.

앞으로 주재국 인사들과 우리의 유엔가입문제를 논의할때에 혹시
참고가 될까 해서 적어 보았습니다.

항상 가족과 함께 건강 조심하시고 즐거운 시간 보내기를 기원
합니다.

91. 5. 24

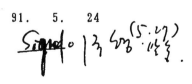

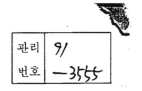

관리	9/
번호	-3555

분류번호	보존기간

발 신 전 보

번 호 : WUN-1462   910524 1732 FL 종별 : _____

수 신 : 주   유엔   대사.촣역사

발 신 : 장 관   (국연)

제 목 : 유엔가입문제 - 잠비아입장

　　　　Mibenge 잠비아 외무장관은 5.21(화) 정원식 특사와 면담시 아국

유엔가입 관련 하기와 같이 말함.

　　　ㅇ 잠비아는 한국의 국제사회에서의 위치와 역할의 중요성을 감안하여

　　　　한국과 외교관계를 수립하였음.

　　　ㅇ 모든 주권국가가 유엔회원국이 될 수 있다는 보편성원칙에 따라

　　　　잠비아가 외교관계를 맺고 있는 한국의 유엔가입을 지지하는데에

　　　　전혀 문제가 없음.

　　　ㅇ 잠비아는 북한과도 외교관계를 유지하고 있으므로 북한도 동시에

　　　　가입하기를 바람.

　　　ㅇ 독일 및 예멘 통일의 경우와 같이 남북한의 유엔가입이 한반도의

　　　　평화통일에 기여할 것으로 확신하고 있으며 유엔총회가 개최되는

　　　　9월까지 다소 시간이 있으므로 이에 관한 협력방안을 양국간에

　　　　계속 협의해 나가기 바람. 끝.

예고 : 1991..12.31. 일반문에
의거 인반문서로 재분류됨

검 토 필 (1991. 6. 30.)

　　　　　　　　　　　　　　　　　　　　(국제기구조약국장 문동석)

보안	
통제	

앙고재	91년5월24일	기안자성명		과 장	국 장	차 관	장 관	외신과통제
	유엔과							

관리
번호 **91**
— **3603**

분류번호	보존기간

발 신 전 보

번　　호 :　WNJ-0210　910527 1516 FO　　종별 :

수　　신 : 주 **나이지리아** 대사. ＊＊＊＊＊ (사본 : 주나이지리아대사.)
　　　　　　　　（국연, 아프이）　　　　　　　　　　　　**유엔**

발　　신 : 장　관

제　　목 : 유엔가입문제 및 한.짐바브웨 관계(나이지리아)

　　　대 : UNW-1334

1.　아국의 유엔가입문제 관련, 아직도 아프리카내 친북국가들이 다수
　　있음에 비추어 나아지리아가 역내 영향력 있는 국가이긴 하지만
　　OAU에서 아국 유엔가입문제를 적극적으로 논의하는 것은 바람직하지
　　않다는 것이 본부 판단임. ~~현서런에서~~

2.　한.짐바브웨 관계개선 관련해서는 아국과의 관계수립에 대한 짐바브웨
　　정부내 분위기(외무부는 긍정적; 단, 무가배 대통령과 김일성과의 친분이
　　문제)에 비추어 볼때, 나이지리아 대통령 앞 친서 발송과 같은 적극적
　　중개역할 요청은 현단계에서 적절치 않다고 봄.
　　~~않다고 봄.~~

3.　다만 나이지리아가 짐바브웨측에 대하여 아국 유엔가입 및 관계개선과
　　관련 우리입장을 기회있는 대로 전달해 주는 것은 유익할 것으로 보는
　　바, 이런 방향으로 추진바람.　끝.

　　　　　　　　　　　　　　　　（국제기구조약국장　문동석）

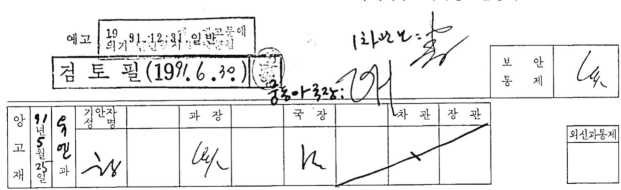

예고　~~19 91.12.31 일반고문에~~
　　　~~의기재 관련공문철~~

검 토 필 (1991. 6. 30.)

중동아프리카 : 191

보　안 통　제	

앙 고 재	91 년 5 월 25 일	유 엔 과	기안자 성명		과　장		국　장		차　관	장　관

외신과통제

0335

외 무 부

증   별 :

번   호 : UNW-1382

수   신 : 장관(국연, 아프일)

발   신 : 주 유엔 대사

제   목 : 유엔가입

일   시 : 91 0528 1800

이 상옥란

당관 강참사관은 5.28(화) 주유엔 각국대표부 관계관들과 접촉, 북한의 유엔가입신청 결정 사실 및 배경등 설명하고 아국에 대한 지속적인 협조와 지지를 요청한바, 동반응 아래보고함.

1. 앙골라대표부 CORREIA 대사대리

-북한의 여사한 결정은 급변한 국제정세를 감안, 어쩔수없이 취한 조치인것으로 아나 현명한 결정이었으며 한반도 통일문제도 유엔의 테두리내에서 보다 유리한 상황속에서 해결점을 찾을수 있을것으로 믿음. 한.앙 간이 아직 미수교상태이기는 하나 한반도 내에서의 화해, 협조를 통한 통일분위기 조성에 최대한의 협조를 하겠음. 본국정부로 부터 남. 북한 동시가입을 지지한다는 훈령을 받고있는 상태임.

-한.앙 간 공식외교관계 설정도 "시간의 문제" 로서 금명간 앙골라 휴전조치가 끝나 앙골라 내정이 안정을 찾는대로 양국간 공식관계 설정에 대한 본격적 검토가 있을것으로 보고있음. 앙골라 입장에서도 한국과같이 성공적인 경제기적을 이룬 국가들과의 협력이 어느때보다 긴요한 상황으로서 금일 접촉내용을 본국에보고, 빠른 시일내에 한.앙 외교관계 설정문제에 대한 양측 입장을 알려주겠음.

2. COMOROS 대표부 HOUMIN 대사(오찬)

-북한의 유엔가입 결정은 한국외교의 승리이며 북한으로서는 피할수 없는 최후의 선택카드였다고 생각함. 한국은 유엔에 가입하므로써 경제적 측면에서 성공에 이어 국제정치 측면에서도 중요한 위치를 점하게되는 단계를 밟기 시작했음.

-코모로 정부의 한국입장 지지는 확고부동하며 향후 계속적인 협조와 지지를 약속함.

3. 아이보리 코스트 대표부 관계관(KABA 참사관, KONAH 참사관)

-북한의 여사한 결정은 당연한 귀결인바, 한국외교의 승리를 축하함. 남. 북한

국기국	장관	차관	1차보	2차보	미주국	중아국	정와대	안기부

양측이 공히 유엔회원국으로서 국제사회에 크게 기여하기를 기대하며 유엔의 협조아래
통일분위기는 한층 성숙될것을 믿음. 양측의 유엔가입으로 많은 국가들의 대한반도
정책상 부담을 경감케 되었으며 한반도내의 새로운 화해와 협조의 시대를 여는 계기가
될것임.

    -아이보리 정부는 계속하여 한국정부 입장을 지지할것임.끝

    (대사 노창희-국장)

    예고:91.12.31. 일반

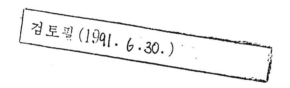

검토필(1991. 6. 30.)

외 무 부

종 별 :

번 호 : SLW-0453 일 시 : 91 0529 1600

수 신 : 장관(국연,아프일)

발 신 : 주 세네갈 대사

제 목 : 유엔가입

1. 정동일참사관은 5.28 외무부 SECK 국제기구국장및 THIAM 아주과장(아주국장대리)에게 5.28 유엔가입에관한 북한 외교부성명, 중국외교부성명및 아국외무부 대변인의성명을 설명하여주고 이처럼 북한이 아국입장을 수락하여 정책전환을 하게된것은 서네갈과 같은 우호국들의 적극적인 지지덕분이라고 사의를 표함.

2. 동인들은 유엔가입에 관한 남북한의 입장을 검토한바 남한의 입장이 외교적인면에서 북한보다 합리적이었으며, 북한태도변경은 한국외교적 승리라고 논평하고 축의를 표시했음. 끝.

(대사 허승-국장)

예고:91.12.31 일반

검토필(1991 . 6 . 30)

국기국	차관	1차보	2차보	중아국	정와대

91.05.30 07:03
외신 2과 통제관 FE
0338

관리 번호	91-264

외 무 부

종 별 :

번 호 : SLW-0454 　　　　　　　　　일 시 : 91 0529 1600

수 신 : 장관(국연,아프일)

발 신 : 주 세네갈 대사

제 목 : 유엔가입

1. 소직은 5.28 대통령실 외교고문 MBAYE 대사및 외무부 외상비서실장 KANE 에게 전화로, 북한이 유엔가입을 요청할것이라는 외교부대변인의 성명을 알려주고, 이처럼 북한이 유엔가입을 결정하게된것은 서네갈과같은 우호국가가 유엔가입에 관한 아국의 입장을 적극적으로 전달하여줄것을 요청하였음.

2. 이에대하여 동인들은 환영을 표시하고, DIOUF 대통령및 KA 외상(나이제리아 OUA 각료회담 참석중)에게 소직의 사의를 표하는 전화내용을 보고하겠다고 약속하였음. 끝.

(대사 허승-국장)

예고:91.12.31 일반

검도필(1991. 6. 30.

국기국　　　중아국

PAGE 1 　　　　　　　　　　　　　　　　　91.05.30　07:04

　　　　　　　　　　　　　　　　　외신 2과　통제관 FE

　　　　　　　　　　　　　　　　　　　　0339

관리
번호 91-457

외 무 부

종 별 :

번 호 : IVW-0300 　　　　　　　　　　일 시 : 91 0602 1800

수 신 : 장 관(국연,아프일)

발 신 : 주 코트디브와르 대사

제 목 : UN 가입지지 사의

1. 본직은 5.31(금) 이태리대사 주최 리셉숀에서 주재국 ESSY AMARA 외상과 ESSIENNE 외무차관을 만나 주재국측의 명시적인 아국 UN 가입에 관한지지와 대다수 국가의 한국지지로 인하여 북한도 UN 가입하겠다는 의사를 발표하였다는사실을 설명하고 한국정부의 사의를 표시하였음

2. 동 외상은 아측입장지지는 하나의 확신에 기인한 것이었으며 한국입장이정당한것 이었다고 말하였음. 외상측근에 의하면 외상명의로 외국입장(한국 UN 가입)지지 서한을 보낸것은 극히 예외적인 것이라고 함.끝.

(대사 김승호-국장)

예고:91.12.31 일반

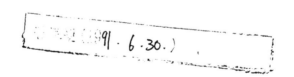

국기국	장관	차관	1차보	2차보	중아국	분석관	청와대	안기부

관리	91-456
번호	

외 무 부

종   별 :

번   호 : GAW-0078   일   시 : 91 0603 1800

수   신 : 장 관(국연,아프일)

발   신 : 주 가봉 대사

제   목 : 남북한 유엔 가입문제 (홍보)

대:AM-0118,0121

1. 본직은 6.3 주재국 외무부 MEMIAGHE 신임 제 1 차관보와 면담하고 남북한 유엔가입 문제에 관한 아국입장과 대호 북한의 유엔 가입신청 발표내용을 설명함.

2. 이와관련, 동차관보는 북한이 비합리적인 단일의석 가입안을 포기하고 남북한 별도 가입방안을 채택한것은 종전 입장에 대한 국제사회의 지지를 확보하지 못한데 기인한 것으로 보인다고 언급함.

3. 당관은 5.31 대호에 따라 금번 북측의 태도 변화가 6 공화국 출범이래 강력히 추진한 북방정책의 성과와 특히 노대통령의 금년내 유엔가입 실현에 대한확고한 의지의 결과임을 설명하는 안내문을 작성 당지 교민에게 배포함. 끝.

(대사 박창일-장관)

예고:91.12.31 일반

검토필(1991.6.30.)

국기국	장관	차관	1차보	2차보	중아국	분석관	정와대	안기부

| 관리번호 | 91-465 |

외 무 부

종 별 :

번 호 : SLW-0482   일 시 : 91 0607 1800

수 신 : 장 관(국연,아프일,사본:주유엔대사-중계필)

발 신 : 주 세네갈 대사

제 목 : 깝베르데 아국 유엔가입 지지

대:WSL-414

1. 당지 깝베르데 대사관은 6.5 자 구상서로 "깝베르데 정부는 한국의 유엔가입이 한반도의 평화, 화해, 통일에 기여할것임을 고려 한국의 유엔가입을 호의적으로 지지할것임"을 알려왔음.

2. 동 구상서는 DA ROSA 정무총국장의 5.16 소직과의 면담시 언급한 "유엔가입지지 공식입장을 8 월쯤 밝힐것임"을 조기에 표명한 것으로 사료됨. 끝.

(대사 허승-국장)

예고:91.12.31 일반

검토필(1991. 6. 30.)

국기국	장관	차관	1차보	중아국	청와대	안기부

PAGE 1

91.06.08   07:30

외신 2과 통제관 BS

0342

정 리 보 존 문 서 목 록					
기록물종류	일반공문서철	등록번호	2020110002	등록일자	2020-11-02
분류번호	731.12	국가코드		보존기간	영구
명 칭	남북한 유엔가입, 1991.9.17. 전41권				
생 산 과	국제연합1과	생산년도	1990~1991	담당그룹	
권 차 명	V.16 한국의 유엔가입 지지교섭 : 중국 및 주요우방국 간 상호 방문 계기				
내용목차	* 우리의 유엔가입에 대한 대중국 지지요청을 이끌어내기 위해 주요 우방국과 중국 간 상호 교환방문 및 정책 협의회 등 개최 계획 등 파악 보고 지시				

0001

공 란

WJA-0007 910103 1527 FK

0003

WUK -0004	WFR -0005	WGE -0004	WIT -0004	WBB -0001
WHO -0001	WDE -0001	WID -0001	WSP -0002	WPA -0001
WNJ -0002	WND -0003	WBR -0001	WAU -0001	WMA -0001
WYG -0004	WRM -0004	WHG -0004	WCZ -0004	

관리
번호   91
—7

외 무 부

원 본

종 별 :

번 호 : BRW-0005   일 시 : 91 0103 1900

수 신 : 장 관(국연)

발 신 : 주 브라질 대사

제 목 : 주요인사 중국방문 계획

대: WBR-0001

　　대호관련 당관 임참사관은 1.3. 오후 주재국 외무부 MENDONCA 아주2과장을 방문, 표제계획을 문의한바 현재로서는 REZEK 외무장관의 8.4-7 간 중공방문계획(8.7-8 간 서울방문)만이 추진중임을 설명하면서 향후 브라질-중국의 주요인사 방문계획이 있을시 통보해주기로 약속함. 끝.

　　(대사 김기수-국장)

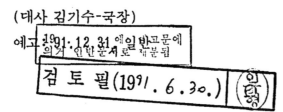

예고: 1991. 12. 31. 에 일반문서에
의거 일반문서로 재분류됨

검 토 필(1991. 6. 30.)

국기국   아주국   미주국

원 본

외 무 부

관리 번호	*p1*
	— 13

종 별 :

번 호 : NDW-0028

일 시 : 91 0105 1820

수 신 : 장관(국연, 아이, 아서)

발 신 : 주 인도 대사

제 목 : 주재국인사 중국방문계획

대:WND-0003

대호관련, 본직은 주재국 외무부 SYAM SALAM 동아국장을 접촉한 기회에 인.중간 고위인사 교류계획을 탐문하였던바, 동국장은 다음과 같이 언급함.

1. 90.11. 인도정부의 교체로 그간 실현되지 못했던 인도 외무장관의 방중은 91.2 월로 추진되고 있으며, 구체일자및 상세일정은 양측간에 협의중임.

2. SHUKLA 외무장관이 91.2 월 방중한 이후에는 통상관계의 후속협의를 위해 SWAMY 상무장관이 이어서 방중예정이며, 중국측에서는 이붕 총리가 방인하는 것으로는 되어 있으나 구체적인 협의는 상금 없는 상태임.

(대사 김태지-국장)

예고:91.12.31. 에 일반고문에 의거 일반문서로 재분됨

검 토 필(1991. 6 .30.)

국기국   아주국   아주국   정문국

91.01.05   23:09

외신 2과 통제관 CW

0005

외 무 부

원 본

관리 번호 : 91 -12

종 별 :

번 호 : JAW-0026   일 시 : 91 0105 1958

수 신 : 장관(국연,아이,아일)

발 신 : 주 일 대사(일정)

제 목 : 주요인사 중국방문 계획

대 : WJA-0007

연 : JAW(F)-0266, 3948

1. 대호 관련, 최근 당지 언론은 주재국 정부가 일본외상의 금년 3 월 하순방중, 수상의 5 월상순 방중을 실현시킬 방침(12.31 자 동경신문, 1.4 자 아사히 신문)임과 하시모토 대장상이 1.8-9 간 방중계획임을 보도한바 있음.

2. 한편, 일.중간의 주요 외교일정 관련, 당관이 일 외무성과 접촉한 바에 의하면, 수상, 외상등의 일 정부요인 방중과 중국정부 요인 방일일정에 대해서는아직 구체적으로 결정된 바가 없으며, 하시모토 대장상의 경우는 중국측 초청에 따라 1.8-9 간 방중일정이 계획되어 있다고 함.

0 일 외무성은 수상, 외상의 동정에 대한 상기 언론보도는 국회일정등 일국내 사정과 북경에 건설중인 '일.중 청년교류센타'의 금년 5 월 개관식 참석을 이용한 일수상 방중설에 근거한 추측기사에 불과하다고 함.

- 다만, 일정부로서는 일.중관계가 여타 서방선진국의 대중국관계와는 다른면도 있음을 감안, 조기 정상화 회복이 바람직하고, 또한 지난해 11 월 일본천황 즉위식 참석차 방일한 오학겸 중국 부수상이 수상, 외상의 방중을 초청하는 중국측 희망을 전달한바 있음에 비추어, 일정을 구체적으로 하고 있는 단계는 아니나, 금년중 수상 및 외상의 방중 가능성은 있다고 함.

0 하시모토 대장상 방중은 특별한 현안이 있는 것은 아니나, 1 월 하순 뉴욕개최 예정의 G7 재무장관 및 중앙은행회의를 앞두고 중국측과 개혁. 개방정책 추진에 따른 지원문제 및 일.중간 경제협력문제를 협의하기 위한 것이라고 함.

0 한편 주재국 언론은 하시모토 대장상 방중이 추후 수상의 방중을 위한 여건조성에 기여할것으로도 보도함.

국기국 안기부	장관	차관	1차보	2차보	아주국	아주국	정문국	청와대

PAGE 1

91.01.05   22:50
외신 2과 통제관 CW

0006

3. 또한 일 외무성은 상기 요인의 방중계획과는 별도로 일.중간 정기적 외교일정에 대해서도 아직 구체적으로 검토된것은 없으나, 양국 외무차관레벨의 '일. 중 외교당국자 협의회'가 3 월 동경에서 개최될 예정에 있다고 함.

4. 상기 일.중간 외교일정 파악되는대로 수시 보고하겠음. 끝

(대사 이원경-국장)

예고:90.6.30.에 일반고문에 의기 인반문서로 대분됨

관리 91
번호 -29

외 무 부

종 별 :

번 호 : BRW-0020   일 시 : 91 0109 1830

수 신 : 장 관(미남,국연)

발 신 : 주 브라질 대사

제 목 : REZEK 외무장관 방한

대: WBR-0010

　　1. 당관 임참사관은 1.9. 아주국장 보좌관 TAAM 서기관에게 REZEK 외무장관의 8.7-8 간 방한시기를 아측이 환영한다고 전달하였던바, 주재국측은 현재로서는 REZEK 장관이 8.7(수)-9(금)(2 박 3 일간) 방한할 예정으로 일정조정중이라고밝히고 그에앞서 8.4-7 간 중국을 방문할 계획이라고 언급하였음.

　　2. 또한 TAAM 서기관에 의하면 REZEK 장관은 금년 외국방문중 특히 아국과 중국방문이 중요하다고 언급하였다 하며, 아울러 아국 외무부 장관의 금년중 브라질 방문계획이 있는지 여부를 문의하였음을 첨언함. 끝.

　　(대사 김기수-국장)

예고:9 91. 12. 31에 일반문서에
　　의거 일반문서로 재분류됨

검 토 필 (1991. 6. 30.)

미주국　　장관　　차관　　국기국

PAGE 1   91.01.10　　07:46

외신 2과　통제관 BT

0008

원 본

외 무 부

종 별 :

번 호 : PAW-0039   일 시 : 91 0114 1530

수 신 : 장관(국연,아서,기정)

발 신 : 주 파 대사

제 목 : 주요인사 방북계획

대:WPA-1

1. 대호관련, 주재국 외무성에서 파악한바, 주재국정부 각료급 고위인사의 금년 상반기중 방중계획은 현재로서는 없으며, 단 GOHAR 하원의장이 의원사절단을 인솔,2월중순 방중계획이라함.

주재국은 중국측으로부터 나와즈샤리프 수상 방중초청을 최근 접수하였으나,중동사태및 국내사정등으로 구체적 방중계획은 미정이라고하며, 수상의 외국방문계획은 중동사태가 해결되어야 가능할것이라고함.

2. 본직이 당지 중공대사에게 청취한바 이샤크 칸 대통령의 90.9. 아시언게임 참석차 방중에 대한 답방으로 양상곤 중국국가주석을 주재국 방문초청하였으나, 아직 구체적 방파시기는 결정되지않았다고 함. 외무성 아주국장에 의하면,3.23. 주재국 국경일을 기해 주재국은 중국요인(국가주석, 수상등)1 인을 국경일 행사참석차 주재국을 방문토록 초청한바 있다함. 끝.

(대사 전순규-국장)

예규 01.6.30개일 반고 에
의거 인반문서 로 …

국기국   아주국   아주국   정문국   안기부

원 본

관리	91
번호	-63

외 무 부

종 별 :

번 호 : MAW-0054

일 시 : 91 0114 1700

수 신 : 장관(국연,아동)

발 신 : 주 말련 대사

제 목 : 주요 인사 방중계획

　　1.　WONG 외무부 동아과장에 의하면, 금번 상반기중 주재국은 중국과의 고위인사교류 계획이 없다고함.

　　2. 다만, 상금 확정되지는 않고 있으나 RAFIDAH 상공장관이 금년 5-6 월경 방중할 가능성이 있다고 하는바, 동 계획이 구체화 되는 대로 추보하겠음. 끝

　　(대사 홍순영-국장)

예고:93.6.30 까지 예고문에 의거 일반문서로 재분류됨

국기국　　차관　　1차보　　아주국

91.01.14　21:28
외신 2과　통제관 CH

0010

관리	91
번호	-194

	분류번호	보존기간

발 신 전 보

WDE-0045   910129 1726 AO

번   호 : _____   종별 : _____

수   신 : 주   수신처 참조 대사 ♣♣♣♣♣

발   신 : 장   관   (국연)

제   목 : 주요인사 중국방문계획

WNJ -0044	WAU -0052
WYG -0112	WHG -0127
WCZ -0087	

연 : WDE-0001, WNJ-0002, WAU-0001,

WYG-0004, WHG-0004, WCZ-0004

연호 : 귀관에서 파악한 내용 ~~즉시~~ 보고바람. 끝.

수신처 : 주덴마크, 나이제리아, 호주, 유고, 헝가리, 체코대사

예고 : 1991. 6. 30. 일 반 됨

(국제기구조약국장 문동석)

	보 안 통 제	

앙고재	91년 1월 29일	기안자 성명	과 장	국 장 전결	차 관	장 관		외신과통제

0011

원　본

관리 번호	91 -198

외　무　부

종　별 :

번　호 : NJW-0089

수　신 : 장 관(국연)

발　신 : 주 나이지리아 대사대리

제　목 : 주요인사 중국방문계획

일　시 : 91 0129 1600

대:WNJ-0044,0022

1.29. 현재 대호관련 파악된 내용없음.

(참사관 최광식-국장)

예고:91.6.30. 일반 예고문에
의거 인반문서로 재분십

국기국

91.01.30　01:35

외신 2과 통제관 CW

0012

원 본 V

외 무 부

관리번호 91 -206

종 별 :

번 호 : HOW-0046

일 시 : 91 0129 1600

수 신 : 장관(국연,구일)

발 신 : 주 화란 대사

제 목 : 중국-화란 인적 교류

대: WHO-0027

1. 대호, 외무성 관계관에 의하면, 현재로선 중국외상의 주재국 방문계획은없다함. 또한 중국 외상의 구주 순방계획에 대해서는 아직까지 파악된 바 없으나, 명 1.30. 브랏셀에서 EC 아시아 실무그룹 회의가 개최될 예정이므로 동 회의후 관련내용을 알려주겠다 함.

2. 한편 주재국 VAN ROOY 대외봉상장관이 금년 하반기중 중국 방문을 생각중에 있다함. 끝.

(대사 최상섭-국장)

예고: 1991. 12. 31.까지 고문에 의거 일반문서로 재분류됨

검 토 필(1991. 6. 30.)

Ireland an
제기화로
세력상스
정보양식

국기국   아주국   구주국

PAGE 1

91.01.30   08:15
외신 2과 통제관 BT

0013

외 무 부

원 본

관리번호 91 -207

종 별 :

번 호 : UKW-0269

일 시 : 91 0129 1610

수 신 : 장관(국연,구일,아이)

발 신 : 주 영 대사

제 목 : 영국외상 방중가능성

대: WUK-0139

연: UKW-0217

1. 외무성 극동과 관계관에 의하면, 허드외상의 중국방문 가능성에 관하여 금년도 상반기를 목표로 중국측에 거론된바 있으나 현재까지 구체적인 일자는 협의된바 없다고함.

2. 상기 관계관에 의하면 허드 외상의 방중계획은 90.7. F.MAUDE 외무성 국무상의 방중, 90.11. 중국 외무차관의 방영등에 이은 양국관계 개선노력의 일환으로서 4 월중 하원 휴회기간중 등이 검토된바 있으나 걸프전쟁의 추이등에 비추어 상금 방문시기를 예측하기 어렵다고 하니 참고바람.

3. 현편, 1.29. 자 당지 THE TIMES 사설은 "CHINA CRACKS THE WHIP" 라는 제하의 사설에서, 중국이 걸프전쟁을 이용하여 고립에서의 탈피를 시도하고 자기주장이 강해지고 있음을 지적하면서, 홍콩의 신공항 건물문제 등에 대한 중국의 간여를 비판함. 동 사설은 이어 SIR DAVID WISON 홍콩 총독이나 4 월 방중예정인허드외상이 더이상 "협의" 라는 절차로 중국에 양보하지 말고 공항건설 계획을추진해야 한다고 강조함. 끝

(대사 오재희-국장)

예고 : 91.6.30 에 의거 일반문에 재분류됨

| 국기국 | 1차보 | 2차보 | 아주국 | 구주국 | 청와대 | 안기부 |

91.01.30   10:39
외신 2과 통제관 FE

0014

원 본

```
┌─────────┐
│ 관리  91 │
│ 번호 -217│
└─────────┘
```

외 무 부

종   별 : 지 급

번   호 : YGW-0072   일   시 : 91 0130 1500

수   신 : 장관(국연,동구이)

발   신 : 주 유고 대사

제   목 : 주재국 중국방문계획

대:WYG-0112

1. 대호건 ZAGAJAC 외무성극동및 태평양 담당과장(공사)에 확인한바 마르코비치 수상및 론차르외상은 중국정부로부터 공식 방문 초청을 받고 있으나 유고측사정으로 상금 방문이 실현되지 못하고 있다고함

2. 마르코비치수상은 89.6.4 방중계획이었으나 천안문 사태로 연기된바 있으며, 그이후 유고국내정세 변화로 방중여부를 결정하지 못하고 있는바, 금년 상반기중 연방총선이 끝나게 되면 91 년 하반기중 방중문제를 추진할예정이라고 함

3. 한편 론차르외상도 중국측으로부터 91.2 월중 방문을 요청받고 있으나 걸프전쟁 발발로 인해 비동맹회의 의장국으로서의 사태해결 노력등 외교일정으로일정을 결정치 못하고 있는바 동전쟁해결 전망이 서는대로 91 년 상반기중 방중할 가능성이 있다고함. 끝

(대사 신두병-국장)

예고:1991..12.31.에일반고문에 의거 인반문서로 재분됨

검 토 필(1991.6.30.)

국기국   차관   1차보   구주국

외 무 부

종 별 :

번 호 : AUW-0072   일 시 : 91 0131 1630

수 신 : 장관(국연,아동)

발 신 : 주 호주 대사

제 목 : 주요인사 중국방문계획

대:WAU-0001,00152

1. 대호 주재국 외무성을 통해 파악한바 금년 상반기중 외무성 주요간부
및연방정부 장차관급 고위인사의 중국방문 또는 중국 고위급인사 방호 계획 없다함.

2. 천안문 사태이후 주재국의 대중국 접촉 제한조치는 아직도 원칙적으로 유효하며
90.9 BLEWETT 통상교섭장관의 방중은 예외적으로(CASE-BY-CASE)실현된것이며 대중국
제재조치의 완화를 의미하는것이 아니라함을 참고로 첨언함. 끝.

(대사 이창수-국장)

예고:91.6.30. 일반. 예고문에 의분됨

국기국   1차보   아주국

관리 번호	91 -226

외 무 부

종 별 :

번 호 : POW-0059　　　　　　　　　　　일　시 : 91 0131 1900

수 신 : 장관(국연,구이)

발 신 : 주 폴투갈 대사

제 목 : 유엔가입추진

대:WECM-0006

연:POW-0055

1. 주재국 외무성 아주국장에게 재확인한바, EC 정례 아주국장회의는 당초 2.12 개최예정 이었으나, 앞당겨져서 연호와 같이 <u>작 1.30 브라셀 개최</u> 되었다함. 차기회의는 원칙적으로 2 월중에는 없고 3 월중 개최될것 이라고함

2. 또 연호 4 항 <u>정무총국장회의가 2.6 룩셈브르그에서</u> 개최될것 이라고함. 통상 정무총국장회의에서는 매우 중요한 문제만 다루며, 일반적 지역문제는 잘다루지않는다고함. 끝

(대사유혁인-국장)

예고:91.12.31 일반문서로 재분류

검 토 필(1991. 6. 30.)

국기국　　차관　　1차보　　구주국

관리 91
번호 -248

외 무 부

종 별 :

번 호 : PAW-0140   일 시 : 91 0201 1630

수 신 : 장관(아서,아이,국연,중근동,기정)

발 신 : 주 파 대사

제 목 : 나와즈 수상 중국방문

대: WPA-1

연: PAW-131

1. 연호, 나와즈 수상은 걸프전쟁종식을 위한 'PEACE MISSION'의 일환으로 2월중 중국방문을 검토중인것으로 알려짐.

2. 동인의 방중여부및 구체적 시기등은 추후 파악되느대로 보고위계임.끝.

(대사 전순규-국장)

예고 91.6.30 일반 예고문에 의거 일반문서로 재분류됨

아주국	차관	1차보	2차보	아주국	중아국	국기국	정문국	안기부

91.02.01   23:01
                                        외신 2과 통제관 BW

0018

관리	91
번호	-249

외 무 부

종 별 :

번 호 : UKW-0294　　　　　　　　　일 시 : 91 0201 1640

수 신 : 장관(구일,정이,통이,국연,아일,기정) 사본:EC회원국주재공관장-직송필

발 신 : 주 영 대사

제 목 : EPC 아주국장 회의

　　당관 조상훈 참사관은 1.30(수) 브랏셀에서 개최된 표제 회의에 참석한 주재국 HUGH DAVIES 극동과장과 금 2.1(금) 면담한 바, 동 회의 아국 관련사항에 관한 DAVIES 과장의 발언요지 아래와 같음

　　1. 금번 회의에서는 EC 의 대중국, 대 아세안 관계 외에 EC 와 일본간의 관계에 관한 선언(EC. 미국간 및 EC. 카나다간 관계에 관한 작년도 선언에 유사한 안건)의 작성문제가 주로 토의되었으며, 한국문제에 관한 논의는 10 분 내외의 간략한 것이었음

　　2. 영국은 최근 뉴욕에서 유엔대사간에 있었던 대북 접촉에 관해서 설명했고, 여타 3,4 개 회원국이 자국이 가졌던 대북 접촉에 관해서 설명했는 바, 특별한 내용은 없었으며, 다만 WTO 에 주재하는 요원에 대하여 북한측이 외교특권을 요청하고 있다는 스페인측의 발언이 색다른 내용이었음

　　3. 차기 EPC 아주국장 회의는 4 월중 개최 예정임.끝

(대사 오재희-국장)

예고:1991.12.31에 일반문에 의거 일반문서로 재분됨

검 토 필(1991. 6. 30.)

구주국　　차관　　1차보　　이주국　　국기국　　통상국　　정문국　　안기부

원 본

```
관리  91
번호  -267
```

외 무 부

종 별 :

번 호 : CZW-0087   일   시 : 91 0202 1600

수 신 : 장관(국연,동구이)

발 신 : 주 체코 대사

제 목 : 방문계획

대:WCZ-83

1. 최참사관이 SOUKUP 아주국장대리에 확인한바, MARTIN PALOUS 차관(아세아.중동.아프리카담당)이 상반기중 중국포함 아시아 수개국 방문 구상중이라함.

2. 중국인사의 주재국 방문계획은 아직은 없다함. 끝

```
예규: 연. 말. 일 반       에 고문에
      한반문서로       재 분됨
```

검 토 필(1991. 6. 30.)

국기국   구주국

PAGE 1   91.02.03   07:57
                                                  외신 2과 통제관 FI

                                                         0020

```
oO194 ASI/AFP-AH55-----
r i Thailand-China    03-11 0132
  Chinese president to visit Thailand
```

  BANGKOK, March 11 (AFP) — Chinese President Yang Shangkun is to visit
Thailand, a senior Thai official said here on Monday.
  The planned visit was discussed during a meeting Monday between Thai
Foreign Minister Arsa Sarasin and the Chinese Ambassador here, Li Shichun,
Foreign Ministry spokesman Sakthip Krairiksh said.
  China became last month the first country to give de facto recognition to
Thailand's military leadership shortly after it had seized power in a
bloodless coup, with a meeting between Mr. Li and Supreme Commander General
Sunthorn Kongsompong, the coup leader.
  Mr. Arsa, a career diplomat turned businessman, became Thailand's foreign
minister in the military-appointed government formed last week.
  can/cw
AFP 111015 GMT MAR 91

0021

6

관리	91
번호	-699

분류번호	보존기간

발 신 전 보

번 호 : WTH-0435. 910312 1853 FK종별 : _____

수 신 : 주 ~~유엔~~ 태국 대사.~~중국대사~~

발 신 : 장 관   (국연)   .

제 목 : ~~양상곤 방태~~ _____

　　91.3.11자 외신(AFP)보도에 의하면, 양상곤 중국 국가주석이

태국을 방문할 예정이며, 동 방문문제 협의를 위해 3.11. 태국

외무장관과 주태국 중국대사간 면담이 있었다고 주재국 외무성이

발표하였다 하는 바, 양상곤 중국 국가주석의 태국방문 ~~관련하여~~ 관련사항

~~파악 보고~~ ~~확인 화보~~바람. 끝.

예 고   1991.12.31 ~~일 방고문에 의거~~ 일반문서로 ~~재분류됨~~ 됨(1991.6.30)

(국제기구조약국장 문동석)

아주국장: (서명)

양고재	91년 3월 12일	유엔과	기안자성명 (서명)	과 장 (서명)	국 장 전결	차 관	장 관 (서명)

보안통제	(서명)

외신과통제

0022

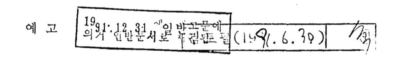

원 본

관리 번호	9/ -724

외 무 부

종 별 : 지 급

번 호 : THW-0579

일 시 : 91 0313 1700

수 신 : 장 관(국연,아동)

발 신 : 주 태 국 대사

제 목 : 양상곤 중공주석 방태

대 : WTH-0435

연 : THW-0562

1. 대호 정참사관이 3.13 CHOLCHINEEPAN 외무성 동아과장을 접촉 파악한바에 의하면 현재 태국과 중공측은 양상곤 중공국가주석의 태국 공식방문시기를 협의중에 있다고 하며 금년 6 월중에 태국방문이 이루어질것으로 예상된다고함

2. 동아과장은 중공측은 양상곤 주석의 태국공식방문을 전후하여 동주석이 동남아지역 여타국가도 방문하는 문제를 검토하고 있는것으로 안다고 말했음

3. 양주석의 태국공식방문문제는 지난 1 년반동안 태.중공간 현안으로 제기되어 왔다고 하며 금번 양주석의 태국방문은 89 년 태국 황태자의 중공방문에 대한 답방형식이 될것이라고 함

(대사 정주년-국 장)

예고 1991.12.31 일반문에 의거 인반문서로 재분류됨

국기국   장관   차관   1차보   아주국   정와대

91.03.13   20:54
외신 2과 통제관 CA
0023

관리 9/
번호 - 1752

외 무 부

종 별 : 지 급

번 호 : THW-0597

수 신 : 장 관(아동,국연)

발 신 : 주 태 국 대 사

제 목 : ANAND 신임 수상예방

일 시 : 91 0314 1830

연 : THW-0576

본직은 3.14(목) 14:30 ANAND 신임수상을 예방, 수상취임에 대한 축의를 전달하고 한, 태 양국관계에 관해 의견교환을 하였는바, 동요지 아래 보고함(정참사관 배석)

1. 수상취임 축하

0 본직이 수상취임을 축하하고 조만간 본국정부에서도 축하메시지를 보낼것으로 기대한다고 언급한데 대해 동수상은 감사를 표시하였음

2. 아국유엔가입문제

가. 일반적사항

0 본직이 아국의 유엔가입정책 및 남북대화현황을 설명한데이어 태국이 89.90 년 유엔총회기조연설시에 아국입장을 지지하여 준데 사의를 표하고 금년에도계속해서 아국의 유엔 가입입장을 지지하여 주도록 요청하였음

0 동수상은 자신이 과거 유엔대사 재직시절부터 한국의 유엔가입문제에 관여하였다고 회상하면서 태국의 한국 유엔가입 지지입장은 일관성있게 계속될것이라고 말했음

나. 양상곤 중공국가 주석 방태시 협조요청

0 본직이 아국의 유엔가입의 관건은 중공의 태도에 크게달려있다고 설명하고 양상곤 국가주석 방태시 중공측에 대해 아국유엔가입 지지를 설득해 주도록 협조요청하였음

0 동수상은 며칠전 중공이 한국의 유엔가입을 반대하지 않을것이라는 언론보도를 읽었는적이 있다고 말하고 중공측이 어느정도로 받아들일지는 잘 모르겠으나 한국 유엔가입의 당위성을 중공측에 잘 설명하겠다고 말했음

3. 시린돈공주방한

아주국	장관	차관	1차보	2차보	국기국	청와대	안기부

0 동수상은 자신의 수상취임이후 처음으로 시린돈공주가 해외여행을 하는데 첫번째 공식방문국이 한국이라는 사실에 크게 고무되었다고 말하고 동공주의 대통령 각하예방 실현여부에 큰관심과 협조를 당부하였음

0 이에대해 본직이 시린돈공주의 대통령각하 내외분 예방및 영부인 오찬은 확정되었다고 설명하자 동수상은 이를 공주에게 보고하겠다고 말했음

4. 남. 북한대화

0 본직이 남. 북한대화 현황을 설명한데 대해 동수상은 한국정부가 인내심을갖고 남북대화를 계속 강력하게 추진해나가는 것이 한반도 긴장완화를 위해서 중요할것이라고 말했음

(대사 정주년-국 장)

예 고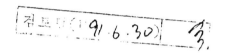

정보판 (91.6.30)

JAW(F)：　　　0978　　　　日時：

受　信：長　官（아인　　　　）（사본：오재희 대사）

發　信：駐日大使（　일경　입장　）

題　目：일본의 외교일정　　　　　　'91　3·15　-6.38

（3.15 朝 夕 刊）

3.18　今後の主な政治・外交日程
19　統一地方選（都道府県知事）告示
20　救院予算案で日本年予算が衆院入り
23　中山外相訪米（～28）
27　統一地方選（指定都市）告示
28　衆院で暫定予算可決
29　参院で暫定予算案可決・成立
　　ベススメルトヌイフン議長来日（～31）
　　統一地方選（都道府県知・指定市）投票
4.4　中山外相訪中（～6）
12　統一地方選（郡道府県知事、道府県議、指定市長・市議）投票
　　（91年度予算自然成立）
14　統一地方選（市区町村・市区長）投票
16　ゴルバチョフ・ソ連大統領来日（～19）
　　統一地方選（町村長・町村議）告示
21　統一地方選（市区町村・議員）投票
　　竹下元首相訪米（～28）
22　末から　両部首相外遊
　　　　　　　（米墨またはASEAN訪問？）
　　　　　中山外相
　　　　　（ベトナム・オーストラリア訪問？）
5.8　国会会期末：2週間以上の会期延長か？
6.3　国際エネルギー機関（IEA）
4　経済協力開発機構（OECD）
　　閣僚理事会（～5、パリ）
7.15　ロンドン・サミット（～17）
21　ASEAN拡大外相会議
　　（～23、クアラルンプール）
10.19　自民党総裁選告示
27　自民党総裁選投票
30　自民党総裁の任期切れ

毎日新聞 乙 삭

政 府

对米関係、最優先に

ポスト湾岸外交展開へ

* 일본 나까야마 외상
　4.4-6 间 중국방문 계획
　추진중

관리	91
번호	- 177

	분류번호	보존기간

발 신 전 보

WMA-0267   910315 1914   FD

번   호 :   종별 :

수   신 : 주   수신처 참조   대사. 총영사///

발   신 : 장 관   (국연)

제   목 : 양상곤 중국 주석 방문

	WDJ -0287	WPH -0234
	WSG -0181	WBU -0068
	WPA -0203	

　　1. 태국대사 보고에 의하면 91.6월중 양상곤 중국국가 주석이 태국을 방문할 계획이라 하며 양주석은 동 기회에 동남아지역 여타국가 방문도 검토중인것 같다고 태국외무성 관계관이 제보하였다 함.

　　2. 상기 관련, 양주석의 귀주재국 방문계획이 협의되고 있는지 여부 및 방문 추진시 시기등 구체사항 파악 보고바람.　　　끝.

예 고 : 19 1991.12.31. 일짜문에 의기 연반문서로 재분됨   검토필(91. 6. 30)

　　　　　　　　　　　　　　　　　　(국제기구조약국장 문동석)

수신처 : 주말련, 인니, 필리핀, 싱가폴, 부루네이, 파키스탄 대사

	보안통제	

양고재	91년 3월 15일 UN과	기안자 성명	과 장	국 장	차 관	장 관		외신과통제
				전결				

0027

원 본

외 무 부

관리 번호	91 -803

종 별 :

번 호 : PAW-0331   일   시 : 91 0317 1400

수 신 : 장관(국연,아서,아이)

발 신 : 주 파 대사

제 목 : 양상곤 중국주석 방문

대 WPA-203

연 PAW-271

1. 연호 나와즈 샤리프 주재국 수상이 방중시(91.2.26-3.1)양상곤 국가주석을 재초청(이샤칸 주재국 대통령이 90.9. 북경 아시안게임 참석차 방중시 양상곤방파초청)한바, 중국측은 금년내 방파키로 합의했으나, 구체적 방문시기는 미정인것으로 보임.

3. 한편 주재국에서는 오는 5.20. 부터 약 한달간 파. 중국 국교수립 40 주년 기념행사를 대대적으로 개최예정이라는바, 이기간중 고위대표단의 교환이 있을가능성도 있음. 진전사항 있을시 추보위계임.끝.

(대사 전순규-국장)

예규 91.12.31째 일반고문에 의거 인빈문서로 재분됨

검보됨 91.6.20기

국기국   차관   1차보   아주국   아주국

91.03.17   18:12
                                           외신 2과 통제관 CE
                                                  0028

외 무 부

종 별 :

번 호 : TNW-0177 일 시 : 91 0329 1100

수 신 : 장 관(중동이,국연,기정당문)

발 신 : 주 뷔니지 대사

제 목 : BEN ALI 대통령 중국 방문

1.BEN ALI 주재국 대통령이 중국 정부 초청으로 91.4.25-4.29간 북경을 방문할 계획이라함.

2.동 방문일정은 지난 3월 중순 당지에서 개최된 제3차 뷔니지.중국 공동위에서구체화된 것으로 보임.끝.

(대사 변정현-국장)

중아국   2차보   국기국   정문국   안기부

PAGE 1

관리 9/
번호 -356

외 무 부

종 별 :

번 호 : THW-0889   일 시 : 91 0417 1500

수 신 : 장 관(아동,아이,국연)

발 신 : 주 태 국 대사대리

제 목 : 태-중공 외무성간 고위급 년례협의회

연 : THW-0849

1. 정참사관이 4.16(화) CHOLCHINEEPAN 외무성 동아과장을 면담, 연호 태-중공 외무성간 고위급 년례협의회시 거론된 주요내용을 파악하였는바 동 요지 아래 보고함

가. 중공의 아세안 참여희망

0 중공은 아세안과의 공식 채널수립 가능성을 타진

0 태국은 아세안과 대화 상대국과의 관계는 원조제공국과 원조수혜국간의 관계라고 설명하였으며 중공은 이러한 관계설정은 원하지 않는다는 의사표시

0 태국은 중공의 희망을 수용하는 한가지 방안으로서 중공이 아세안 PMC 의국제정세 일반토의시 참여하는 방안을 제시

0 중공은 자신의 입장을 추후 아세안에 공식 제의키로 하고 태국은 중공의 공식제의 접촉시 이를 SOM, AMM 에서 협의키로 약속

나. 캄보디아 사태

1) 중공측 언급내용

0 PERM. 5 합의사항지지 재천명하고 동합의사항 변경을 원치않는다고 말함

0 최근 일본의 캄보디아 사태해결 구상이 베트남 및 훈센측에 다소 관대한것 같다고 언급하고 공개적 비판은 삼가

0 최근 베트남이 외부세계의 캄보디아내 무기 반입중단을 제의하고 또한 PERM. 5 합의를 훈센측에 유리하게 변경 시도하고 있는바, 이러한 베트남의 제의 또는 시도를 액면 그대로 받아들일수 없으며 베트남은 자신의 제안에 반해 훈센측을 지원하고 있음

0 소련은 여사한 베트남의 훈센측 지원및 PERM.5 합의내용 변경노력배후에 있는바, 소련및 베트남측과 접촉할 기회가 있으면 PERM.5 합의서 변경을 하지않도록 설득해주기바람

이주국	장관	차관	1차보	2차보	아주국	국기국	청와대	안기부

PAGE 1

O 최근 미국의 캄보디아 정파중 비공산 계열에 대한 원조중단 움직임에 우려를 표시하고 미국이 계속해서 비공산계열에 전과같은 수준의 원조를 제공하기를 희망

2) 태국측 언급내용

O PERM.5 합의내용지지 재확인

O PICC 공동의장의 해결노력 지지

O 캄보디아 4개 정파를 동등하게 취급

O 사태해결위한 새로운 INITIATIVE 는 취하지 않을것임

3) 중공측 주요관심사

O 차티차이 전정부하의 태국의 대캄보디아 정책은 훈센측에 다소 편향적이라는 비판을 받아왔으며, 중공도 이를 달갑지 않게 여겨왔으며 금번 고위급협의회를 통해 ANAND 수상의 태국과도정부가 캄사태 정파 모두에 보다 균형된 입장을취해주도록 태국의 지지를 확보하는데 있었다고하며 태국은 이러한 중공측의 요청을 수용

다. 양상곤 중공국가주석 방태

O 양상곤 중공국가주석이 6.10-15 간 태국을 국빈자격으로 방문할 예정이며동인은 태국방문전에 6.5-10 간 인니를 공식방문하는것으로 알고 있음. 동인은금번 동남아 순방시 태국및 인니 양국만을 방문하는 것으로 알고있음

라. ARSA SARASIN 태국외무장관 중공방문

O 중공측의 방중초청 수락

O 방중시기는 금년 5 월 첫째주 이후가 될것이며 구체적 시기미정

마. 걸프지역 복구위한 공동노력

O 양국이 공동참여키로 원칙적 합의

2. 상기 동아과장에 의하면 쏘련도 수년전부터 아세안과의 공식 관계설정을희망해 왔다고 하며 쏘련은 국내경제사정상 아세안에 원조를 제공키 어려운 실정임에 비추어 대아세안 관계를 상기 태국측이 중공에 제시한 방안에 만족하고 있다고함. 본건 진전사항 추보예정임

(대사대리 주진엽-국장)

예 고: 91.12.31 일반문에 의거 일반문서로 재분류

91.6.30 종

종　별　:

번　호　: HOW-0182　　　　　　　　　일　시　: 91 0417 1700

수　신　: 장관(통이,구일,국연) 사본: 최상섭 주화란대사

발　신　: 주　화란대사대리

제　목　: 대외통상장관 방한

　　　대:WHO-0062

　　　연:HOW-0073

　　1. 5.5.-5.8. 간 방한예정인 VAN ROOY 주재국 대외통상장관 일행 명단을 아래
보고함.

　　- MRS. VAN ROOY 장관

　　- MR. D.J.VAN DEN BERG, 경제부 대외경제관계 부국장

　　- MR. DE MUINCK, 경제부 한국담당관

　　- MR. J.P.HANSE, 경제부 투자유치 담당관

　　-MR. VAN WEELDEN, 대외무역청(EVD) HOLLAND TRADE DINNER 담당

　　2. 경제성 담당관에 의하면 VAN ROOY 장관은 '91.9. 첫주중 중국을 방문, 화-중
양국 경제. 통상협력 문제를 협의할 예정이라 하니 참고 바람.

　　3. 한편, GRAAFT DE RIJP 시 시장대리(MR. RIENSMA) 및 동시 사업가 BERGHUIS
부부가 5.5. 박연동상 개막식 참석차 (RIENSMA 는 서울시 초청), 상기 장관 일행과
함께 방한할 예정이라 함을 첨언함. 끝.

　　(대사대리 엄근섭-국장)

통상국　　차관　　1차보　　2차보　　구주국　　국기국　　청와대　　안기부

PAGE 1

외 무 부

종 별 :

번 호 : CZW-0314

일 시 : 91 0417 1720

수 신 : 장 관(동구이,국연,아이)사본:선준영주체코대사

발 신 : 주 체코대사대리

제 목 : 외무차관 방한

대: WCZ-0299

1. 최승호참사관이 4.17 SOUKUP 아주국장 면담, PALOUS 차관의 방중관련 확인한 바, 결과 다음 보고함.

가. 방문기간: 4.30-5.2

나. 주요면담인자: 중국외무차관(누가될지는 아직 미정: 중국측은 두차례 면담대상 차관 변경), 전기침외교부장(다만, 공식적으로는 아직 미확정 상태)

다. 주요의제: 국제, 국내정세 및 양자관계, 중국측은 특히 캄보디아문제를, 체코측은 구라파 통합 및 주재국의 구주복귀문제 중점 설명 예정

라. 정치적 사안은 가급적 협의대상에서 제외, 경제관계 증진등 협의

마. 금반 방중은 88 년 체결된 협정에 따른 정기적 협의의 일환으로서, 차관급과 장관급이 교대로 회합해 오고있음.

2. 연초 HAVEL 대통령이 양상곤주석앞 민주화 조치를 기대하는 메세지 발송으로 인해 양국관계가 다소 냉각상태이나, 주재국은 금년 가을 전기침 외교부장의 체코방문을 추진할 것이라하였음(주재국 HAVEL 대통령은 작년 1 월에도 티베트의 달라이 라마를 초청, 중국측으로부터 강한 항의를 받은 바 있음).

3. 동 국장은 4.16(화) 오지리 외무부와의 정책협의회 참석후 4.17 오전 귀국한 바, 오지로도 전기침부장 초청 추진 및 한국 유엔가입 지지입장임을 확인한바 있다 하였음. 끝.

(대사 대리 최승호-국장)

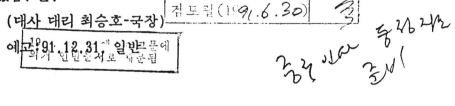

검토필(1991.6.30)

예고:91.12.31. 일반문에

구주국 차관 1차보 아주국 국가국

원 본

외 무 부

관리 번호 91 - 2490

종 별 :

번 호 : DEW-0189

일 시 : 91 0417 1900

수 신 : 장관(국연,구이,정일,기정,사본:김세택대사-구이경유)

발 신 : 주 덴마크 대사대리

제 목 : 중국 고위인사 주재국 방문(자료응신 제17호)

연:DEW-0188

대:WDE-0001

1. 주재국 외무부 LISELOTTE SIMONSEN 아주과장은 4.17. 추연곤 서기관과의면담시, 중국 정부가 최근 당지 중국대사관을 통하여 오는 6 월 JIAN ZENGPEI 중국 외무차관보의 주재국 방문을 제의해 왔으며 주재국은 동 방문접수를 수락하였다고 말함.

2. 동 과장에 의하면 ZENGPEI 중국 외무차관보의 주재국 방문은 아직 초기협의단계로 일정등은 추후 결정될 것이며, 동 ZENGPEI 차관보는 다른 구주 국가들도 함께 방문계획이라함.

3. 본건 관련 진전사항 있는대로 보고 예정임. 끝.

(대사대리-국장)

예고:91.12.31. 고문에 로일반 됨

검토필(1:91. 6. 3.0)

국기국	차관	1차보	2차보	구주국	구주국	정문국	정와대	안기부

「에반스」濠洲 外務長官 中國訪問 豫定

1. 「에반스」濠洲 外務長官은 4.23 - 25간 中國을 공식 방문, 양국간의 經協 問題 및 共同關心事를 論議할 豫定임.

2. 濠洲의 對中國 關係는

   가. 72.12 修交 이후 과학기술교류 합의(88.3), 漁業協力 및 2重 課稅防止 協定 締結(88.11)등을 통한 雙務協力을 增進해 왔으나

   나. 89.7 中國 天安門事態 流血鎭壓에 항의, 美國등 西方諸國과 함께 制裁 措置를 단행함으로써 관계가 소원화되었다가

   ┌─────────────< 對中國 制裁措置 內容 >─────────────┐

   ○ 閣僚級 人士交流 全面中斷

   ○ 新規 프로젝트에 대한 財政支援 禁止

   ○ 軍 高位人士 交流 및 軍事技術 移轉·軍需物資 交易 禁止

   ○ 技術協力 및 農業硏究 協力 中斷

   ○ COCOM의 對中國 規制措置 緩和 反對

   └──┘

   다. 中國의 戒嚴令 解除(90.1)를 契機로

   ○ 戚元靖 中國 冶金工業部 長官 訪濠(90.5) 및 「블레웨트」濠洲 通商 交涉장관 訪中(90.9)등 閣僚級 인사교류가 재개되면서

21-13

○ 經濟閣僚會議를 開催(90.9), 1,400萬弗 상당의 援助再開 및 90/91會 計年度중 3,000萬弗의 經濟開發援助를 提供키로 決定한데 이어

○ 91.2 軍 高位人士 交流 및 軍需物資 交易을 제외한 對中國 制裁措置 를 全面 解除함으로써 交流・協力이 확대되고 있는 추세임.

3. 이번 「에반스」外務長官의 中國訪問은 對中國 制裁措置 解除에 따른 친선 방문 일환으로서

가. 交易擴大등 雙務經協 增進 방안과 亞・太 經濟協議會(APEC), 東아시 아 經濟그룹(EAEG)등 域內 經濟協力體에 대한 상호의견을 교환할 것 으로 보이는 바

나. 濠洲측으로서는

○ 최근 自由中國과의 무역이 점증하는 가운데 政府의 對自由中國 關係 強化措置 발표(90.11) 및 直航路 開設(3.25) 등으로 關係가 활성화 되고 있음을 고려

※ 兩國 交易額 : 87년 21億弗 → 90년 30億弗

○ 「하나의 中國政策」에 대한 不變立場을 再確認함으로써 自由中國과의 관계 진전에 따른 中國측의 우려를 무마하면서

○ 羊毛등 1차산품의 國際價 下落 및 걸프戰 등으로 인한 經濟難(外債 1,023億弗, 失業率 8.4%, 인플레 7%) 打開를 위해 對中國 輸出擴大 를 적극 모색할 것으로 보이며

21-14

0036

다. 中國측으로서는

○ 濠洲로부터의 投資擴大 誘導등 濠洲와의 실질협력 기반 强化에 주력하면서

○ 최근 濠洲측의 對自由中國 관계증진에 우려를 표명하는 한편 自由中國의 南太平洋協議會(SPF) 對話相對國 가입추진 저지를 위한 濠洲측의 영향력 行使問題도 要請할 것으로 豫想됨.

공　　　　　란

0033

WECM-0022 외 별제척조

WECM-0022 910418 1615 CO

```
WASN-0015  WND -0380  WPA -0298  WYG -0335  WZM -0042
WAG -0170  WSD -0201  WNR -0139  WNX -0219  WBR -0175
WAR -0162  WCS -0102  WCA -0299
```

원 본

관리 번호	91 -2529

외 무 부

종 별 :

번 호 : ARW-0293

일 시 : 91 04.18 1140

수 신 : 장관(국연) 사본:이상진대사

발 신 : 주 아르헨티나 대사대리

제 목 : UN 가입추진(중국태도변화)

대:WAR-162

1. 주재국 외무부 아주국 FLORES 공사로부터 4.18. 확인한바, 중국과 고위인사 상호방문 추진사항은 없으나, 91.8 월경 북경에 경제사절단 파견을 추진중에 있다고 함.

2. 현재 일자, 단장등 구체사항은 결정되지 않았으나 수석대표는 차관급으로 추진하고 있다고함.

(대사 대리 신동련-국장)

예고:91.12.31. 일반에
의거 인기 서로 공문함

진도필(1991.6.30)

국기국   차관   1차보   2차보   청와대   안기부

91.04.19   00:11

외신 2과 통제관 CH

0040

원 본

관리 번호	91 - 812

외 무 부

종 별 :

번 호 : DJW-0533   일 시 : 91 0318 1300

수 신 : 장관(국연,아동,기정)

발 신 : 주 인니 대사

제 목 : 양상근 국가주석 방문(자료응신 제35호)

대:WDJ-0287

　　1. 대호, 주재국 외무성 북동아과장에 의하면 중국은 양상근 국가주석의 6 월초 주재국 방문을 제의하였다 함.

　　2. 양상근의 방문시기등 구체일정은 4.22-24 일간 주재국을 방문하는 XU DUNXIN 중국 외무차관의 방문시 협의 예정이라 함.

　　3. 양상근 의 주재국 방문은 90.11. 수하르토 대통령의 중국 방문에 대한 답방형식이라 함. 끝.

　　(대사 김재춘-국장)

예고:91.12.31. 일반문에
의거 일반문서로 재분됨

검토필(91.6.30)

국기국　　아주국　　안기부

91.03.18　　15:57
　　　　　　　　　　　　　　　　　　　　　　외신 2과　통제관 CF

0041

원 본

외 무 부

관리
번호 91 -2508

종 별 :

번 호 : CPW-0542

일 시 : 91 0418 1600

수 신 : 장관(국연,아이,서구이)사본:노재원대사,주유엔대사

발 신 : 주 북경대표

제 목 : 말타 외상 방중

연: CPW-0462

당지 말타 대사관에 의하면 연호 DE MARCO 외상은 금번에 중국만 방중한다 함.

(대사대리 허세린-국장)

예고 92.6.30 일반고문에 의거 일반문서로 분류됨

검토필(1991.6.3.0)

검토 필(1991. 11. 31.)

국기국   아주국   아주국   구주국

관리 9/
번호 -8/8

원 본

외 무 부

종 별 :

번 호 : MAW-0424   일 시 : 91 0318 1630

수 신 : 장관(국연, 아동)

발 신 : 주 말련 대사

제 목 : 양상곤 중국 주석 방문

　　대호 관련 3.18 최원선 참사관이 WONG 동아과장에게 문의한바, 주중 말련 대사관
보고에의하면 양상곤 주석은 금년 6 월중 태국, 인니 2 개국만 방문한다하며 구체적
방문 일자는 미정이라함. 끝

　　(대사 홍순영-국장)

19 .91.12.31 일반문에
의거 인민문서로 재분됨

검토필(1991. 6. 3.0)

국기국　　차관　　1차보　　2차보　　아주국　　정문국　　안기부

원 본

외 무 부

종 별 :

번 호 : CSW-0288

일 시 : 91 0418 1800

수 신 : 장관(국연,미남)

발 신 : 주 칠레 대사

제 목 : 유엔가입 추진(중국 태도)

대:WCS-0102

대호건, 주재국 외무성등을 통하여 탐문한바를 아래 보고함.

1. 주재국과 중국은 지난 군정시절 부터 우호협력 관계를 유지하고 있고, AYLWIN 민정 출범 직후인 90.5. 에는 양상곤 국가주석이 주재국을 공식 방문한바도 있음. (참고: 주재국은 당지에 통상사무소를 두고 있는 자유중국과도 특히 경제, 통상등 면에서 긴밀한 관계를 유지하고 있음)

2. 주재국과 중국은 양국간의 통상협의회(11 회 개최)와 과학기술협력 협의회(5 회 개최)를 각각 매년 개최하고 있으며, 금년도에는 양 협의회가 공히 당지에서 개최될것 이라함.

3. 금년중 추진되고 있는 양국간의 주요 인사교류 계획으로는, 중국의 감사원장, 문화부 부부장 및 대외무역부 부부장(양국간 통상협의회 참석 목적)이 각각 5 월중 주재국을 방문 예정이며, 한편 주재국의 VIERA-GALLO 하원의장을 단장으로 하는 의원 사절단이 방중 예정(시기 미정)이라고함. (본건 91.1.31. 자 당관 보고 CSW-0079 등 참조)

4. 또한, 주재국의 IPU 대표단(단장: CARLOS DUPRE 하원 부의장)중 일부가 동 회의 참석을 전후하여 2-3 일간의 일정으로 북경을 경유 예정이나, 이는 사적성격의 방문이 될것이라고함. 끝

(대사 문창화-국장)

예고:91.12.31. 일반에 의거 인반문서로 재론됨 감노필(91.6.30)

원 본

외 무 부

종   별 :

번   호 : BBW-0288   일   시 : 91 0418 1800

수   신 : 장관(국연,구일,사본:정우영 주벨대사)

발   신 : 주 벨기에 대사대리

제   목 : 유엔가입 추진

대:WECM-0022

연:BBW-0260,0250

1. 대호, 당관 유서기관이 주재국 외무부 NARTUS 아주국장에 확인한바에 의하면, TIAN ZENPEI 중국 외교부 부부장의 주재국 방문은 6.8-12 로 추진중이라하며 벨중 양국간 정책 협의회는 없다함.

2. 한편 지난 주말 안트워프 시장 초청에의해 주재국을 방문한 ZHU RONGJI 상해 시장은 동인의 구주순방중 부수상에 임명됨에 따라, 4.12 EYSKENS 외무장관과도 면담(사전 준비없는 즉석 면담형식)이 있었다하며, 주재국측은 중국의 인권문제에 관심을 표명하였고, 동 부수상은 EYSKENS 장관의 중국 방문을 구두 초청하였다함.

3. 연호 URBAIN 통상장관이 인솔하는 벨. 중국 혼성위 대표단의 일원으로 중국 방문중인 ROELANTS 외무부 사무차관은 TIAN ZENPEI 중국 부부장과도 면담할예정이나, 아국의 유엔 가입문제를 거론할 계제는 되지않을것으로 보임.

4. 이외 주재국 각료급 인사로서는 GEENS 협력장관 및 COLLA 체신장관이 5 월 및 6 월중 중국 방문을 추진중이라함. 끝.

(대사대리 김왕희-국장)

검토필(1991. 6. 30)

예고:91.12.31 일반 고문에 의거 인반문서로 대문됨

국기국   차관   1차보   2차보   아주국   구주국   구주국   정문국   정와대
안기부

PAGE 1   91.04.19   04:47
                                              외신 2과 통제관 BS

0045

원 본

관리 번호	9/ -2555

외 무 부

종   별 :

번   호 : DJW-0745

일   시 : 91 0419 1115

수   신 : 장관(국연,아동) 사본:김재춘 대사

발   신 : 주 인니 대사대리

제   목 : 유엔가입 추진(중국태도 변화)

대:WASN-0015

1. 현재 주재국을 방문중인 서돈신(XU DUNXIN) 중국 외교부 차관은 4.18. WIRYONO 외무성 정무차관보와 1 차 회담에서 양국간 정책협의회 개최에 합의하고제 1 차 협의회를 금년 하반기(상금일자 미정)에 북경에서 개최하기로 하였다고 SAMSUL HADI 외무성 북동아과장이 4.19. 당관 이참사관에게 밝힘.

2. 서돈신 중국 외교부차관과 WIRYONO 정무차관보는 금 4.19. 제 2 차 회담에서 한반도 문제등을 협의할 예정이며, 주재국은 아국 유엔가입 지지입장을 중국측에 설명할것이라고 하는바, 이에 대한 중국측 반응등 가능한대로 파악 보고하겠음.

3. 한편 양상곤 중국 국가주석은 6.5-10 일간 주재국 방문예정이며, 주재국고위인사가 금년말경 중국을 방문 예정이라 함. 끝.

(대사대리 신효헌-국장)

예고:91.12.31. 일반

검토필(1:91.6.30)

국기국	장관	차관	1차보	2차보	아주국	아주국	청와대	안기부

PAGE 1

91.04.19   14:35

외신 2과 통제관 BA

0046

관리
번호 91
-0558

외 무 부

원 본

종   별 :

번   호 : PHW-0524

일   시 : 91 0419 1130

수   신 : 장관(국연, 아동)

발   신 : 주 필리핀 대사

제   목 : 주재국과 중국과의 정기 정책 협의회(자료 44호)

대:WASN-15

당관 황참사관이 주재국 외무부 REBONG 중국과장으로부터 파악한바에 의하면 주재국과 중국은 매년 양국 관계 문제를 협의하기위한 회의를 하고 있으며, 금년 회의를 위하여 주돈신 중국 외교부 차관보를 수석으로하는 5 명의 대표단이 4.23-4.26. 간 당지 방문 예정이라함.

(대사대리 황용식-국장)

예고:91.12.31. 일반문에
의거 인년전처리 일반 검토필(1991. 6.30

국기국   아주국

91.04.19   13:12
외신 2과 통제관 BW
0047

원 본

외 무 부

종   별 :

번   호 : MXW-0439   일   시 : 91 0419 1300

수   신 : 장관(국연,미중,사본:주멕시코대사)

발   신 : 주 멕시코 대사대리

제   목 : 가입 추진

대:WMX-0219

대호관련 김참사관은 금 4.19. 외무성 정무국에 확인한바, 중국과 경제 기술공동위 및 문화 공동위는 유지하고 있으나 정책 협의회는 없음. 주재국 SOLANA외상은 방한후 5.23-27 간 중국 방문 계획임.

(대사대리 김상철-국장)

예고:1991.12.31. 일반

검 토 필 (1:91. 6. 30)

국기국   미주국   미주국

원 본

관리 번호	91 - 2562

외 무 부

종 별 :

번 호 : SPW-0282

일 시 : 91 0419 1500

수 신 : 장관(국연, 사본:장명관대사)

발 신 : 대사대리

제 목 : 가입추진

대: WECM-0022

1. 대호 관련 당관 홍공사가 4.19. 외무성 아주국 SOBREDO 중국담당부국장에게 확인한바, 중국 법무상(4.28-5.3.)및 대서경제통상상(6 월초)의 주재국 방문이 예정되어 있을뿐 외교부와의 상호 교환방문 또는 정책협의회 개최 계획은 없다고함.

2. 한편 ZHURONGI 상하이 시장이 주재국 BARCELONA 시장 초청으로 방서(4.16-18) 중 부주석으로 임명됨에 따라 주재국 정부는 동인의 방서일정을 1 일 연장토록 요청, 4.19, 1000 시 마드리드 도착, 1600 출국 예정임을 SOBREDO 로부터 제보 받고, 외무성 간부의 동부주석 접촉시 표제관련 중국측 태도변화 여부를 타진토록 요청하였는바, 결과 추보하겠음.

(대사대리-국장)

예고:1991.12.31 일반

검토필(91. 6. 30)

국기국 구주국 구주국

PAGE 1

91.04.20 01:24
외신 2과 통제관 CF

0049

원 본

관리 번호	9/ 256Y

외 무 부

종 별 :

번 호 : IDW-0109   일 시 : 91 04191600

수 신 : 장관(국연,구일), 사본:주아일랜드대사(구일경유)

발 신 : 주 아일랜드 대사대리

제 목 : 유엔가입 추진

대: WECM-22

주재국 외무성에 대호 3 항관련 확인한바, 현재로서는 양국 외무부간에 확정된 상호 방문계획은 없으며, 또한 주재국은 중국과 정책협의회등의 공식적인 협의기구는 없다함.

(대사대리-국장)

예고:91.12.31 일반

검토필(1:91.6.3.0)

국기국   구주국   구주국

PAGE 1

외 무 부

종   별 :

번   호 : SGW-0237   일   시 : 91 0419 1700

수   신 : 장 관(아동,아이,국연,정일)

발   신 : 주 싱가폴 대사

제   목 : 리셴룽 부수상 방중(자료응신 제15호)

1. 리셴룽 부수상겸 상공장관이 5.2.-15.(2주)간 중국을 공식 방문하여, 방문기간중 특히 경제분야에서의 양국간 상호 협력관계증진방안을 모색하게 될것이라고 4.18. 상공부가 밝힘.

2. 작년 10월 양국간 수교이후 최초인 금번 방중시리부수상은 중국 지도자들과 회담하는 외에 상해, 광주, 심천, 아문 및 항주를 방문하여 귀로에 5.15.-17.간 홍콩을 비공식 방문 예정임.

3. 금번 방중에는 PETER SUNG 국가개발부 국무장관, 국회의원 4명 이외에 기타 정부관리및 기업대표 들이 수행함.끝.

(대사-국장)

아주국   1차보   아주국   국기국   정문국   안기부

원 본

관리 번호	91 -260ㅆ

외 무 부

종 별 :

번 호 : AGW-0236

일 시 : 91 0420 1540

수 신 : 장관(국연, 사본:주알제리대사)

발 신 : 주 알제리 대사대리

제 목 : 중국태도변화

대 WAG-0170

배참사관은 4.20(토) 외무부 TOUBAL 중국담당참사관에게 대호 3 항을 문의한바,
90.7.28-30 간 주재국을 공식방문한바있는 전기심 중국외무장관이 GHOZALI 외무장관을
방중초청함에 따라 외무장관의 중국방문계획(시기 동미정)외 별도 정책협의회 계획은
없다함. 끝.

(대사대리 참사관 배상길-국장)

예고91991.12.31 일반문에
의거 일반문서로 재분됨

검토필(91. 6.30에

국기국   중아국   중아국

91.04.21   07:27
외신 2과 통제관 DO

0052

원 본

외 무 부

관리 9/
번호 ─2731

종 별 :

번 호 : ZMW-0054

일 시 : 91 0422 0930

수 신 : 장관(국연)

발 신 : 주 잠비아 대사

제 목 : UN 가입추진

대: WZM-0042

대호, 외무성 MAZUNDA 아시아 국장에 확인한바, 주재국측과 중국은 긴밀한 협력관계를 갖고 필요시 상호 인사교류를 하고있으나, 정기적인 정책협의회는 갖고 있지않으며, 가까운 장래에 외무성 또는 정부 고위층의 상호방문계획도 없다함. 끝.

(대사성필주-국장)

19예고:.년말일반 고문에
의거 인반문서로 재분됨

검토필(1991. 6. 30)

국기국   장관   차관   1차보   2차보   중아국   청와대   안기부

91.04.25   21:20
외신 2과 통제관 DO

0053

원 본

관리	91
번호	~2690

외 무 부

종 별 :

번 호 : THW-0938　　　　　　　　　　　일 시 : 91 0424 0800

수 신 : 장 관(국연, 아동)

발 신 : 주 태 국 대사

제 목 : 주재국 외무장관 중국방문

　　　　대 : WTH-0667

　　　　연 : THW-0889

　　　대호 정참사관이 4.23(화) CHOLCHINEEPAN 외무성 동아과장에게 타진한바, ARSA SARASIN 주재국 외무장관은 아직 확정되지는 않았으나 금년 5 월 둘째주에 2박 3 일 일정으로 중국을 방문할 예정이라고함

　　　(대사대리 주진엽-국장)

예 고 : 1991. 12. 31. 에 일반문서로 재분류됨

검 토 필 (1991. 6 .30.)

국기국　　1차보　　아주국　　정와대　　안기부

원 본

관리 번호	91 ~2706

외 무 부

종   별 :

번   호 : NRW-0277   일   시 : 91 0424 1410

수   신 : 장관(국연)

발   신 : 주 노르웨이 대사

제   목 : 가입추진(중국태도 변화)

대:WNR-139

   대호 탐문한바, 중국 에너지담당 차관이 금년 가을경 주재국을 방문할 계획으로 있으나 날짜는 미정이며, 기타 인사의 방문계획은 없다함. 끝

   (대사대리 손상하-국장)

예고:91.12.31로 일반문에

검토필('91. 6. 3에)

국기국

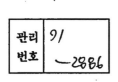

외 무 부

원 본

종   별 :

번   호 : BRW-0344   일   시 : 91 0502 1801

수   신 : 장 관(국연,미남,기정동문)

발   신 : 주 브라질 대사대리

제   목 : 가입추진(중국태도 변화)

대:WBR-0175

1. 당관 임참사관은 5.2 주재국 외무부 중국담당 ORLANDO GALVEAS OLIVEIRA 아주
1 과장을 방문, 대호 관련사항을 문의한바 동과장은 금년중 브. 중간 교환 방문계획을
아래와 같이 설명함.

가. 행정부

1) REZEK 외무장관 방중(8 월초 계획)

2) 브. 중 과학. 기술 공동위(5.9-10 브라질리아, 중국 과기부 부부장 수석대표
예정)

3) 브. 중 경제. 통상 공동위(5.15-16 브라질리아, 중국 대외무역부 부부장
수석대표 예정)

나. 정당

브. 중간 브라질노동자당(PTB)과 중국 공산당간 매년 1 회정도 상호 교환방문을
실시해왔으나 금년계획은 아직 미정임.

다. 사법부

중국 대법원과 브라질 연방최고법원간 상호 교환방문 교류가 비정기적으로 있으며
5.3 중국 대법원 부원장 XIANG HUA 일행 5 명이 주재국 연방최고법원 방문 예정임.

2. 동과장은 또한 양국간 2 년마다 실시하는 정책협의회가 있으며 90.5 월말 3
차회의시 중국 양상곤 국가주석이 방브한 사실이 있다고 설명함. 끝.

(대사대리 변종규-국장)

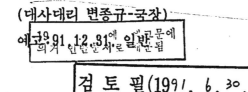

예규 91.12.31 에 의거 일반문서로 일반됨

검토필(1991. 6. 30.)

국기국   장관   차관   1차보   2차보   미주국   청와대   안기부

외 무 부

종 별 :

번 호 : SGW-0266　　　　　　　　　　　　일 시 : 91 0503 0700

수 신 : 장 관(아동,아이,국연)

발 신 : 주 싱가폴 대사

제 목 : 리쉔룽 부수상 방중 (자료응신 22호)

　　연: SGW-0237

　1. 리쉔룽 부수상겸 상공장관은 중국방문차 금 5.2. 출국하였음. 정부관리및 기업계 인사등 27명으로 구성된 대표단에는 국가개발부 국무장관, 주일대사, 국회의원 4명, 경제개발청 및 관광진흥청 회장, 도시재개발청 및 무역개발청 부회장등 정부고위관리와 통신공사, 제조업협회 및 대화은행회장등 기업계 인사들이 포함되어 있음.

　2.　상기대표단은　중.싱　수교이래　방중하는　주재국　정부　대표단으로는 최대규모이며, 리부수상은 전기운 부총리등 중국 지도자들과 회담 예정임.

　3. 작년도 중.싱간 교역량은 약 30억 미불 (주재국 대중수출은 약 8.3 억 불, 수입 약 21.7 억불) 에 달하였으며, 주재국의 대중투자는 약 5억미불 (호텔, 식품가공, 전자, 섬유등 분야)로서 제4위를 차지하고 있음. 끝.

　　(대사-국장)

아주국　　1자보　　아주국　　국기국　　정문국　　안기부

외 무 부

원 본

종 별 :

번 호 : YGW-0396

일 시 : 91 0520 1600

수 신 : 장관(국연,아이,동구이)

발 신 : 주 유고 대사

제 목 : LONCAR 외상 중공방문

대:WYG-0072

연:YGW-0112

LONCAR 외상은 최근 본직과의 접촉시 자신이 오는 7 월경 중공을 공식 방문할

가능성이 있는것으로 말하였는바 구체적 방문시기등 추후 확인되는대로 보고

위계임.끝

(대사 신두병-국장)

예고:91.12.31 일반문에
의거 인반문서로 재분됨

검 토 필(1991. 6. 30.)

국기국   1차보   2차보   아주국   구주국

외 무 부

관리 / 91
번호 / ─3814

종 별 :

번 호 : DJW-1070   일 시 : 91 0610 1530

수 신 : 장관(아동,아이,국연,국기,정특,기정)

발 신 : 주 인니 대사

제 목 : 양상곤 인니방문

연:DJW-1053,1060

1. 양상곤 중국주석은 6.10. 주재국 방문을 마치고 발리에서 태국으로 향발하였음.

2. 당관 이참사관이 연호 인니-중국 외상회담에 관해 SAMSUL 외무성 북동아과장으로부터 6.10 청취한 내용은 아래와 같음.

가. 한반도 정세

1) 남북한 유엔가입문제

0 양국외상은 남북한의 유엔가입 결정을 좋은 진전이라고 평가하고, 남북한이 금년 9 월 유엔가입신청을 할경우 유엔가입에 별문제가 없을것이며 남북한 유엔가입의 쟁점은 제거되었다고 평가함.

0 그러나 북한의 핵안전협정 체결지연과 관련 문제발생의 소지가 있을수도 있다고 보았음.

2)북한의 핵안전협정 체결문제

0 중국 외상은 IAEA 이사회에서 북한의 핵안전협정 체결 권고 결의안 움직임에 대해 북한이 불만(UNHAPPY)스럽게 생각하고 있다고 전하고 중국도 북한의 동협정체결을 위해 적극적으로 노력(ACT POSITIVELY)할것이라고 말하였음.

3)남북한 관계

0 중국외상은 중.쏘관계 개선이 한반도 정세에도 영향을 미쳐 남북대화를 촉진하는데 기여할 것이라고 말하였음.

0 중국외상은 중국과 쏘련은 한반도의 평화와 안정에 깊은 관심을 갖고 있으며, 쏘련도 공히 남북한과 관계강화를 위해 적극적이라고 말하였음.

나. 캄보디아 문제

0 중국측은 캄보디아 문제해결을 위한 인니노력을 지지, 평가하고 어느일방을

아주국	장관	차관	1차보	2차보	아주국	국기국	국기국	외정실
정와대	안기부							

PAGE 1

91.06.10   20:43

외신 2과   통제관 CH

0059

죄인시하는 것은 바람직하지 않다고 말하였음

O 중국측은 시하누크의 SNC 의장추대는 중요하지만 부의장 문제는 주요한 사안이 아니라는 입장을 표명하였음.

다. APEC

O 중국외상은 중국, 대만, 홍콩의 APEC 참여와 관련, 대만과 홍콩은 국가가아닌 하나의 지역경제실체(REGIONAL ECONOMIC ENTITY)로써 참여해야 한다고 주장하고 대만과 홍콩에게 어떤 신분(STATUS)이 부여될지에 관해 문의 하였음.

O 인니외상은 APEC 의장국인 한국이 중국, 대만, 홍콩과 협의를 진행중이며, 동 협의결과에 따라 결정될것이라고만 말하였음.

라. EAEG

O 중국은 EAEG 기구형성에 반대하며 ASEAN 국가가 EAEG 에 대한 CONSENSUS 가 있는지 문의하였음.

O 인니외상은 ASEAN 국가의 CONSENSUS 는 없으며, EAEG 는 GROUP 이 아닌 하나의 FORUM 이될수 있을 것이라고 말하였음.

마. 남지나해 공동개발

O 인니 외상은 금년 7 월 발리에서 개최예정인 남지나해 공동개발을 위한 세미나는 동지역의 주권문제를 협의하는 것이 아니고 동 지역의 공동개발을 위한협력방안을 협의하기 위한 것이라고 설명하였음.

O 중국 외상은 대만의 참여에 관심을 표명하고 중국 대표단을 파견하겠다고하였음.

3. 양상곤의 금번 주재국 방문은 90.11. 수하르토 대통령 방중에 대한 답방형식으로 양국간 현안이 있다기 보다는 양국관계 증진을 위한 상징적 의미가 큰것으로 보임.

인니와 중국은 90.8. 국교 재개 이래 대사관 상호개설, 고위인사 교환방문 및 경제협력 관계증진등 비교적 빠른 시일내에 괄목할만한 관계진전을 이룩하고 있는바, 이는 양국이 인구나 국토면적등에서 역내의 주요국가로써 과거 25 년간 단교로 인한 상호 불편과 불이익을 극복하기 위한 공동인식에서 기인된 것으로 보임. 끝.

(대사 김재춘-국장)

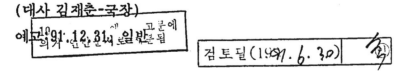

예고: 91.12.31서 일반문서로 재분류됨

검토필(1997. 6. 30)

정 리 보 존 문 서 목 록

기록물종류	일반공문서철	등록번호	2020080051	등록일자	2020-08-24
분류번호	731.12	국가코드		보존기간	영구
명 칭	남북한 유엔가입, 1991.9.17. 전41권				
생 산 과	국제연합1과	생산년도	1990~1991	담당그룹	
권 차 명	V.17 한국의 유엔가입 지지교섭 : 실무교섭단 파견(에콰도르)				
내용목차	* 유엔가입 실현을 위해 안보리 비상임이사국 및 지역 중심국 대상, 한국의 유엔가입에 대한 지지 및 제반 협조 확보 교섭차 실무교섭단 파견을 계획 → 대통령 특사파견으로 변경, 에콰도르(안보리 비상임이사국)에만 실무교섭단 파견 * 실무교섭단장 : 한우석 본부대사, 1991.4.6.-9				

0001

김종인 大統領 經濟首席秘書官 蘇聯 派遣

1991. 3. 13.

外 務 部

아래와 같이 김종인 大統領 經濟首席秘書官을 大統領 特使로 蘇聯에 派遣할 것을 建議드립니다.

---

1. 目 的

   ○ 고르바쵸프 大統領의 日本訪問(4.16-19) 契機, 訪韓 推進

   ○ ~~五月中~~ (5月) 강택민 中國 黨總書記의 蘇聯訪問 關聯, 우리의 유엔加入問題에 관한 特別 協調 確保

2. 派遣時期 : 91. 4月初

3. 其 他

   ○ 大統領 親書 携帯

- 끝 -

0002

특사 파견 (안)

1991. 3. 13.
외 무 부

1. 중동지역 특사

국 가 명	시 기	특 사	비 고
사우디아라비아, 쿠웨이트, 이집트	4월하순	강영훈 전 국무총리	- 방문시기는 라마단 (회교국 금식시기)후로 교섭후 결정

오만, 바레인, Qatar.

2. 유엔가입문제 특별교섭사절 및 실무교섭사절

가. 특 사

국 가 명	시 기	특 사	비 고
유고슬라비아, 체코슬로바키아, 폴란드	5월	노신영 전 국무총리	
룩셈부르크, 화란 이태리	5월	최호중 부총리 겸 통일원장관	EC 의장국 (현임, 후임 및 전임 의장국)
태국, 인니, 말련, 싱가폴	7월	이상옥 외무부장관	* 확대 ASEAN 외상회담(7.22-24. 말련) 참석기회에 방문
스웨덴, 헝가리, 루마니아	5월	박철언 체육 청소년부장관	

0003

국 가 명	시 기	특 사	비 고
베네주엘라, 칠레, 가이아나	5월	이원경 전 외무부장관	
호주, 뉴질랜드, 필리핀, 파푸아뉴기니아	5월	최광수 전 외무부장관	
파키스탄, 이란, 예멘, 리비아	5월	김영주 전 외무부차관 (전 주영대사)	
나이제리아, 가나, 케냐, 잠비아, 나미비아	5월	윤하정 전 외무부차관 (전 주호대사)	
알제리, 모로코 튀니지, 모리타니아 (불어권)	5월	한우석 본부대사 (전 주불대사)	

나. 특별계획 추진

국 가 명	시 기	특 사	비 고
소련	4월초	김종인 경제수석 (특사)	중국 강택민 당총서기의 소련방문(5월) 대비
일본	4월중순	김종휘 외교안보보좌관 (특사)	일본수상의 중국방문 계획이 구체화될 경우

0004

다. 안보리 이사국 대상 실무교섭단

국 가 명	시 기	특 사	비 고
인도, 오지리, 불란서	4월초	이정빈 외무부 제1차관보	ESCAP 총회 (4.1-10)
코트디브와르, 자이르, 세네갈, 카메룬 (불어권)	4월초	김창훈 본부대사 (전 주필리핀대사)	공관장회의(4.16-4.22)
에쿠아돌	4월초	한우석 본부대사 (전 주불대사)	멕시코, 알젠틴, 브라질 공동위원회 참석(4.10-4.20) 기회에 방문

- 끝 -

0005

91
-723

지 급

협조문용지

분류기호 문서번호	국연 2031- 22 ( )		결	담 당	과 장	국 장
시행일자	1991. 3. 13.		재	(서명)		
수　신	아주국장	발 신	국제기구조약국장			
제　목	실무교섭단 파견					

　　　　1.　금년도 우리의 유엔가입추진 대책의 일환으로

아래와 같이 실무교섭단을 귀국 관할지역에 파견할 계획

입니다. (단, 잠정일정)

　ㅇ 파견대상국　:　인 도 (3.31-4.2)

　ㅇ 교섭단장　　:　이정빈 차관보

　　　　2.　상기관련, 아래 자료를 3.18(월)까지 당국에 송부하여

주시기 바랍니다.

　ㅇ 아국과 파견국과의 관계현황 및 현안사항

　ㅇ 파견국과 중, 소, 북한과의 관계현황

　ㅇ 실무교섭단 파견시 양자관계에 관한 언급자료

　ㅇ 기타 참고사항.　끝.

19　　　　에 예고문에
의거 일반문서로 재분류
예　고　91.12.31.유일반

검토필(' 91.6.30)

0006

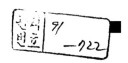 

협조문용지

분류기호 문서번호	국연 2031- 18	(	)		결	담 당	과 장	국 장
시행일자	1991. 3. 14.				재			
수　　신	중동아국장		발 신	국제기구조약국장			(서명)	
제　　목	실무교섭단 파견							

1.　금년도 우리의 유엔가입추진 대책의 일환으로

아래와 같이 실무교섭단을 귀국 관할지역에 파견할 계획

입니다. (단, 잠정일정)

ㅇ 파견대상국　:　세네갈(4.2-4.4), 코트디브와르(4.4-4.7),

　　　　　　　　카메룬(4.7-4.10), 자이르(4.10-4.12)

ㅇ 교섭단장　:　김창훈 본부대사

2.　상기관련, 아래 자료를 3.18(월)까지 당국에 송부하여

주시기 바랍니다.

ㅇ 아국과 파견국과의 관계현황 및 현안사항

ㅇ 파견국과 중, 소, 북한과의 관계현황

ㅇ 실무교섭단 파견시 양자관계에 관한 언급자료

ㅇ 기타 참고사항.　　끝.

검토필('91. 6. 30.)

0007

관리
번호 91
-14

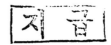

협조문용지

분류기호 문서번호	국연 2031- 99 ( )		결	담 당	과 장	국 장
시행일자	1991. 3. 14.		재			
수 신	미주국장	발신	국제기구조약국장		(서명)	
제 목	실무교섭단 파견					

　　　1.　금년도 우리의 유엔가입추진 대책의 일환으로

아래와 같이 실무교섭단을 귀국 관할지역에 파견할 계획

입니다. (단, 잠정일정)

ㅇ 파견대상국　:　에쿠아돌 (4.7-9)

ㅇ 교섭단장　　:　한우석 본부대사

　　　2.　상기관련, 아래 자료를 3.18(월)까지 당국에 송부하여

주시기 바랍니다.

ㅇ 아국과 파견국과의 관계현황 및 현안사항

ㅇ 파견국과 중, 소, 북한과의 관계현황

ㅇ 실무교섭단 파견시 양자관계에 관한 언급자료

ㅇ 기타 참고사항.　끝.

91. 12. 8 외교문서반
의거 일반문서로 재분류됨

검토필(1991. 6. 30)

0008

협조문용지

분류기호 문서번호	국연 2031-80	(	)

결재 (서명)

담당	과장	국장

시행일자 1991. 3. 14.

수 신 구주국장

발신 국제기구조약국장

제 목 실무교섭단 파견

1. 금년도 우리의 유엔가입추진 대책의 일환으로

아래와 같이 실무교섭단을 귀국 관할지역에 파견할 계획

입니다. (단, 잠정일정)

ㅇ 파견대상국 : 오지리(4.2-4.4)

ㅇ 교섭단장 : 이정빈 차관보

2. 상기관련, 아래 자료를 3.18(월)까지 당국에 송부하여

주시기 바랍니다.

ㅇ 아국과 파견국과의 관계현황 및 현안사항

ㅇ 파견국과 중, 소, 북한과의 관계현황

ㅇ 실무교섭단 파견시 양자관계에 관한 언급자료

ㅇ 기타 참고사항. 끝.

검토필(1991.6.30)

예 고 : 1991년 12월 31일 일반

0009

연구위원 약력

성 명 (연령)	직 급	주 요 경 력	비 고
한 우 석 (60)	특 1급	방교국장, 제 1차관보, 아이보리, 인니, 화란, 불란서 대사	
신 정 섭 (62)	특 1급	아주국장, 통상국장, 제 2차관보, 쿠웨이트, 벨기에, 독일대사	
김 창 훈 (63)	특 1급	구아국장, 고수부장, 가봉, 필리핀 대사	
운 영 엽 (59)	특 1급	카타르 대사	
권 태 웅 (60)	특 1급	구주국장, 기획관리실장, 네팔, 태국, 브라질 대사	
이 상 열 (62)	특 2급	버마, 리비아 대사	
조 광 재 (60)	특 2급	영교국장, 구주국장, 고수부장, 칠레, 베네주엘라 대사	
김 이 명 (58)	특 2급	외신문서국장, 국기국장, 에쿠아돌, 스리랑카 대사, 홍콩총영사	
김 해 선 (57)	특 2급	아프리카국장, 가봉, 유엔차석, 우루과이 대사	

* 기타 : 최웅, 홍순용 연구위원

0010

발 신 전 보

번   호 :　WSL-0088　　910314 1019　CT　종별 : 지급

WIV -0062　WCM -0049
WZR -0064

수   신 :　주　수신처 참조　대사. 총영사/

발   신 :　장　관　（국연）

제   목 :　실무 교섭단 파견

연 :　EM-0007

　　1. 금년도 우리의 유엔가입 실현을 위해 하기 일정(잠정)으로 안보리
비상임이사국 및 지역 중심국을 대상으로 우리의 유엔가입에 대한 지지 및 제반
협조 확보 교섭차 실무교섭단(단장 : 김창훈 본부대사 및 실무직원 1명)을
파견코자 함.

　　　　ㅇ 세네갈 : 4.2(화)-4.4(목)

　　　　ㅇ 코트디브와르 : 4.4(목)-4.7(일)

　　　　ㅇ 카메룬 : 4.7(일)-4.10(수)

　　　　ㅇ 자이르 : 4.10(수)-4.12(금)

　　2. 김대사는 귀주재국 외상 앞 본직의 친서를 휴대할 예정이고, 외상,
외무차관 및 유엔문제 총괄 책임자와 면담코자 하는 바, 귀관은 주재국 외무성과
접촉, 동 교섭단 접수를 요청하고 3.18(월)한 결과 보고바람. (아측 제의일정이
불편한 경우 주재국측 대안도 보고바람)

/ 계속 /

송동아국장 :

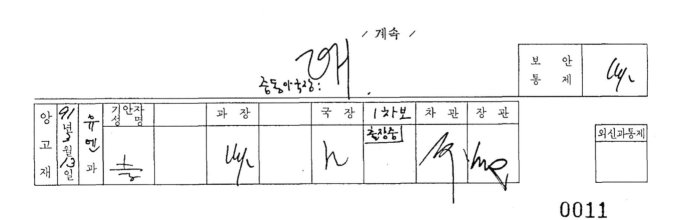

보 안 통 제

앙 고 재	기안자 성명		과 장	국 장	1차보	차 관	장 관		외신과통제
91년 3월 13일	유엔과				춘장승				

3. 상기 본직의 친서에 포함시킬 귀관의 특별한 건의가 있으면 아울러
보고바람.

4. 김대사의 주요약력을 하기 통보하니 참고바람.
   - 63세, 구아국장, 고수부장, 주가봉, 비율빈대사

- 끝 -

예 고 : 1991에요 31 일반.
의커 일반문서로 재분류

(장 관 이상옥)

수신처 : 주세네갈, 코트디브와르, 카메룬, 자이르대사

검토필(1991.6.30)

0012

관리	91
번호	-215

분류번호	보존기간

발 신 전 보

WEQ-0044   910314 1020 CT 종별: 지급

번 호 :

수 신 : 주 에쿠아돌   대사. 총영사1

발 신 : 장 관   (국연)

제 목 : 실무 교섭단 파견

연 : EM-0007

1. 금년도 우리의 유엔가입 실현을 위해 4.7-9.(잠정)으로 안보리 비상임이사국인 귀주재국에 우리의 유엔가입문제에 대한 지지 및 제반협조 확보 교섭차 실무교섭단(단장 : 한우석 본부대사 및 실무직원 1명)을 파견코자 함.

2. 한대사는 귀주재국 외상 앞 본직의 친서를 휴대할 예정이고, 외상, 외무차관 및 유엔문제 총괄 책임자와 면담코자 하는 바, 귀관은 주재국 외무성과 접촉, 동 교섭단 접수를 요청하고 3.18(월)한 결과 보고바람.

3. 상기 본직의 친서에 포함시킬 귀관의 특별한 건의가 있으면 아울러 보고바람.

4. 한대사의 주요 약력을 하기 통보하니 참고바람.
   - 60세, 방교국장, 제1차관보, 주아이보리, 인니, 화란, 불란서대사

5. 한편 한대사는 귀지방문후 4.10부터 맥시코, 알젠틴, 브라질 공동위에 참석 예정임을 귀관의 참고로만 하기바람. 끝.

(장 관 이 상 옥)

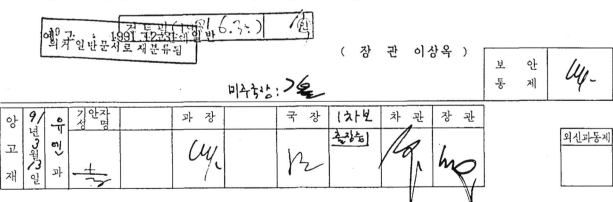

예규 1991. 12.31에 일반
일반문서로 재분류됨

보 안 통 제	(서명)

앙 고 재	91 년 3 월 13 일	유 엔 과	기 안 자 성 명		과 장 (서명)	국 장 (서명)	1차보 (서명)	차 관 (서명)	장 관 (서명)	외신과통제

0013

관리	91
번호	-713

	분류번호	보존기간

발 신 전 보

번   호 : WND-0227   910314 1026 CT 종별 : 지급

WAV -0232

수   신 : 주   인도, 오지리 대사.　공관장　(국연)

발   신 : 장 관

제   목 : 실무교섭단 파견

연 : EM-0007

1. 금년도 우리의 유엔가입 실현을 위해 하기일정(잠정)으로 안보리 비상임이사국인 귀주재국에 우리의 유엔가입에 대한 지지 및 제반협조 확보 교섭차 실무교섭단(단장 : 이정빈 제1차관보 및 실무직원 1명)을 파견코자 함.

   ㅇ 인   도 : 3.31-4.2.

   ㅇ 오지리 : 4.2-4.4.

2. 차관보는 귀주재국 외상앞 본직의 친서를 휴대할 예정으로 가능한 한 외상과의 면담을 희망함. 또한 그밖에 외무차관 및 유엔문제 총괄 책임자와 면담코자 하는 바, 귀관은 주재국 외무성과 접촉, 동 교섭단 접수를 요청하고 3.18(월)한 결과 보고바람.(아측제의 일정이 불편한 경우 주재국측 대안도 보고바람)

3. 상기 본직의 친서에 포함시킬 귀관의 특별한 건의가 있으면 아울러 보고바람. 끝.

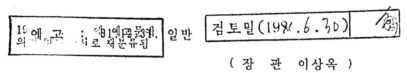

검토필(199 .6.30)

(장 관 이상옥)

아주국장 :   구주국장 :

	보 안 통 제	

앙고재	91년 3월 13일	유엔과	기안 책임자 성명		과 장	국 장	1차보	차 관	장 관

외신과통제

0014

관리	91
번호	-14

분류번호	보존기간

발 신 전 보

번 호 : **WFR-0500** 910314 1027 CT 종별 : 지급

수 신 : 주 불 대사.~~유용유용자~~

발 신 : 장 관 (국연)

제 목 : 실무교섭단 파견

연 : WFR-0441

1. 금년도 우리의 유엔가입 실현을 위해 안보리 비상임이사국
중심으로 우리의 유엔가입문제에 대한 지지 및 제반협조 확보 교섭차
실무교섭단을 파견할 계획이며, 동 계획의 일환으로 이정빈 제1차관보가
인도 및 오지리를 하기일정(잠정)으로 방문할 계획임.

     ○ 인 도 : 3.31-4.2.

     ○ 오지리 : 4.2-4.4.

2. 상기 방문후 귀로에 귀지를 방문, 4.5(금) 귀주재국 외무성
정무총국장과 유엔문제 총괄책임자와 면담, ~~유엔가입문제 관련~~ 협의코자
하는 바 동 면담가능성 타진하고 3.18(월)한 결과 보고바람. 끝.

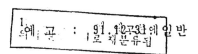

검토필(1991. 6. 30)

(장 관 이 상 옥)

주주주장:

앙고재	91년 3월 13일	유엔과	기안자성명		과 장	국 장	차 관	장 관

보안통제	
외신과통제	

	분류번호	보존기간

발 신 전 보

번 호 :   WUN-0507   910314 1729 CT 종별 :

수 신 : 주 유엔   대사.//총영사 (대리)

발 신 : 장 관 (국연)

제 목 : 실무교섭단 파견

연 : 국연 2031-281 (91.3.11)

금년도 유엔가입 추진계획관련, 실무교섭단을 하기일정(잠정)으로 파견
추진중이니 참고바람.

1. 제 1반(이정빈 제 1차관보)

    ○ 인도(3.31-4.2), 오지리(4.2-4.4), 불란서(4.5)

2. 제 2반 (한우석 본부대사)

    ○ 에쿠아돌(4.7-9) 4.10-20
       (콜럼비아는 공동의장석라, 멕시고, 아르헨틴, 브라질 방문 ~~~~, 유엔가입문제 거론 예정)

3. 제 3반 (김창훈 본부대사)

    ○ 세네갈(4.2-4.4), 코트디브와르(4.4-4.7), 카메룬(4.7-4.10),

       자이르(4.10-4.12).   끝.

예가 관련 반문서 1991.12.31. 에 예고문에   일 반 .

검토필(1991.6.30)

	보 안 통 제	(서명)

앙 고 재	91년 3월 14일	유엔과	기안자 성명	과 장 (서명)	국 장 전결	차 관	장 관 (서명)	외신과통제

0016

원 본

관리 번호 91 -793

외 무 부

종 별 :

번 호 : IVW-0130

일 시 : 91 0315 1200

수 신 : 장관(국연, 아프일)

발 신 : 주 코트디브와르 대사

제 목 : UN 실무 교섭단

대:WIV-0062

연:IVW-0124

1. 당관 이광재 참사관 금 3.15 KOUAME 외상 보좌관을 면담, 대호 관련 당관 공한을 전달하는 한편 아국의 UN 가입 문제에 관해 입장을 재차 설명하고 대호 기간중 아국 교섭단 주재국 방문 접수 및 외상 면담 실현을 요청함.

(3.15 AKA UN 담당 부국장 별도 면담, 측면 지원 요청함.)

2. 동 보좌관은 현재 예정된 AMARA 외상의 일정상 아국 교섭단의 접수 및 면담에 큰 문제가 없을 것임을 언급하고, 4.4 혹은 4.5 동 면담 실현이 가능토록 아측 요청을 외상께 보고, 동 결과를 당관에 공식 통보해 주겠다함.

(대사 김승호-국장)

19 의거 일 예고문 91.12.31 에

검토필(1:91.6.30)

국기국   차관   1차보   중아국   청와대   안기부

원 본

관리 번호	91- 282

외 무 부

종 별 :

번 호 : AVW-0316

일 시 : 91 0315 1700

수 신 : 장 관(국연,구이)

발 신 : 주 오스트리아 대사

제 목 : 실무교섭단 파견

대:WAV-0232

연:AVW-0312

1. 당관은 금 3.15 주재국 외무부 아, 태담당 MAGERL 대사에게 대호 실무교섭단의 오스트리아 방문계획을 통보하고, 외상면담등 주선을 요청하였음.

2. 주재국 외상앞 친서 작성과 관련, MOCK 외상이 유엔총회 기조연설(89.9)에서 유엔가입에 관한 아국입장을 지지한바 있음을 참고하시기바람.

3. 제1 차관보의 이력사항 전문송부바람.

(대사 이장춘)

예 곡:91.12.31 일반

검토필(1991.6.30)

국기국   차관   1차보   구주국

PAGE 1

91.03.16   01:36

외신 2과 통제관 BW

0018

外　무　부

원　본

관리 번호	

종　별 :

번　호 : SLW-0227　　　　　　　　　일　시 : 91 0315 1800

수　신 : 장관(국연,아프일)

발　신 : 주 세네갈 대사

제　목 : 실무교섭단파견

　　대:WSL-88

　　1. 대호, SEYDINA OUMAR SY 외무장관 면담은 4.3 로 추진중임.

　　2. 다만, 4.4 은 주재국 국경일로 큰축제가있으며 휴일인바, 4.3 이 동축제의 전일로서, 장관의일정이 유동적일 가능성에 대비하여 4.2 도 면담에 활용할수있도록 당지 도착계획에 참조바람.

　　2. 장관의 친서에는 세네갈이 86 년,88 년 유엔총회에서 아국입장을 지지하였으며, 제 45 차(90 년) 총회시에는 아국의 유엔가입을 지지하였는바, 이에대한사의를 표하고, SY 장관의 90.12.3-6 방한이 양국의 우호협력관계 강화에 기여하였음을 상기바람. 끝.

　　(대사 허승-국장)

예고:91.12.31. 일반
의거 일반문서로 재분류됨

검토필(1991.6.30)

국기국　　차관　　1차보　　중아국

	분류번호	보존기간

발 신 전 보

번 호 : WAV-0244   910316 1612 DN   종별 : _____

수 신 : 주   오지리   대사 .~~초충영사~~

발 신 : 장 관   (국연)

제 목 : 실무교섭단 파견

    대 : AVW-0316

    대호 차관보 인적사항 하기 통보함.

    ○ 성   명 : LEE, Joung Binn

    ○ 생년월일 : 1937.12.6.

    ○ 주요경력 : ~~중동국장, 시카고총영사, 데팔대사, 대통령비서관~~
          (변호)
          ~~(외교), 스웨덴대사, 제1차관보.~~   끝.

1.
의 ~~예인교~~ ...로 91.12.31. 일반   검토필 (1.91.6.30)

                    (국제기구조약국장 문동석)

	보 안 통 제		

앙 고 재	91 년 3 월 18 일	유엔 과	기안자 성명 홍	과 장	국 장 전결	차 관	장 관	외신과통제

CAREER   :

Apr.   1960   Joined the Ministry of Foreign Affairs, (MOFA)

May   1978-   Director-General of Policy Coordination, Office of the Planning
Apr.   1979   and Management, MOFA

Apr.   1979-   Director-General, Middle East Bureau, MOFA
Aug.   1980

Aug.   1980-   Consul General, Korean Consulate General in Chicago, U.S.A.
Jun.   1983

Jun.   1983-   Ambassador Extraordinary and Plenipotentiary to the Kingdom of
Oct.   1984   Nepal

Nov.   1984-   Presidential Secretary for Political Affairs, Blue House.
Mar.   1986

Mar.   1986-   Ambassador Extraordinary and Plenipotentiary to Sweden
Feb.   1989

Feb.   1989-   Assistant Minister for Political Affairs, MOFA
Present

0021

관리 번호	91 -787				분류번호	보존기간

발 신 전 보

번 호 : WCM-0052   910316 1612 DN   종별: 지급

수 신 : 주   카메룬   대사. ✿✿✿✿

발 신 : 장 관   (국연)

제 목 : 실무교섭단

연 : WCM-0049

연호 귀지방문 일정을 4.7(일)-4.9(화)간으로 조정코자 하니
귀지에서의 면담을 4.8(월)중 완료하는 것으로 주선하고 결과
보고바람. 끝.

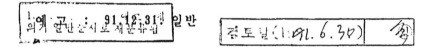

1. 예고 ╌ 91.12.31.에 ╌ ╌ ╌ ╌ ╌ ╌ ╌ 일반	검토필(1:91.6.30) ✑

(국제기구조약국장 문동석)

			보 안 통 제	₩

앙 고 재	91 년 3 월 18 일	유 엔 과	기안자 성 명 흥	과 장 ₩	국 장 전경	차 관	장 관 ₩		외신과통제

외 무 부

종 별 : 초긴급

번 호 : ZRW-0132   일 시 : 91 0315 1230

수 신 : 장관(국연,아프이)

발 신 : 주 자이르 대사

제 목 : 실무교섭단 파견

대:WZR-0064

연:ZRW-0111

1. 본직은 3.15(금) 09:30 시 외무성 수석보좌관 BUKARA 대사를 방문면담, 대호 교섭단 방문계획을 알리고 일정(4.10-4.12) 타진한바, 동기간은 다른 예정된 일정이 있어 어렵고, 3.25(월)-3.31(일) 기간중이 좋겠다고하는바, 일정 조정후 지급 회시바람

2. 실무교섭단 방문시, 주재국측은 단지 유엔문제 거론에만 응하지않고, 여러가지 양국간 협력방안에 대하여도 거론할것이 예상되므로, 이에대한 지침을 지참토록 건의함

주요현안:

(가)자이르 교통장관 방한

(나)대외 경제협력기금 공여문제(주재국 전화망 현대화사업, EDCF 자금 약 2,000 만불 지원이 91 년도중 실현되도록 적극추진요망)

(다)한. 자이르 공동위원회 개최(킨샤사)

(라)아국 외무장관 자이르 방문 등

(마)기타

3. 연호 보고한바, 주재국 외상이 차관문제에 관하여 지대한 관심을 갖고, 본직 부임을 계기로 제기하였는바(구체적인 액수는 제시치않고 원칙만 제기), 앞으로 유엔가입문제, 기타 각종 유엔산하 기구 이사국 입후보와관련, 유엔 비상임이사국인 주재국의 지지가 절대로 요청되는 현시점에서, STRAIGHTLY 거절함은 적절치 못하다고 사료됨

4. 따라서 우리의 어려운 경제사정으로 새로운 차관 제공검토는 어렵고, 이미

국기국   장관   차관   1차보   2차보   중아국   청와대   안기부

현안으로 되어있는 상기 2 항(나)의 전화 현대화 사업을 금년도중에 착수하는것이
효과적일것으로 건의함. 주재국은 전화시설이 극히 미비하여 국내전화 통화도 어렵고,
국제통화는 불통상태임을 참고로 보고함

5. 친서에 포함시킬 주요사항

(가)유엔및 각종 국제무대에서 아국 지지감사

(나)82 년 모부부 대통령 방한이래 양국 우호친선관계는 더욱 증진

(다)90 년 외상 방한으로 양국우호 더욱 긴밀화

(라)양국관계가 정치뿐아니라 경제, 기술, 통상, 문화등 각분야에서 더욱 협력이
증대되기를 희망

(마)본직이 적절한 시기에 자이르 방문이 실현되기를 바람

끝.

(대사 홍승호-국장)

예고:91.12.31 일반

검토필(1.91.6.30)

외 무 부

종 별 :

번 호 : EQW-0084   일 시 : 91 0315 1800

수 신 : 장관(국연,미남)

발 신 : 주 에쿠아돌 대사

제 목 : 실무 교섭단 파견

대:WEQ-0044

1. 대호 교섭단 파견 관련, 본직은 금 3.15 CORDOVEZ 외무장관 보좌관 JAIME SANCHEZ 대사를 급히 방문, NOTE 를 전달, 대호 한우석 대사의 장관 면담 주선을 요청함.

2 금 3.15 오후 외교단 및 외신기자들에 대한 NARANJO 보건장관의 콜레라 현황 브리핑에 동석한 CORDOVEZ 외상께 상기 내용을 직접 요청한 바, 4.8(월) 12:45 한대사 일행과 오찬을 함께하기로 약속하였는 바, 대호 일정 엄수 바람.

3. 다음주 중으로 유엔담당 JUAN SALAZAR 차관보 및 HERNAN VEINTIMILLA 국장을 예방, 4.8 동교섭단과 실무 접촉을 갖도록 주선할 예정이며, 진전사항 추보 위계임.

4. 장관님 친서에는 유엔 안보리 비상임 이사국 피선축하, 작년도 유엔 총회에서의 지지발언에 대한 감사표시와 앞으로의 지지 요청내용 및 제네바에서 상면한 적이 있으시면 (CORDOVEZ 장관께서는 88.8 장관 취임전까지 수년간 유엔 사무차장을 하였기에, 제네바에서 이장관님을 만났을 것이라고 말함) 이를 상기시키는 내용 포함 건의함.

5. 참고 사항으로서 페루는 주재국과 대립, 적대관계에 있으며, 유엔에서도 아국을 지지하지 않을뿐 아니라, 최근 북한과의 관계 개선등 주재국과는 정반대의 태도를 취하고 있음에도 불구하고 주재국보다 많은 경제원조 (무상 및 정책적 부자) 를 하는데 대해 불만을 표시하는 인사가 있음. 또한 금년에도 페루에 콜레라 방역을 위해 30 만불 무상원조한데 비추어, 금번 실무 교섭단 파견시 외상의 관심사항인 콤퓨터 50 대를 금년도 중 외무성에 지원할 수 있도록 주재국 무상원조액 17 만불을 30 만불로 증액하는등 금후 경제적 지원용의가 있음을 표시하여 줄 것을 건의함.

6. 상기 교섭단은 외상, 차관, 유엔담당 차관보 및 국장에게 전달할 선물을

국기국	장관	차관	1차보	2차보	미주국

준비바라며, 본직은 공관장 회의 참석차 4.9, 12:00 주재국 출발 예정임을 참고 바람.
(당지 - 라성간 항공은 화, 토 주 2 회임). 끝

(대사 정해용 - 장관)

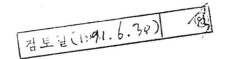
의거 일반문서로 재분류됨
예고: 91.12.31. 일반

검토필(1:91.6.30)

발 신 전 보

WZR-0066   910316 1610   DN   종별: 지급

번   호 :

수   신 : 주   자이르   대사.

발   신 : 장   관   (국연)

제   목 : 실무교섭단

대 : ZRW-0132

대호관련, 항공일정 및 파견준비 관계등으로 3.25-31중 귀지방문이
불가능하니 양지바라며, 귀지 방문일정을 4.9(화)-4.11(목)로 하루 앞당겨
4.10중 귀지에서의 면담일정을 마치고 4.11. 파리향발코자 하니 4.10중
면담주선등 조치하고 결과 보고바람.   끝.

19 예고문에 의거 재분류 91.12.31. 일반

검토필(1991.6.30)   (국제기구조약국장 문동석)

보안통제						
양고재 91년3월16일	유연과	기안자성명	과 장	국 장	차 관	장 관

외신과통제

원 본

외 무 부

종　별 : 초긴급

번　호 : ZRW-0135

일　시 : 91 0317 0950

수　신 : 장관(국연,아프이)

발　신 : 주 자이르 대사

제　목 : 실무교섭단

연:ZRW-0132

대:WZR-0066

　1. 대호 지시대로, 주재국 외무성에 재 교섭 코자 하는바, 4.10(수)만을 면담 일정으로 제시 함은 주재국 측에 선택 범위가 너무 좁으므로, 교섭단의 정확한 당지 도착및 출국 항공편과 시간을 지급 알려주시고, 업무에 참고 코자 하니실무 수행원의 이름도 알려주시기바람

　2. 현재 주말이라 관계간부 접촉이 어렵고, 월요일(3.18) 접촉후 결과 보고하겠음

끝.

　(대사 홍승호-국장)

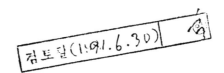

국기국　　중아국

PAGE 1

91.03.17　　18:43

외신 2과　통제관 FE

0028

관리	91
번호	-855

외 무 부

종 별 : 지 급

번 호 : CMW-0098

일 시 : 91 0318 1430

수 신 : 장 관(아프일)

발 신 : 주 카메룬 대사

제 목 : 실무교섭단

대:WCM-0052

1. 주재국 외무부 SADOU 의전장은 김창훈대사가 4.8(월) BOOH BOOH 외무장관및 SAO 국제기구국장(대사)과의 면담이 현재로서는 가능한 것으로 면담일정을 통보하여 왔음. 그러나 BOOH BOOH 장관과의 면담경우, 주재국 실정상 동장관이 돌연 출장하는 경우도 있어 그런경우에는 외무장관대리와 면담하게 될 것이라고 말하였음.

2. 89 년말 BOOH BOOH 외무장관은 아국과의 경협 특히 재정지원을 받기위해아국방문을 요청하여 아국 외무장관의 방한초청장이 전달되어 있고 90 년도에는 아측일정과 맞지않아 동 방한이 이루어지지 않았으며, 91 년 상반기중에는 BOOH BOOH 장관의 타일정상 그리고 아국 경협자금이 재정지원으로 사용될수 없다는 새로운 인식을 갖게됨에 따라 현재로서는 방한을 적절한 시기에 행한다는 정도로 보류하고 있는 상태임. 연이나 이는 양국 외무장관간에 제기된 현안문제인만큼 금번 장관님의 대호 친서속에 동장관의 방한이 조속 이루어지기를 희망한다는 표현을 포함시킴으로서 동친서 내용에 친밀감과 현실감을 더욱 부각시키는 것이 좋을것으로 사료되옵기 건의함.

(대사 황남자-장관)

19
의거 일반문서로 재분류 21.12.31에 일반

검토필(1991.6.30)

종아국 1차보 국기국

원 본

관리	91
번호	—830

외 무 부

종 별 :

번 호 : NDW-0454

일 시 : 91 0318 1600

수 신 : 장관(국연)

발 신 : 주 인도 대사

제 목 : 실무교섭단 파견

대:WND-0227

1. 본직은 금 3.18 주재국 외무부 SYAM SARAN 국장과 면담(이석조 참사관 배석), 표기 대호관련 3.31-4.2 간 이정빈 차관보 일행의 방인계획을 알리면서 주재국측의 입장을 물어본바, 동국장은 아측 제의일자에 아측교섭단 접수에는 문제가 없을 것이라 하고 아측교섭단이 방인시 인도 외무부 부장관, 외무차관, 동부담당차관등 관련인사들을 면담할수 있도록 주선하겠다 함.

2. 현재 인도 외무장관은 공석이므로(금년 2 월말 사임) 부장관(DEPUTY MINISTER, MR.DIGVIJAY SINGH)이 외무장관을 대행하고 있는바(4 월초까지 신임장관이 임명되지 않을 것으로 보임), 장관친서는 부장관앞으로 송부하여야 될 것임.

3. 면담인사등 확정되는대로 보고하겠음.

4. (인도 외무부 요청이니) 이차관보의 이력사항 타전바람.

(대사 김태지-국장)

19 .
의거 일반 예고문에 예고
예고:91.12.31.급 일반

검토필(1991.6.30.)

국기국   차관   1차보   2차보   아주국

	분류번호	보존기간

발 신 전 보_{지급}

번   호 : _____   종별 : _____

수   신 : 주 　카메룬　 대사.♧♧♧♧

발   신 : 장   관 　（국연）

제   목 : 　실무교섭단

연 ： WCM-0052

연호 실무교섭단 귀지방문 항공일정（잠정）하기 통보하니 귀주재국
인사와의 면담주선에 참고바람.

　　o 4.7(일) 17:35 두알라도착 （아비장발 RK-114편）

　　　　　　　19:30 두알라발 （UY-776편）
　　　　　　　20:05 야운데착
　　o 4.9(화) 09:00 야운데발 （두알라 향발 UY-721편）

　　　　　　　13:15 두알라발 （킨샤사 향발 UY-800편）.　끝.

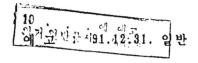

　　　　　　　　　　　　　　　　（국제기구조약국장 문동석）

		보 안 통 제	

앙 고 재	91 년 3 월 /8 일	유 엔 과	기안자 성명		과 장		국 장 전결		차 관	장 관		외신과통제

0031

관리 번호		

분류번호	보존기간

발 신 전 보

지 급

번 호 :   종별 :

수 신 : 주   자이르   대사 . ♣♣♣♣

발 신 : 장 관   (국연)

제 목 :   실무교섭단

대 : ZRW-0135

1. 대호 귀지방문 항공일정(잠정) 하기와 같음.

   ○ 4.9(화) 15:05 킨샤사 도착 (두알라발 UY-800편)

   ○ 4.11(목) 21:00 킨샤사 출발 (파리 향발 UT-786)

2. 따라서 4.10(수) 및 4.11(목)중 귀주재국 인사와 면담 주선바람. 끝

예고: 관란문시로 재분류 91.12.13 일반

(국제기구조약국장 문동석)

	보 안	
	통 제	

앙 고 재	91 년 3 월 18 일	유 엔 과	기안자 성 명		과 장		국 장		차 관	장 관
							전결			

외신과통제

0032

관리	
번호	

분류번호	보존기간

발 신 전 보

번 호 : ＿＿＿＿＿＿＿＿＿＿ 종별 : 지급

수 신 : 주 자이르 대사. ♣♣♣♣♣♣

발 신 : 장 관 (국연)

제 목 : 실무교섭단

대 : ZRW-0135

· 대호 실무교섭단 면담 주선은 본부 별도지시 있을때까지 시행

보류바람. 끝.

예 고 : 91.12.31.에 일반
의거 일반문서로 재분류됨

(국제기구조약국장 문동석)

보 안 통 제	

앙고재	91년 3월 18일	유엔과	기안자 성명		과 장		국 장		차 관	장 관
							전결			

외신과통제

0033

614.

```
  1.1YANG/JONGJUMR
SELKEGP 18MAR RAB3BQ
   1 KE 901 Y  SU 31MAR   SELCDG HK1    1240 1910
   2 RK   7 Y  MO  1APR   CDGDKR HK1    1130 1705
   3 RK  98 Y  TH  4APR   DKRABJ HK1    1120 1320
   4 RK 114 Y  SU  7APR   ABJDLA HK1    1135 1735
   5 UY 776 Y  SU  7APR   DLAYAO HK1    1930 2005
   6 UY 721 Y  TU  9APR   YAODLA HK1    0900 0930
   7 UY 800 Y  TU  9APR   DLAFIH HK1    1315 1505
   8 UT 786 Y  TH 11APR   FIHCDG HK1    2100 0735
   9 KE 902 Y  FR 12APR   CDGSEL HK1    2130 1730
FONE-SEL-B 5801/2 GTO YANG/JJ
RMKS- /// U.N GWASKD
   E   OK  RAB3BQ              이사기과요.
>
```

0034

이)

서울 - 파리
3.25 (月) - 3.25 (月)
3.27 (水) - 3.27 (水) 18:05
* 파리 - 키샤샤

3.27 (수) 3.28 (목) 도착 07:35
(23:20) 3.31 (일) 출발 → 다카르 3.31 (일) 도착

○ 세네갈   4.2 (화) - 4.4 (목)

○ 코트디브와   4.4 (목) - 4.7 (일)
                              (화)
卅 ← 카메룬   4.7 (일) - 4.10 (수)
                    9   11 13
   자이르   4.8 (수) - 4.12 (금)
                    (4.10)

─────────────────────────────────

서울 ─ 파리   月水金日

파리 ─ 다카르   (Daily)
다카르 ─ 아비잔   (Daily) 찬 레위
아비잔 ─ 두알라 ─ 야운데 (Daily)
야운데 ─ 두알라 → 킨샤샤 (~~Daily~~) 주 3편 (목토일우)
                  일주 3편 (4.11 12) 목토일.
킨샤샤 ─ 파리.   London Rome.

파리   ─ 서울   月水金日

─────────────────────────────────

* 파리 ─ 킨샤샤   수·토 (주2회) 23:20-07:35
                                22:55-05:15
  킨샤샤 ─ 다카르   日 (주1회) 08:00-17:00
  두알라 ─ 파리   Daily   0035

남북한 유엔가입, 1991.9.17. 전41권 (V.17 한국의 유엔가입 지지교섭 : 실무교섭단 파견(에콰도르)) 443

연구위원 약력

성 명 (연령)	직 급	주 요 경 력	비 고
한 우 석 (60)	특 1급	방교국장, 제 1차관보, 아이보리, 인니, 화란, 불란서 대사	
신 정 섭 (62)	특 1급	아주국장, 통상국장, 제 2차관보, 쿠웨이트, 벨기에, 독일대사	
김 창 훈 (63)	특 1급	구아국장, 교수부장, 가봉, 필리핀 대사	
운 영 업 (59)	특 1급	카타르 대사	
권 태 웅 (60)	특 1급	구주국장, 기획관리실장, 네팔, 태국, 브라질 대사	
이 상 열 (62)	특 2급	버마, 리비아 대사	
~~윤 병 채~~ ~~(60)~~	~~특 2급~~	~~항교국장, 구주국장, 교수부장,~~ ~~칠레, 베네주엘라 대사~~	
김 이 명 (58)	특 2급	외신문서국장, 국기국장, 에쿠아돌, 스리랑카 대사, 홍콩총영사	
김 해 선 (57)	특 2급	아프리카국장, 가봉, 유엔차석, 우루과이 대사	

* 기타 : 최웅, 홍순용 연구위원

0035-1

유엔가입문제 특별교섭사절단
파견 계획 (안)

1991. 3. 18.

	파 견 지 역	국　　　가	시 기	비 고
1	유엔 안보리이사국반(1)	인도, 오지리	4월 말	
2	유엔 안보리이사국반(2) (불어권)	코트디브와르, 자이르, 세네갈, 카메룬	4월 말	＃1
3	동 구 반 (1)	유고슬라비아, 체코슬로바키아, 폴란드	5월초	
4	동 구 반 (2)	헝가리, 루마니아, 스웨덴	5월초	
5	EC 의장국반	룩셈부르크, 화란, 이태리	5월초	
6	ASEAN 반	태국, 인니, 말레이지아, 싱가폴	7월	＃2
7	남태평양반	호주, 뉴질랜드, 파푸아뉴기니아, 필리핀	5월초	
8	중 동 반	이란, 에멘, 리비아, 파키스탄	5월초	
9	아프리카반(1) (영어권)	나이제리아, 가나, 케냐, 잠비아, 나미비아	5월초	
10	아프리카반(2) (불어권)	알제리, 모로코, 튀니지, 모리타니아	5월초	＃3

비 고

＃1) 유엔 안보리 이사국반(2)은 불어권임을 감안, 김창훈 본부대사를 파견
＃2) ASEAN 반은 외무부장관이 확대 ASEAN 외상회담(7.22-24. 말련) 참석기회에 방문
＃3) 아프리카반(2)은 불어권임을 감안, 한우석 본부대사를 파견

기　타

- 사절단 파견시 국회의원 또는 유력언론인을 단원으로 포함하는 문제 검토
- 안보리 비상임이사국인 에쿠아돌에 대하여는 한우석 외무부 본부대사를
  맥시코, 알젠틴, 브라질 공동위 참석(4.10-20) 기회에 4월초 별도 파견

0036

관리 91
번호 - 809

협조문용지

분류기호 문서번호	국연 2031- 85	( )	결	담당	과장	국장
시행일자	1991. 3. 18.		재	舌	*서명*	*서명*
수 신	국제경제국장	발신	국제기구조약국장			(서명)
제 목	무상원조증액 요청					

1. 금년도 유엔가입추진 교섭을 위해 안보리이사국인

에쿠아돌에 4.7-4.9간 실무교섭단(단장 : 한우석 본부대사)을

파견할 예정입니다.

2. 주에쿠아돌대사는 별첨 전문을 통해 동 실무교섭단의

에쿠아돌 방문시 금년도 무상원조액 증액등 경제적 지원 용의를

표명하여 줄것을 건의하여 왔습니다.

3. 동국은 안보리 비상임이사국으로서 금년도 우리의

유엔가입실현을 위해 적극적 지원이 기대되는 국가임을 감안,

금년도 무상원조 증액문제를 적극 검토하여 주시고 결과를

당국에 통보하여 주시기 바랍니다.

첨 부 : 동 전문 사본 1부. 끝.

검토필(1991. 6. 30)

0037

예 고 : 91. 12. 31. 일반

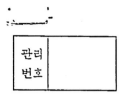

외 무 부

관리
번호

증 별 :
번 호 : EQW-0084
수 신 : 장관(국연,미남)
발 신 : 주 에루아들 대사
제 목 : 실무 교섭단 파견

일 시 : 91 0315 1800

대:WEQ-0044

1. 대호 교섭단 파견 관련, 본직은 금 3.15 CORDOVEZ 외무장관 보좌관 JAIME SANCHEZ 대사를 급히 방문, NOTE 를 전달, 대호 한우석 대사의 장관 면담 주선을 요청함.

2 금 3.15 오후 외교단 및 외신기자들에 대한 NARANJO 보건장관의 콜레라 현황 브리핑에 등석한 CORDOVEZ 외상께 상기 내용을 직접 요청한 바, 4.8(월) 12:45 한대사 일행과 오찬을 함께하기로 약속하였는 바, 대호 일정 엄수 바람.

3. 다음주 중으로 유엔담당 JUAN SALAZAR 차관브 및 HERNAN VEINTIMILLA 국장을 예방, 4.8 동교섭단과 실무 접촉을 갖도록 주선할 예정이며, 진전사항 추보 위계임.

4. 장관님 친서에는 유엔 안브리 비상임 이사국 피선축하, 작년도 유엔 총회에서의 지지발언에 대한 감사표시와 앞으로의 지지 요청내용 및 제네바에서 상면한 적이 있으시면 (CORDOVEZ 장관께서는 88.8 장관 취임전까지 수년간 유엔 사무차장을 하였기에, 제네바에서 이장관님을 만났을 것이라고 말함) 이를 상기시키는 내용 포함 건의함.

5. 참고 사항으로서 페루는 주재국과 대립, 적대관계에 있으며, 유엔에서도 아국을 지지하지 않을뿐 아니라, 최근 북한과의 관계 개선등 주재국와는 정반대의 태도를 취하고 있음에도 불구하고 주재국보다 많은 경제원조 (무상 및 정책적 투자) 를 하는데 대해 불만을 표시하는 인사가 있음. 또한 금년에도 페루에 콜레라 방역을 위해 30 만불 무상원조한데 비추어, 금번 실무 교섭단 파견시 외상의 관심사항인 콤퓨터 50 대를 금년도 중 외무성에 지원할 수 있도록 주재국 무상원조액 17 만불을 30 만불로 증액하는등 금후 경제적 지원용의가 있음을 표시하여 줄 것을 건의함.

6. 상기 교섭단은 외상, 차관, 유엔담당 차관브 및 국장에게 전달할 선물을

국기국	장관	차관	1차브	2차브	미주국

0038

PAGE 1

준비바라며, 본직은 공관장 회의 참석차 4.9, 12:00 주재국 출발 예정임을 참고 바람.
(당지 - 라성간 항공은 화, 토 주 2 회임). 끝

(대사 정해웅 - 장관)

19 .예고: .94.12.31.까지 반
외기 인반문서로 재분류

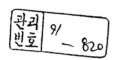

분류기호 문서번호	구이20005- 〉X	협조문용지 (720-2327)	결 재	담 당	과 장	국 장
시행일자	1991. 3. 18.					
수 신	국제기구조약국장	발 신	구주국장		(서명)	
제 목	실무교섭단 파견					

대 : 국연 2031 - 80

대호, 당국 소관사항을 별첨 송부합니다.

첨부 : 상기 자료 1부.   끝.

검토필(1991.6.70)

오지리 관계 현황

91. 3.18.
서 구 2과

1. 한·오지리 관계 현황

가. 대한반도 정책

ㅇ 영세중립국으로 남북한 등거리 외교정책 표방하나, 실질관계에서는
대아국 우위정책 추구(85.5. 이래 아국에만 상주대사관 유지, 북한
에는 상무관실 주재했었으나 88.11월말 폐쇄)

나. 외교관계

63.5.22	국교수립 합의
66.12.1	주오지리 상주대사관 설치
75.2.1	주한 오지리 상무관실 개설
85.5.14	주한대사관 개설
89.5	이장춘대사 신임장 제정 (제10대)
89.7.	Felix Mikl 대사 신임장 제정 (제2대)

다. 협정체결 현황

71. 9.	무역협정
79. 3.	사증면제협정
79. 5.	항공협정
79. 6.	섬유협정
85.10.	이중과세방지협정
91. 3.	투자보장협정 (서명)

- 1 -

0041

라 . 최근 주요인사 교류

(파견)

81. 5.	이승윤 재무장관
82. 5.	이한기 감사원장
84. 6.	이원경 외무장관
85. 6.	이재형 국회의장
89. 2.	한승수 상공장관
89. 6.	이홍구 통일원장관
90. 6.	이홍구 대통령 특사

(접수)

82. 1.	W. Pahr 외무장관
84.10.	N. Steger 부수상겸 상공장관
85.10.	F. Vranizky 재무장관
88. 9.	Neisser 정무장관
89. 9.	Mock 외무장관

마 . 경제관계

ㅇ 통상 (90년 , 아국기준)

- 수출 : 211백만불 (섬유 , 가전제품 , 전자부품)

- 수입 : 142백만불 (기계류 , 금속광 , 전기기기 , 화학제품)

ㅇ 경제 . 기술협력

- 대한투자 : 2건 327천불 (기계제조)

- 대한상업차관 : 669.4백만불 (포항제철 등)

- 대한기술이전 : 15건 (정유화학 , 금속 , 전기전자 , 기계 , 건설)

- 대오투자 : 실적 없음 .

o 한.오 경제협력위원회

  - 78.10. 창설, 86.6. 제5차 합동회의 (오지리) 개최

  - 한국측 회장 : 조중건 (대한항공 사장)

    오지리측 회장 : O.M. Puehringer

                  (오지리 "웨스트 알피네" 기계 및 플랜트

                   제조회사 회장)

o 기타 : 90.6 KAL 비엔나 취항

바. 교민현황 (약 900명)

  o 교민 250명, 체류자 650명

2. 한·오지리 현안사항

o 한·오 수교100주년(1992) 기념사업

  - 주오지리대사, 오지리정부와 기념사업 계획 협의중

o 아국정부 고위인사 방오 초청

  - 노태우 대통령 : 89.8. 방오 초청의사 전달

  - 국무총리 : 89.6. Vranitzky 수상, 강영훈 전총리 앞 초청장 전달

  - 외무장관 : 89.9. Mock 외상 방한시 최호중 전 외무장관 방오 초청

o 제3차 한·오 경제공동위

  - 87.11. 제2차 공동위 개최 (서울)

  - 91년중 제3차 공동위(비엔나) 개최 추진

o 과학기술협력 협정

  - 84.9. 이정오 과기처장관 방오시 동 협정 체결 검토 합의

  - 오측의 소극적 태도로 진전사항 별무

- 3 -

0043

3. 한·오 양자관계 언급사항

　　○ 특이사항 없음.

4. 오지리·북한 관계

　가. 대북한 정책

　　○ 등거리 중립외교정책에 따라 북한과도 외교관계 유지하나, 실익은 불기대

　나. 외교일지

65.12.15	주오지리 통상대표부 개설
74.12.17	외교관계 수립
76.9.20	주오지리 상주대사관 설치
88.6.17	박시웅 대사 신임장 제정
88.11.30	주평양 오스트리아 상무관실 폐쇄

　다. 최근 주요인사 교류

　（방오）

82. 5	최고 인민회의 의장 황장엽
84.12	최고 인민회의 의장 황장엽
85. 5	외교부장 김영남
88. 6	외교부부장 김형율

　（방북）

84.11	Bauer 오지리 외무부 정무총국장
86. 8	사회당 소속 의원 일행
86. 9	Kreisky 전수상

- 4 -

0044

라. 통상관계 (88. 북한기준)

　　　○ 수출 : 12백만불 (광물, 화학제품, 철광등 가공제품, 기계)

　　　○ 수입 : 19백만불 (화학제품, 금속제품, 기계류)

마. 북한의 대오지리 채무액 : 150백만불 (90년말)

5. 오지리와 소련·중국과의 관계

가. 오지리·소련 관계

　　○ 오지리는 중립확보와 과거 냉전시대시 동·서 진영간의 긴장완화를 위해
　　　소련과의 우호관계를 중시해 왔음.
　　　- 수상 및 각료급의 빈번한 상호방문
　　　- 25개 각종 협정체결

　　○ 최근 동구의 개혁이 성공하기 위해서는 경제문제가 선결되어야 한다는
　　　인식하에 소련 및 동구제국과 협력을 강화하고 있음.

나. 오지리·중국 관계

　　○ 외교관계 수립이전인 66년 비엔나와 북경에 각각 무역사무소 설치

　　○ 71.5.27. 중국과의 외교관계 수립이래 계속 인사교류를 확대해 왔으며
　　　경제관계 점증

6. 기타 참고사항

가. 개 관

　　(1) 일 반

　　　○ 국　　명 : 오스트리아 공화국 (Republic of Austria)

　　　○ 수　　도 : Vienna (151만명)

- 5 -

0045

o 면   적 : 83,85 km² (한반도의 약 4/10)

o 인   구 : 758만명 (88)

o 민   족 : 독일계 (99%)

o 언   어 : 독일어 (99%)

o 종   교 : 구교(89%), 신교(6%)

(2) 정   치

o 국가형태 : 연방공화국

o 국가원수 : 쿠르트 발트하임 대통령 (H.E. Kurt Waldheim)

o 정부형태 : 대통령제와 내각책임제의 절충형

o 의   회 : 양원제

o 유엔가입 : 55.12.14

(3) 경   제

o GDP (89)   : 1,264 억불

o 1인당소득 (89) : 16,592불

o 대외무역(89)

  - 수출 : 319억불 (기계류, 철광, 섬유류)

  - 수입 : 389억불 (원유, 자동차, 섬유류)

o 실업률 (89) : 3.4%

o 물가상승률(89) : 2.5%

나. 국내정세 및 대외정책

(1) 국내정세

o 86.9월 3년간 존속해온 사회당(제1당), 자유당(제3당)간 연정 붕괴

o 86.11. 총선결과, 87.1. 사회당(제1당), 국민당(제2당)간 대연정

  (중도 또는 중도우파 성격) 구성

- 6 -

0046

- 자유 및 녹색당의 신장에 따른 위기의식으로 대연정 구성 성공
- 사회당은 최근 탈세 및 보험사기사건 관련 의혹으로 당내 주요인사 (국회의장, 국무장관, 사무총장등)들이 공직 사퇴하는등 내부적 진통
- 국민당 역시 지방선거에서의 실패 여파로 당수등 지도층 교체
- 사회·국민당간 연정은 경제정책등 위요하고 이견 있으나, 양당의 위상하락을 감안, 양당간 협조 강화하면서 연정 유지 노력

o 90.10.7. 총선결과
- 사회당 80석 확보, 제1당의 위치 고수
- 국민당 86년 선거시보다 16석이나 불만한 60석을 확보, 최대 참패 기록
- 자유당 86년보다 15석이나 늘어난 33석 확보, 최대 승리

	의석수 (득표율)	
	금번 총선	86.11. 총선
사 회 당	80석 (42.8%)	80석 (43.1%)
국 민 당	60석 (32.1%)	77석 (41%)
자 유 당	33석 (16.6%)	18석 (9.7%)
녹 색 당	10석 (4.8%)	8석 (4.8%)

o 총선결과 분석 및 평가
- 개인후보와는 관계없는 정당 비례대표제하에서 당수의 개인적 인기가 성패의 주요 관건
- 사회당, 지난 수개월동안 당간부들의 금융유용사건에도 불구, Vranitzky 수상의 개인적 인기 덕택에 제1당 위치 고수
- 국민당 Riegler 당수의 무색한 이미지, 농민, 중소기업인 및 청년층 지지 확보 못함으로써 참패

- 7 -

0047

- 자유당 Haider 당수의 청년층으로부터의 인기와 최근 유입 동구인들이
   유발시키는 사회문제(취업, 범죄)에 대한 강경입장 견지, 보수세력
   지지 확보

(2) 대외정책

    ㅇ 영세중립(1955년 미.영.불,쏘등 오지리 점령 4강국과 국가 조약
       체결로 주권회복과 동시에 헌법개정 통해 영세중립 선언)

    ㅇ 스위스와는 달리 UN 가입(적극적 중립외교정책)

- 8 -

0048

협조문용지

분류기호 문서번호	미납 2031- /58	(전화 : 720-2249)

시행일자	1991. 3. 19.

결 재	담당	과장	심의관

수　신	국제기구조약국장	발　신	미 주 국 장 （서명）

제　목	실무교섭단 파견

대 ：국연 2031-79 (3.14)

대호, 유엔가입 실무교섭단 파견 관련 자료를 별첨과 같이

송부합니다.

첨부 ： 자료 1부. 끝.

검토필(1991.6.30)

0049

기 안 용 지

분류기호 문서번호	국연 2031 -	(전화:)	시 행 상 특별취급	
보존기간	영구·준영구· 10. 5. 3. 1	차 관		장 관
수 신 처 보존기간				
시행일자	1991. 3. 19.			
보조 기관	국 장	협 조 기 관	제 1차관보	문서통제
	과 장		미주국장 :	
기안책임자	황준국			발 송 인
경 유		발 신 명 의		
수 신	건 의			
참 조				
제 목	외무장관 친서(안)			

91. 4월초 유엔가입관련 실무교섭단의 에쿠아돌

방문시 휴대할 장관님 친서안을 별첨과 같이 건의하오니

재가하여 주시기 바랍니다.

첨 부 : 동 친서(안). 끝.

검토필 (1991. 6. 20)

19 예. 고 : 대 91. 12. 31. 일반
의거 일반문서로 재분류됨

0050

(에쿠아돌 외무장관앞 친서)

Excellency,

I have the honour to present to Your Excellency Ambassador Woo Suk
Han, who is visiting your country as my personal representative to discuss
matters of mutual concern in general as well as to report directly to Your
Excellency regarding our efforts to join the United Nations.

Through Ambassador Han, I wish to extend my warmest personal greetings
to Your Excellency and also to pay a high tribute for your outstanding
leadership under which the Republic of Ecuador has taken a constructive
role in the international arena.

I am pleased to note that the relations between our two countries have
been continuously strengthened as both have become more complementary to
each other in various fields. Among other things, it has been very
encouraging to us that Ecuador is firmly behind our endeavor to become a
member of the United Nations. I would like to express my deep thanks to
your Government for the declared position in support of Korea's UN membership
as clearly stated in your key-note speech at the UN General Assembly in 1990.

In this connection, I would like to inform you that my Government has
decided to seek UN membership before or during the 46th session of the
General Assembly this year.   With your country's regional influence in mind,
I believe that your unreserved support would be invaluable to the realization
of our entry into the United Nations. It would be all the more appropriate
because Ecuador is currently a member of the Security Council. I asked

0051

Ambassador Han to brief Your Excellency fully in this regard. I would be most grateful if Your Excellency can accord him necessary attention and support. A detailed memorandum explaining our position is enclosed.

I am confident that Ambassador Han's visit to your country will also contribute to further promoting the close cooperation between our two countries which, I think, will become more and more important with the emergence of new world order.

With my best wishes for your continued good health and the everlasting prosperity of the Republic of Ecuador, I avail myself of this opportunity to renew to Your Excellency the assurances of my highest consideration.

Yours Sincerely,

LEE Sang-Ock

Enclosure : Memorandum of the Government of the Republic of Korea
Concerning its Membership in the United Nations

H.E. Mr. Diege Cordovez Feger
Minister of Foreign Relations
Republic of Ecuador

관리 91
번호 －839

원 본

외 무 부

종 별 : 초긴급

번 호 : ZRW-0143

일 시 : 91 0319 1030

수 신 : 장관(국연,아프이)

발 신 : 주 자이르 대사

제 목 : 실무교섭단

　　대:WZR-0066

　　연:ZRW-0135, 0138

　　1. 대호 외무성과 재교섭한바, 4.9(화)이나 또는 4.10(수)중에 면담 주선이가능하도록 일정을 조정하겠다고함

　　2. 연호 보고한바, 주재국 총리가 경질되어 조각을 구상중에있는바, 현직 외상이 경질될지, 유임될지 아직 불확실한바, 친서 작성에 참고바람

　　3. 신내각 구성 즉시 추보하겠음. 연호 문의사항 지급 회시바람

　　끝.

　　(대사 홍승호-국장)

예고:91.12.31 일반

검토일(1991.6.30)

국기국　　차관　　1차보　　2차보　　중아국

관리 91
번호 -845

분류번호 | 보존기간

발 신 전 보

WZR-0070   910320 0940 BX 종별 : 지급 지급

번 호 :

수 신 : 주   수신처 참조 대사. ❀❀❀❀❀ (사본 : 주유엔대사)   WIV -0069   WCM -0057
                                                              WSL -0097   WAV -0250
발 신 : 장 관   (국연)   WND -0250   WUN -575

제 목 : 실무교섭단 파견

    연 : 수신처 참조

    1. 연호 실무교섭단 파견은 4월말 대통령특사 파견으로 변경,
시행키로 하고 상세사항을 상부와 협의중에 있으니 더이상 추진하지
말기바람.

    2. 주재국 사정상 필요시, 실무교섭단 대신 4월이후 대통령특사
파견을 검토중임을 우선 적의 설명하기 바람.

    3. 상세사항은 금주말경 결정되는대로 즉시 통보예정임. 끝.

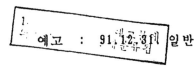

검토필(1991.6.30)

    예고 : 91.12.31 일반

                                            (장   관)

수신처 : 주자이르(WZR-0066), 코트디브와르(WIV-0062),
         카메룬(WCM-0049), 세네갈(WSL-0088), 오지리(WAV-0232),
         인도(WND-0227)대사

         아주국장 :
         구주국장 :
         중동아국장 :

보안통제

앙고재	91년 3월 19일 유엔과	기안자 성명	과 장	국 장	차 관	장 관	외신과통제

0054

관리	91
번호	-844

분류번호	보존기간

발 신 전 보

번   호 : WFR-0541   910320 0942 BX   종별 : 지급

수   신 : 주   불란서   대사 .~~총총쌍쌍자~~

발   신 : 장   관   (국연)

제   목 : 실무교섭단 파견

연 : WFR-0500

(인도,오지라)

1. 연호 실무교섭단 파견은 4월말 대통령특사 파견으로 변경,
시행키로 하고 상세사항은 상부와 협의중에 있음.

다만,

2. 귀지에 대한 유엔가입문제 관련 특사파견은 귀주재국이
핵심우방국으로서 우리와 긴밀한 협조관계에 있음에 비추어 필요치
않을것으로 판단됨.

3. 귀주재국에 대하여는 본부사정상 금번 제1차관보 방문계획이
취소되었음을 적의 설명바람.   끝.

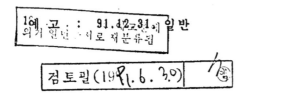

16예고 : 91.12.31에 일반
의거 원 ~~~로 재분류됨

검토필(1991.6.30)

(장   관)

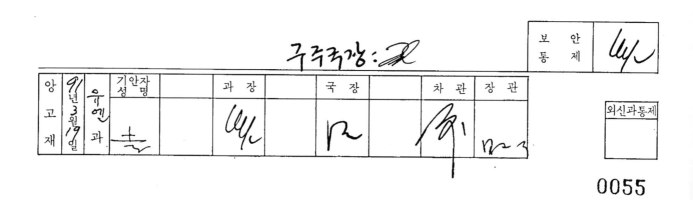

구주국장 :

보 안 통 제	

		기안자성명		과 장	국 장		차 관	장 관
앙고재	91년3월19일 유엔과							

외신과통제

2 1.1HWANG/FUISEONGMF
SELKEGF 7MAR RAEQJL

1 KE 627	F	FR	5APR	SELJFK	HK1	1000	1110
2 AA 683	B	SA	6APR	JFKMIA	SS1	1215	1534
3 AA 931	F	SA	6APR	MIAUIO	SS1	1745	2154
4 EU 42	Y	TU	9APR	UIOMEX	NN1	1200	1715
5 PA 468	Y	SA	13APR	MEXMIA	HK1	1630	2125
6 PA 453	Y	SA	13APR	MIAEZE	HK1	2315	0840
7 AR 222	Y	WE	17APR	EZEGRU	HK1	1045	1305
8 TR 510	S	WE	17APR	GRUBSB	HK1	1530	1655
9 TR 565	S	SA	20APR	BSBGRU	HK1	1115	1245
10 RG 846	Y	SA	20APR	GRUJFK	HK1	2310	0730
11 KE 25	Y	MO	22APR	JFKSEL	HK1	1430	2030

FONE-SEL-B KAL 5801/2 GTR KIM/HYUNGSUN CHA JANG
3FOSIKE GTR MOFA*
E   OK RAEQJL

1 1.1HAN/WOOSUKMF
SELKEGF 7MAR RIAVGY

1 KE 26	F	FR	5APR	SELJFK	HK1		1000	1110
2 GA 683	F	SA	6APR	JFKMIA	HK1		1215	1534
3 AA 931	F	SA	6APR	MIAUIO	HK1		1745	2154
4 EU 42	F	TU	9APR	UIOMEX	HK1		1200	1715
5 PA 468	F	SA	13APR	MEXMIA	HK1	X	1630	2125
6 PA 453	F	SA	13APR	MIAEZE	HK1		2315	0840
7 AR 222	Y	WE	17APR	EZEGRU	HK1	X	1045	1305
8 TR 510	S	WE	17APR	GRUBSB	HK1		1530	1655
9 TR 565	S	SA	20APR	BSBGRU	HK1		1115	1245
10 RG 846	P	SA	20APR	GRUJFK	HK1		2310	0730
11 KE 25	F	MO	22APR	JFKSEL	HK1		1430	2030

FONE-SEL-B KAL 5801/2 GTR KIM/HYUNGSUN CHA JANG
AF FAX-OSIKE VIP X GI MU BU X BON BU DAE SA

에콰도르 기또 도착
AA93편 4.6(토) 21:54시

기또출발 멕시코향발
EU042편 4.9(화) 12:00시

관리	기
번호	-872

	분류번호	보존기간

발 신 전 보

WEQ-0050   910320 1912 FD

번 호 :   종별 :

수 신 : 주   에쿠아돌   대사. 총영사″

발 신 : 장 관   (국연)

        실무교섭단

제 목 :

연 : WEQ-0044

대 : EQW-0084

1. 연호 실무교섭단 항공일정 하기 통보하니 적절한 호텔에 Junior Suite 1실, Single 1실 예약바람.

    4.6(토) 21:54   끼또 도착 (AA-931)

    4.9(화) 12:00   끼또출발, 멕시코 향발 (EU-042)

2. 남미과 황의승서기관이 수행 예정임.

의거일군... 9예12.3예. 일반

(국제기구조약국장 문동석)

검토필(1991. 6. 30.)

	보 안 통 제	My.

앙고재	91년3월	유엔과	기안자 성명		과 장		국 장		차 관	장 관		외신과통제
일							전제					

0057

관리
번호 91 - 931

분류기호 문서번호	경이 20615- /__	협조문용지 ( )	결 재	담당	과장	국장
시행일자	1991. 3. 20 .					
수 신	국제기구조약국장. 미주국장	발 신		국제경제국장		(서명)
제 목	대 에쿠아돌 무상원조					

대 : 국연 2031-85(91.3.18)

미납 20310-195(91.3.19)

금년도 에쿠아돌에 배정된 예산은 17만불로써, 금번 귀국 및

주 에쿠아돌 대사의 건의를 감안하고, 대페루 지원액과의 형평을 고려,

91년도 대에쿠아돌 배정액을 유보액에서 특별히 6만불 증액, 총 23만불로

증액 배정되도록 별첨과 같이 재가를 득하였으니 참고하시기 바랍니다.

첨 부 : 상기 재가문 사본 1부. 끝.

19 . 에 예고문에
의해 원문 91록 1 . 일반

검토필(1991. 6. 30)

0058

1505 - 8 일 (1)
85. 9. 9 승인   "내가아낀 종이 한장 늘어나는 나라살림"
190㎜×268㎜ (인쇄용지 2 급 60g / ㎡)
가 40-41 1990. 1. 24

분류기호 문서번호	경이20624-	기 안 용 지 (전화 :)		시 행 상 특별취급	
보존기간	영구·준영구. 10. 5. 3. 1.	차 관		장 관	
수신처 보존기간					
시행일자	1991. 3. 20.				
보조 기관	국장		협조 기관	제2차관보 기획관리실장 미주국장 국제기구조약국장 총무과장	문 서 통 제
	과장				
기안책임자	최석영				발 송 인
경유 수신 참조	전 의		발신명의		
제 목	대에쿠아돌 무상원조 증액				

　　1. 당부는 대중남미 건설진출 기지 확보 및 유엔등 국제무대

에서 아국 지지확보를 위하여 91년도 대에쿠아돌 무상원조액을 17만불 배정

(90년도분 13만5천불)한 바 있읍니다.

　　2. 주에쿠아돌 대사는 유엔가입 고섭을 위한 실무고섭단

(단장 : 한우석 본부대사) 파견계획과 관련, Cordovez 에쿠아돌 외상이

아국으로부터 콤퓨터 50대를 기증받기를 희망해오며, 이를 위해 기배정된

0059 계속....

1505-25(2-1) 일(1)갑
85. 9. 9. 승인　　"내가아낀 종이 한장 늘어나는 나라살림"
190㎜×268㎜ 인쇄용지 2급　60g/㎡
가 40-41 1990. 3. 30

대에쿠아돌 무상원조액을 30만불로 증액해줄 것을 요청해 왔습니다.

3. 이와관련, 에쿠아돌은 현 유엔안보리 비상임이사국으로서 아국의 유엔가입 노력을 측면 지원해 오고 있음을 감안, 동국에 대한 금년도 무상원조액을 증액하되, 페루등 여타 인근국과의 형평을 고려, 91년도 무상원조액 유보액에서 6만불을 추가배정, 총 23만불을 지원코자 하오니 재가하여 주시기 바랍니다. 끝.

첨부 : 1. 주에쿠아돌 대사 건의 전문 사본 1부.

2. 미주국 및 국제기구조약국 협조문 각 1부. 끝.

예고 : 1991.12.31. 일반
예고문에 의거일반문류힘

0060

1505-25(2-2) 일(1)을
85. 9. 9.승인   "내가아낀 종이 한장 늘어나는 나라살림'   190㎜×268㎜ 인쇄용지 2급 60g/㎡
가 40-41 1990. 12. 19

신속대처요망

예시

외 무 부

관리
번호 91
      -894

종 별 : 긴 급

번 호 : ZRW-0149   일 시 : 91 0321 1400

수 신 : 장관(아프이,국연)

발 신 : 주 자이르 대사

제 목 : 실무교섭단

    대:WZR-0070

    연:ZRW-0132

    대호 대통령특사 파견으로 변경 실시하는경우, 연호로 보고한바, 주재국측에 실질협력과관련, 큰기대감에 부풀게할것인바, 이에대한 세심한 대응방안을 준비하실것을 건의함

      끝

      (대사 홍승호-국장)

의거 일반
예고;91.12.31에 문서분류됨

검토필(1991.6.30)

중아국   국기국

원 본

외 무 부

종 별 :

번 호 : EQW-0093

일 시 : 91 0322 1120

수 신 : 장관(국연,미남)

발 신 : 주 에쿠아돌 대사

제 목 : 실무 교섭단 파견

대:WEQ-0044,0053

연:EQW-0084

대호 한대사 일행은 4. 8(월) 11:00 외무성 VEINTIMILLA 국제기구국장등과 실무 교섭을 갖기로 합의 하였으며, CORDOVEZ 외상주최 오찬은 동일 13:15 에 있을 예정임. 끝.

(대사 정해융 국장)
의견 : 1991.12.31 일반

검토필(1991.6.30)

국기국   미주국

즉시파견 (아프)

여주아랍 친아국가관.

유엔가입문제

1. 작년도 제 45차 총회 기조연설시 아국입장 지지에 대한 사의표명

2. 우리의 유엔가입 문제관련 기본입장

   º 우리는 조속한 시일내에 유엔에 가입하여 국제사회에서 우리의 정당한
     역할과 책임을 다하고자 함. 한국의 경제력 및 국제적 위상에 비추어
     한국이 하루빨리 유엔에 가입하여 국제사회의 일원으로서 합당한 역할과
     책임을 다해야 한다는 것이 국제사회의 일반적 인식이라고 믿고있음.

   º 우리는 남북한이 통일시까지 잠정조치로서 국제사회의 축복속에서 다함께
     유엔에 가입하여, 국제사회의 책임있는 일원으로 정당한 역할을 수행함은
     물론, 남북한이 유엔의 목적과 정신을 존중하는 가운데 교류와 협력을
     증진시키고 신뢰를 쌓아 이를 토대로 남북한간에 평화와 협력관계를
     확립하고 궁극적인 평화통일 달성에 기여해 나가야 한다는 입장임.

   º 이러한 견지에서 우리는 유엔가입문제가 유엔과 가입희망 당사국간의
     문제임에도 불구, 북한측에 대하여 작년 9월이래 남북고위급회담 및
     실무대표 접촉등 일련의 남북대화를 통하여 우리와 함께 유엔에 가입할
     것을 적극 설득하여 왔으나, 북한측은 유감스럽게도 계속 비현실적인
     "단일의석 가입안"을 고집하면서 비타협적인 자세를 보이고 있을 뿐
     아니라, 최근에는 정치문제 관련 유일한 협의창구인 남북고위급회담을
     일방적으로 중단시킨 바 있음.

   º 따라서 우리로서는 금년중 북한에 대해 우리와 함께 유엔에 가입할 것을
     다시한번 설득해 보고자 하나, 만일 북한이 계속 비타협적 태도를 고수할
     경우, 북한의 가입을 환영한다는 전제하에 우리만의 년내 유엔가입을 추진할
     것이며 늦어도 8월까지는 가입신청서를 제출할 예정임.

0063

3. 협조 요망사항

　가. 아국입장 지지

　　ㅇ 안보리 이사국으로서 우리의 가입신청시 지지표명은 물론 안보리내
　　　아국 가입문제 토의시 능동적이고도 적극적인 지원요청

　　　- 안보리내 우리의 가입지지 분위기 확산될 수 있도록 주유엔
　　　　에쿠아돌 대표부의 적극적 역할 기대

　　ㅇ 중남미지역 국가와의 각종협의 계기 활용, 아국입장에 대한 중남미
　　　지역내 지지분위기가 확산될 수 있도록 협조 요망

　나. 대중국 설득

　　＊ 중국인사 접촉등 각종계기를 활용

　　ㅇ 아국입장에 대한 국제사회내 지지분위기 전달

　　ㅇ 냉전의 마지막 유산 해결에 중국의 건설적 기여가 요망됨을 강조

　　ㅇ 남.북한의 유엔가입이 중국의 이해에도 일치함을 지적

　　ㅇ 북한이 끝내 유엔가입을 거부할 경우, 한국의 선유엔가입은 유엔의
　　　보편성원칙에 따라 실현되어야 할 것임.

0064

참고자료

관련국 태도 평가

1. 중 국

o 90년중 우리가 가입신청치 않은 것을 평가하고, 남북한간 협의에
  의한 해결 희망

o 북측의 단일의석 가입안은 실현불가능한 것이라고 평가

o 특히, 지난 2.21-3.10간 전기침 중국외상의 구주지역 7개국 순방시
  남북한의 유엔가입문제에 관한 언급내용을 보면,

   - 북한의 단일의석 가입안이 비현실적이라고 분명히 밝히고,

   - 남북한간 합의가 불가능시 금년중 동 문제처리의 재연기가
     곤란할 것으로 시사하면서,

   - 동시가입이 바람직하고, 북한측에 대해 남북한 계속 협의토록
     종용하겠다고 한점등은

  이 문제에 대한 중국의 인식이 일응 보다 현실적인 방향으로 진전
  되고 있음을 보여주고 있음.

   * 중국의 태도변화를 위하여는 국제적인 지지분위기가 매우 중요하며,
     따라서 우리 우방들의 확고한 지지입장 표명이 요망됨.

o 중국은 최종순간까지 우리의 가입문제에 대해 확실한 태도를 표명치
  않을 것으로 봄.

2. 소 련

o 우리의 가입입장에 대한 이해표명, 단, 남북한의 협의에 의한 해결
  방안 도출을 희망

o 우리의 선가입 신청시에도 최소한 이에 반대(거부권행사)는 하지 않을
  것으로 예상

0065

3. 북   한

   ○ 남북한의 유엔가입문제가 민족내부 문제이며 남북한 유엔가입이 분단
     고착화라는 주장을 계속하면서 단일의석가입안을 고집

   ○ 우리가 유엔가입을 강행할 경우 남북대화는 파탄되고, 한반도에
     긴장이 격화되며, 민족은 전쟁위협에 직면한다는등 위협적 언동 불사
     (91.2.20.자 북한 외교부 비망록)

   ○ 대외적으로는 "남북협의에 의한 타협 가능성 시사 "등 유연입장을
     표시하고 있으나 이는 서방국 동향 파악 및 혼선 야기가 주목적
     * 최근 2.20.자 북한 외교부 비망록 및 언론보도 논조를 보면, 북한의
       태도가 더욱 경화되고 있으며 따라서 현재로서는 북한의 태도변화
       가능성이 전혀 없다고 봄.

4. 주요 우방국

   가. 미   국
      ○ 금년중 우리의 가입 방침 및 추진계획 전폭 지지

      ○ 가입 신청시한을 확정, 우리의 년내 가입실현 의지를 중국 및
        북한에 대해 명백히 하기를 희망

   나. 기타 핵심우방국
      ○ 영, 불, 카나다, 일본, 벨지움등 우방국들은 우리의 년내가입
        추진이 시기적으로 적절한 것으로 평가

      ○ 적극적 지원입장 재확인

0066

박사검토 하우성대사자료.

브 라 질

1. 우리의 기본입장 설명
   - 에쿠아돌 관련자료 참조

2. 협조 요망사항

   가. 아국입장 지지
      ○ 중남미 대국으로서 브라질 지지입장 표명의 중요성 강조
      * 브라질, 남북한관련 불언급 입장 고수

0067

┌─────────┐
│ 멕 시 코 │
└─────────┘

1. 작년도 제 45차 총회 기조연설시 아국입장 지지에 사의 표명

   - 멕시코는 그동안의 한반도관계 불언급 입장을 전환, 지난 45차 총회시
     최초로 아국가입 입장에 대해 간접적인 지지 표명

2. 우리의 기본입장 설명

   - 에쿠아돌 관련자료 참조

3. 협조 요망사항

   가. 아국입장 지지

      o 중남미 대국으로서 멕시코의 명확한 아국지지 입장 표명 요청

      o 중남미지역 국가와의 각종 협의 계기 활용, 아국입장에 대한 중남미
        지역내 지지분위기가 확산될 수 있도록 협조 요망

   나. 대중국 설득

      * 중국인사 접촉등 각종계기 활용, 주재국의 입장으로 하기사항
        설득 요망

      o 아국입장에 대한 국제사회내 지지분위기 전달

      o 남북한의 유엔가입이 중국의 이해에도 일치함을 지적

      o 북한이 끝내 남북한 유엔동시가입을 거부할 경우, 한국의 선가입이
        유엔의 보편성원칙에 따라 실현되어야 함을 강조

0068

알 젠 틴

1. 작년도 제 45차 총회 기조연설시 아국입장 지지에 사의 표명

2. 우리의 기본입장 설명
   - 에쿠아돌 관련자료 참조

3. 협조 요망사항
   가. 아국입장 지지
      ○ 중남미 대국으로서 지속적인 지지 중요성 강조
      ○ 중남미지역내 아국입장 지지분위가 확산 협조 요청

   나. 대중국 설득
      * 중국인사 접촉등 각종 계기 활용, 주재국의 입장으로 하기사항
        설득 요망
      ○ 아국입장에 대한 국제사회내 지지분위기 전달
      ○ 남북한의 유연가입이 중국의 이해에도 일치함을 지적
      ○ 북한이 끝내 남북한 유연동시가입을 거부할 경우, 한국의 선가입이
        유연의 보편성원칙에 따라 실현되어야 함을 강조

0069

실무영사자료

실무교섭단 훈령자료

(에쿠아돌)

1991. 4.

외 무 부

0070

목   차

I. 기본훈령

II. 언급자료

III. 참고자료

Ⅰ. 기본훈령

1. 에쿠아돌 외상에 대한 외무장관의 안부와 친서전달

   * 외무장관 친서 별도 지참

2. 국제정세 및 동북아정세 언급 (필요시)

3. 남북한관계 현황 설명 (필요시)

4. 유엔등 국제무대에서의 아국입장 지지 요청

   - 아국의 유엔가입 지지요청

5. 에쿠아돌과 우호협력관계 심화를 위한 방안 협의

   가. 양국간 현안사항
   나. 쌍무협력방안 협의

0072

II. 언급자료

인 사 말

1. 외무장관 인사 전달

   o 이상옥 외무장관의 각별한 안부인사 전달 및 친서전달

2. 양자관계 증진에 만족표명

   o 한.에쿠아돌 양국 관계가 다방면에 걸쳐 발전되어 오고 있음에 만족
   표명

   o 지난 90.4.30-5.2 간 Cordovez 외무장관의 방한은 이러한 양국간 실질
   관계 증진의 전기가 되었으며, 앞으로도 계속 증진되기를 기대

유엔가입문제

1. 작년도 제 45차 총회 기조연설시 아국입장 지지에 대한 사의표명

2. 우리의 유엔가입 문제관련 기본입장

   o 우리는 조속한 시일내에 유엔에 가입하여 국제사회에서 우리의 정당한
   역할과 책임을 다하고자 함. 한국의 경제력 및 국제적 위상에 비추어
   한국이 하루빨리 유엔에 가입하여 국제사회의 일원으로서 합당한 역할과
   책임을 다해야 한다는 것이 국제사회의 일반적 인식이라고 믿고있음.

   o 우리는 남북한이 통일시까지 잠정조치로서 국제사회의 축복속에서 다함께
   유엔에 가입하여, 국제사회의 책임있는 일원으로 정당한 역할을 수행함은
   물론, 남북한이 유엔의 목적과 정신을 존중하는 가운데 교류와 협력을
   증진시키고 신뢰를 쌓아 이를 토대로 남북한간에 평화와 협력관계를
   확립하고 궁극적인 평화통일 달성에 기여해 나가야 한다는 입장임.

0073

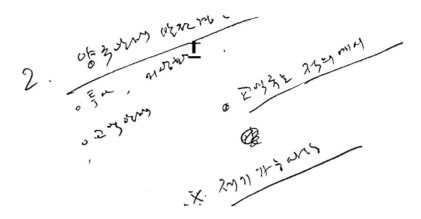

양자 관계

1. 양국간 교역관계

   o 양국간 교역 규모가 양국의 국력에 비해 크지 않은 편이나, 상호
     보완적인 분야를 발굴 호혜적인 교역 증진이 촉진되기를 기대

   o 91.1 이후 아국의 에쿠아돌산 바나나 수입이 자유화되었는 바, 이는
     이러한 보완적 교역 품목 발굴의 일례가 될 것임.

                                                    (단위 : 천불)

구 분	'90	'91	품 목
수 출	12,938	15,802	전기기기, 섬유, 고무제품
수 입	58,274	25,414	광물연료, 코코아
수 지	-45,336	- 9,612	

   * 91.1.1. 아국의 바나나 수입 자유화로 수입액 격증 예상

2. 양국간 경제협력 관계

   가. 무상원조

      o 아국은 남남협력 차원에서 그간 에쿠아돌에 컴퓨터 기기, 경운기
        등 무상원조를 제공해 왔으며, 91년에는 전년도 보다 증가된
        17만불을 제공할 예정임.

      - 무상원조 내역

                                                    (단위 : $)

	연 도	지원액	내 역
	86	49,969	경운기 10대, 소독기 10대, 발전기 13대
	87	30,000	지진피해 구호금
	88	102,266	경운기 30대
	89	144,535	순찰차 16대
	90	135,000	외무성 기자재, 콤퓨터
*	91	170,000	품목 미 확정

0074

나. **기술협력**

o 아국은 경제발전에 관한 경험과 지식을 에쿠아돌과 공유할 수
있기를 기대하며, 이러한 맥락에서 대에쿠아돌 기술이전 사업을
실시하고 있음.

- 연수생 초청 : 91년 2명

(수출진흥시찰 1, 고위정책 입안자 연수 1)

실적 : 대외기술공여 21(90년 1명)

건설기술자 4, KDI 연찬회 6

- 전문가 파견 실적 : 4명

o 기술협력 사업은 앞으로도 계속될 것이며, 에쿠아돌측이 관심분야를
선정 희망해오면 92년도 계획 수립시 반영할 수 있도록 하겠음.

3. 에쿠아돌 거주 아국 교민들에 대한 배려에 사의 표명

o 에쿠아돌내에 거주하고 있는 약 1,300여명의 아국 교민이 에쿠아돌
정부의 보호와 배려하에 안정된 생활을 영위하고 있는데 대해
대한민국 정부와 국민을 대신하여 사의를 표함.

o 앞으로도 보호와 배려를 계속해 주기를 기대함.
* 교민수(90.12.30 현재)
- 교 민 : 총 31세대 1,279명

(Quito 208세대 894명, Guayaquil 103세대 385명)

- 체류자 : 27명 (Quito 18명, Guayaquil 9명)

* 교민들은 대부분 수도 Quito 와 항구도시 Guayaquil 에 거주하며
주로 식당경영, 의류 소매업등 소비산업에 종사하여 아국 교민에
대한 이미지가 좋지 않은 편임.

0075

4. 기타 에쿠아돌 제기 가능 사항

가. 에쿠아돌의 태평양 경제협력회의(PECC) 가입에 대한 아국의 협력
   요청 가능성

   1) 에쿠아돌측 제기 예상 내용

   에쿠아돌은 멕시코, 페루, 칠레등과 함께 태평양 경제협력회의
   (PECC) 가입을 추진하고 있는 바, 아국의 UN 가입 지지에 상응한
   지원을 요청해 올 가능성이 있음.

   2) 아국 입장

   에쿠아돌의 PECC 가입에 아국으로서는 원칙적으로 환영하나
   신규 태평양 연안 제국의 가입이 회원국간 Consensus 에 의해
   결정됨을 설명하고 가입을 위한 지원 노력을 경주할 것임을 설명

나. 에쿠아돌산 원유 및 바나나 도입 계속 또는 증량 요청

   1) 에쿠아돌측 제기 예상 내용

   에쿠아돌은 산유국이며, 세계최대 바나나 수출국으로 아국에
   대해 에쿠아돌산 원유도입 및 바나나수입 확대 요청 가능

   2) 아측 입장

   ㅇ 원유의 경우 아국의 1일 원유 소비량은 70만 배럴 전후로
   추가 원유 도입 가능성이 있으며, 에쿠아돌산 원유 도입은
   구체적인 가격 조건등 시장 경쟁력에 따라 결정될 것임.

   ㅇ 바나나의 경우 90년까지 아국은 대만과의 정부간 협상을 통해
   아국산 사과와 배를 대만산 바나나와 구상무역을 했으나 90년
   4월의 한.에쿠아돌 외상회담에 따른 한.에쿠아돌간 경제협력
   강화를 지원하는 차원에서 91.1.1 이후 바나나 수입을 완전
   자유화하여 현재 정부차원의 수입 제한이나 규제는 존재하지
   않으며 전적으로 수출입상간 계약 조건에 좌우될 것임.

0076

다. 대외 경제협력기금(EDCF) 지원

1) 현   황
   о 에쿠아돌은 Azuay 판유리 공장 건설(약 750만불 규모)에
     아국 경협자금 지원을 요청하고 90.3. 동 사업 계획서 제출
   о 관계부처 회의에서 타당성 미흡 결론, 현재 추진 보류
     상태임.

2) 에쿠아돌측 제기 예상 내용
   о 동건 또는 대체 사업에의 EDCF 지원 요청 가능

3) 아측 입장
   о EDCF 지원은 외무부뿐만 아니라 재무부, 수출입은행 등 정부
     관계 부처 회의에서 개별사업의 타당성을 검토, 선별적으로
     실시하고 있는바, 적절한 대체 사업에 대한 지원을 요청해
     올 경우 호의적으로 검토할 것임.

라. 혼성위 개최 제의

1) 에쿠아돌측 제기 예상 내용
   о 90.5. 한.에쿠아돌 외무장관 회담시 Cordovez 장관은 83년도에
     체결된 한.에쿠아돌간 기술협력 협정에 따라 정부·민간의
     공동위 개최를 90년도 하반기에 Quito 에서 개최할 것을 제의,
     아측 검토 약속

2) 아측 입장
   о 아측은 칠레, 파라과이등 남미 제국과의 공동위를 연계하여
     금년 하반기중 개최할 것을 검토하고 있으며, 구체적인
     사항은 외교경로를 통해 협의토록 함.

0077

o 이러한 견지에서 우리는 유연가입문제가 유연과 가입희망 당사국간의
  문제임에도 불구, 북한측에 대하여 작년 9월이래 남북고위급회담 및
  실무대표 접촉등 일련의 남북대화를 통하여 우리와 함께 유연에 가입할
  것을 적극 설득하여 왔으나, 북한측은 유감스럽게도 계속 비현실적인
  "단일의석 가입안 "을 고집하면서 비타협적인 자세를 보이고 있을 뿐
  아니라, 최근에는 정치문제 관련 유일한 협의창구인 남북고위급회담을
  일방적으로 중단시킨 바 있음.

o 따라서 우리로서는 금년중 북한에 대해 우리와 함께 유연에 가입할 것을
  다시한번 설득해 보고자 하나, 만일 북한이 계속 비타협적 태도를 고수할
  경우, 북한의 가입을 환영한다는 전제하에 우리만의 넌내 유연가입을 추진할
  것이며 늦어도 8월까지는 가입을 위한 구체적 조치를 취할 예정임.

3. 협조 요망사항

가. 아국입장 지지
   o 안보리 이사국으로서 우리의 가입신청시 지지표명은 물론 안보리내
     아국 가입문제 토의시 능동적이고도 적극적인 지원요청
     - 안보리내 우리의 가입지지 분위기 확산될 수 있도록 주유연
       에쿠아돌 대표부의 적극적 역할 기대
   o 중남미지역 국가와의 각종협의 계기 활용, 아국입장에 대한 중남미
     지역내 지지분위기가 확산될 수 있도록 협조 요망

나. 대중국 설득
   * 중국인사 접촉등 각종계기를 활용
   o 아국입장에 대한 국제사회내 지지분위기 전달
   o 냉전의 마지막 유산 해결에 중국의 건설적 기여가 요망됨을 강조
   o 남.북한의 유연가입이 중국의 이해에도 일치함을 지적
   o 북한이 끝내 유연가입을 거부할 경우, 한국의 선유연가입은 유연의
     보편성원칙에 따라 실현되어야 한다는 입장 표명

0078

관련국 태도 평가

1. 중 국

o 90년중 우리가 가입신청치 않은 것을 평가하고, 남북한간 협의에
  의한 해결 희망

o 북측의 단일의석 가입안은 실현불가능한 것이라고 평가

o 특히, 지난 2.21-3.10간 전기침 중국외상의 구주지역 7개국 순방시
  남북한의 유엔가입문제에 관한 언급내용을 보면,

  - 북한의 단일의석 가입안이 비현실적이라고 분명히 밝히고,

  - 남북한간 합의가 불가능시 금년중 동 문제처리의 재연기가
    곤란할 것으로 시사하면서,

  - 동시가입이 바람직하고, 북한측에 대해 남북한 계속 협의토록
    종용하겠다고 한점등은

  이 문제에 대한 중국의 인식이 일응 현실적인 방향으로 진전되고 있음을
  보여주고 있음.

  * 중국의 태도변화를 위하여는 국제적인 지지분위기가 매우 중요하며,
    따라서 우리 우방들의 확고한 지지입장 표명이 요망됨.

o 그러나 중국은 최종순간까지 우리의 가입문제에 대해 확실한 태도를 표명치
  않을 것으로 봄.

2. 소 련

o 우리의 가입입장에 대한 이해표명, 단, 남북한의 협의에 의한 해결
  방안 도출을 희망

o 우리의 선가입 신청시에도 최소한 이에 반대(거부권행사)는 하지 않을
  것으로 예상

0079

3. 북   한

  o 남북한의 유연가입문제가 민족내부 문제이며 남북한 유연가입이 분단
    고착화라는 주장을 계속하면서 단일의석가입안을 고집

  o 우리가 유연가입을 강행할 경우 남북대화는 파탄되고, 한반도에
    긴장이 격화되며, 민족은 전쟁위험에 직면한다는등 위협적 언동 불사
    (91.2.20.자 북한 외고부 비망록)

  o 대외적으로는 "남북협의에 의한 타협 가능성 시사"등 유연입장을
    표시하고 있으나 이는 서방국 동향 파악 및 혼선 야기가 주목적
    * 지난 2.20.자 북한 외고부 비망록 및 언론보도 논조를 보면, 북한의
      태도가 더욱 경화되고 있으며, 현재로서는 북한의 태도변화 가능성은
      거의 희박

  o 단, 최근 고려연방통일방안을 일부 수정, 유연동시가입에 호응해 올지도
    모른다는 미확인 첩보는 있음.

4. 주요 우방국

  가. 미   국
    o 금년중 우리의 가입 방침 및 추진계획 전폭 지지
    o 가입 신청시한을 확정, 우리의 넌내 가입실현 의지를 중국 및
      북한에 대해 명백히 하기를 희망

  나. 기타 핵심우방국
    o 영, 불, 카나다, 일본, 별지움등 우방국들은 우리의 넌내가입
      추진이 시기적으로 적절한 것으로 평가
    o 적극적 지원입장 재확인

0080

Ⅲ. 참고자료

1. 국제정세 및 동북아정세

가. 국제정세 일반

o 오늘날 세계는 전후 최대의 변혁기를 맞고 있으며, 향후 수년간의 움직임을 21세기의 세계질서 구축에 큰 영향을 줄 것임.

o 2차대전후 40여년간 지속되어온 동서냉전체제의 대결 구조는 화해와 협력이라는 새로운 질서로 변모해 가고 있으며, 고르바쵸프 대통령의 신사고에서 비롯된 소련 및 동구권에서의 개혁.개방 추세는 비록 내부적인 진통과정을 겪고는 있으나 거역할 수 없는 역사적인 흐름이 되고 있음.

o 최근 전세계를 긴장시켰던 걸프사태의 해결과정에서 나타난 바와 같이 세계문제 및 지역문제에 있어 미.소가 기본적 인식을 공유하고 있다는 것은 향후 세계질서 재편에 있어, 나아가 전세계의 평화와 안정 증진에 크게 기여할 것으로 봄.

o 그밖에 작년 독일의 통일과 1992년을 목표로하고 있는 EC 통합은 21세기의 구주질서 뿐만 아니라 세계질서의 재편에 지대한 영향을 미칠 것이며, 아.태지역의 경제적 다이내미즘도 금후 세계질서 구축에 중요한 요소로서 작용할 것임.

o 물론 아직도 개도국 개발문제를 비롯 환경.인권문제등 인류의 평화와 복지증진에 필수불가결한 문제가 산적되어 있으나, 최근의 국제정세 변화추이는 궁극적으로 인류평화와 복지증진이라는 궁극적 그리고 보편적 가치실현에 긍정적 영향을 미치게 될 것으로 평가함.

0081

나 . 동북아정세

o 그러나 불행하게도 이러한 변화의 물결은 아직 아.태지역에는 충분히
　　미치지 못하고 있음.

　　- 북한은 세계적인 개혁과 개방추세에도 불구하고 내부의 개혁 및
　　　민주화 움직임이 태동되는 것을 방지하기 위하여 더욱 경직되고
　　　폐쇄적인 대내정책을 견지하고 있음.

　　- 최근 북한은 대외적으로 일본과의 수교교섭 노력, 서구등과의
　　　외교접촉 강화등 기존정책을 수정하는 듯한 태도를 보이고
　　　있으나, 남북고위급회담등 남북대화에서는 기존의 입장을 고집
　　　하는 한편, 일방적으로 고위급회담을 중단시키는등 계속 비타협적
　　　태도를 보이는 이중적 자세를 견지하고 있음.

　　- 또한 중국은 작년 천안문사태이후 개혁정책의 퇴조와 함께 국내
　　　정세 불안과 경제적 어려움을 겪어 왔으나 최근 페만사태를 계기로
　　　동 해결과정에서 대서방 유화자세를 보임으로써 정치적으로 보수
　　　기조를 유지하면서 경제적 개방정책을 계속 추구하고자 하는 것으로
　　　보임.

o 중국정세의 안정을 한반도 및 동북아지역의 평화와 안정을 위해
　　중요하며, 중국 국내정국의 불안정 및 대외관계에서의 고립화는
　　한반도에 직접적 영향을 미치게 됨. 이러한 관점에서 최근 중국의
　　대서방관계 회복 움직임이 있는 것은 다행스러운 일이며, 우리로서는
　　중국이 대내외적으로 조속한 안정을 이룩하여 지속적인 개혁정책하
　　에서 이지역 안정과 평화정착을 위하여 적극적인 역활을 수행해 주기를
　　기대함.

0082

2. 한반도 평화통일 정책

가 . 정부 기본입장

○ 남북한 상호화해와 협력을 통해 관계를 개선하고 민족 동질성을
  회복하여 통일의 기반을 조성해 나가기 위해 남북은 서로의 실체를
  인정하고 존중하는 가운데 대화를 통해 현안문제를 협의 , 해결해
  나가야 함 .

○ 따라서 책임과 권한을 가진 남북한 당국자간 회담을 적극 추진하여
  다각적인 교류협력등 남북관계 개선방안 및 통일문제를 협의 , 해결
  하고 아울러 정부와의 협의와 보장하에 각종 남북접촉과 교류를 주선 ,
  지원한다는 일관된 입장임 .

나 . 아국 통일정책

○ 정부는 1988년 7.7 선언을 통해 북한을 번영과 발전을 함께 추구
  하여야 할 민족공동체의 일원으로 인식하고 제반교류를 적극 추진하며 ,
  북한의 국제사회에 발전적으로 기여하도록 협조함과 동시에 북방
  외교를 적극 추진하겠다는 정책방향을 천명한 바 있음 .

○ 이러한 7.7 선언의 기본정신을 바탕으로 89.8월 통일에 이르기까지의
  구체적인 중간과정을 설정한 새로운 "한민족 공동체 통일방안"을 제안
  하였음 .

  - 통일은 자주 . 평화 . 민주의 통일 3원칙하에 실현함 .

  - 이질화된 두 체제를 통일하기 위하여 우선 하나의 민족공동체를
    수립 , 동일한 경제 . 문화권을 형성해 나가는 것이 중요함 .

  - 과도적 통일체제로서 남 . 북 정상회담 , 남 . 북 각료회의 및 남 . 북
    평의회를 남북한간 대등한 참여로 구성하여 , 남 . 북 연합을 발족
    토록 하고 이들 기구들이 마련한 통일헌법에 따라 총선거를 실시 .
    통일국가와 통일정부를 구성함 .

0083

3. 남북한 관계

남북대화 현황

o 북한은 팀스피리트훈련을 이유로 91.2.25-28.간 평양에서 개최될 예정이었던
  제 4차 남북고위급회담을 일방적으로 중단하였음. 이는 쌍방간 합의사항의
  준수라는 초보적 예의마저 저버린 불성실한 대화자세로서 그들이 진정한 남북
  관계 개선의 의사가 없음을 말해주고 있음.

o 대외관계 개선과 경제난 타개등 외교상의 필요성때문에 지난해 고위급회담에
  응하였던 북한이 이번에 이를 중단시킨 것은 팀스피리트 훈련을 한반도 긴장의
  근본원인으로 부각하여, 주한미군과 핵무기 철수에 대한 동조여론을 선동하는등
  그들의 소위 통일전선 전술에 활용코자 하기 때문임.

o 이는 최근 북한이 민족통일정치협의회 소집과 여당을 제외한 야 3당과의
  정당 접촉을 제의하고, 팀스피리트훈련에도 불구하고 그들의 통일전선전술에
  유용하다고 판단하고 있는 체육회담에 적극 호응해 오고 있는 것과 맥을
  같이하고 있음.

o 우리는 당초 북한으로 하여금 고위급회담에 응하도록 하였던 제반요인에
  변화가 없음에 비추어, 팀스피리트훈련이 종료되고 북한의 주요행사(4.15.
  김일성 생일, 4.25-5.4.간 IPU 평양총회등)가 끝난후에는 북한이 다시 회담
  재개에 응해올 가능성이 있다고 보고 있음.

o 그러나, 우리는 남북관계의 개선과 평화통일을 위해 중요한 것은 회담재개가
  아니라, 북한이 개방과 개혁, 민주화의 길로 나아가고 진지한 자세로 대화에
  임해오는 것이라 생각하며, 이를 위한 국제사회의 적극적인 협조를 요망하고
  있음.

0084

남북한관계 전망

○ 팀스피리트 훈련과 북한의 주요행사(4.15. 김일성 생일, 4.29-5.4. IPU 평양 총회등) 종료후, 고위급회담 재개 가능성
   - 당초 북한으로 하여금 고위급회담에 응하도록 하였던 제반요인(외교적 고립 탈피 및 경제난 타개 위한 대외관계 개선등) 상존
   - 우리의 유연가입 저지 필요성
   - 북한측(주모스크바 북한참사관), 소련측에 팀스피리트 훈련 종료후 4월경 회담 재개 방침 언급 (주유엔대표부 소련참사관 제보)

○ 단, 고위급회담이 재개되어도 단시일내 남북관계의 의미있는 진전은 기대난
   - 북한의 대남, 대내, 대외정책 기조불변 (김일성 신년사 및 그후 동향)
   - 고위급회담의 구체적 성과 기대난 (실질적 합의보다는 명분전위주 진행 예상)
   - 이산가족 문제 해결, 경제교류협력에 대한 북한의 거부감

○ 북한은 금후 외형상으로는 고위급회담등 당국간 대화를 일정 수준 유지하는 한편, 실제상으로는 남북정치협상회의 제의, 야당과의 접촉시도, 범민련활동 지원등 민간, 사회각계와의 대화와 체육, 문화, 예술등 분야에서의 선별적 교류등 기존 통일전선 전술 방식에 치중할 것으로 전망

○ 특히 2개 국제대회에서의 남북단일팀 구성, 참가를 적극 부각시키는 선전활동 전개 예상
   - 단일의석하 유연가입 주장 논리와의 연결 시도
   - 향후 개최될 여타 국제대회에서의 단일팀 구성 적극 제기
   - 내부 통일열기 고취와 재외동포등에 대한 공작차원에서 공동응원 적극 제기 (소련 조총련측은 삿포로 동계 유니버시아드등 일본개최 국제대회 에서의 공동응원을 민단측에 적극 제기)

0085

(참고자료)

1. 남북관계와 통일문제에 대한 양측 기본입장 비교

가. 남북관계에 관한 기본시각

아 측	북 측
○ 분단 현실 인정	○ 분단 현실 불인정
○ 1민족 2체제론 　- 북한을 국제법상으로는 하나의 　　국가, 국내법상으로는 하나의 　　체제로 간주 　- 북한을 「민족화합」 「공존공영」 　　의 대상, 또는 「동반자」로 간주	○ 1민족 1국가론(하나의 조선논리) 　- 남한의 체제인정 거부 　- 남한을 「해방」 「투쟁」 　　「혁명」의 대상으로 간주
○ 교차승인을 추구하지는 않으나, 　결과로서 용인 ○ 유연 동시가입 추구	○ 교차승인 반대 ○ 유연 동시가입 반대 　- 단일의석하 유연가입 주장

나. 통일정책

(1) 정책기조

아 측	북 측
○ 선평화, 후통일	○ 선 남조선 혁명, 후 적화통일 　- 적화통일노선 명시(노동당규약 　　등)
○ 단계론적, 기능주의적 접근 　- 평화정착, 대화.협력.교류를 　　통한 신뢰와 동질성 확보⇨ 　　통일달성 　- 대화.협력.교류는 비정치적인 　　분야부터 시작	○ 일괄 타결주의, 정치.군사적 　접근 　- 불가침선언 채택 　- 조.미간 평화협정 체결 　- 주한미군 및 핵무기 철수

0086

(통일방안)

아　　　측	북　　　측
○ 한민족 공동체 통일방안(89.9.11)	○ 고려민주연방공화국 창립방안 　　(80.10)
－ 북한당국의 참여를 전제한 통일 　방안과 절차 제시(남북정상회담, 　각료회담등 기구 구성)	－ 남조선 혁명을 전제로한 통일 　방안(선결조건 제시 : 남한정권 　교체, 국가보안법 폐지, 구속자 　석방, 주한미군 철수등)
－ 시간적 요소 중시 　(교류협력 실시, 민족공동체 　회복.발전, 중간단계 설정등)	－ 공간적 요소 중시 　(국토의 원상복귀적인 통일, 　교류 협력은 통일후 실시, 　중간단계 비설정등)
－ 통일의 최종형태 : 단일국가	－ 통일의 최종형태 : 연방국가
－ 통일의 미래상 명시 　(고도 복지사회등)	－ 통일후 추진할 10대 시정방침 　제시 (교류협력등)

다. 남북대화

아　　　측	북　　　측
○ 책임과 권한을 가진 당국자간 　대화 　－ "남북정상회담" 중시	○ 통일전선전술 차원에서 전민족적 　대화 　－ 연석회의 방식의 "정치협상 　　회의" 또는 "민족통일협상 　　회의" 중시

0087

2. 남북대화 및 교류현황

    가. 남북고위급회담

    (1) 경   과

        (본 회 담)
        ○ 90.9-12월간 3차례 회담 개최
            - 제 1차 회담 (9.4-7, 서울)
            - 제 2차 회담 (10.16-19, 평양)
            - 제 3차 회담 (12.11-14, 서울)
        ○ 제 4차 회담이 91.2.25-28간 평양에서 개최될 예정이었으나, 북측이
          팀스피리트 훈련을 이유로 2.18. 이를 일방적으로 중단

        (실무대표 접촉)
        ○ 유엔문제 관련 3회 접촉 (90.8.18, 10.5 및 11.9)
        ○ 제 3차 회담 준비관련 3회 접촉 (90.11.21, 11.27 및 12.1)

    (2) 제 1-3차 회담 개최결과
    (가) 종합평가
        ○ 양측은 남북관계 개선과 통일을 위해서는 상호 불신의 해소가
          긴요하다는데 인식을 같이하였으나, 그 해소방법에 있어서는
          근본적인 입장 차이 노정
            - 아 측 : 사회개방과 교류협력 우선시 (점진적 방법)
            - 북 측 : 상대방에 대한 정치.군사적인 위협 해소 우선시
                     (즉각적인 방법)
        ○ 3차에 걸친 회담에서 양측은 상대방의 주장을 수용한 안을
          제시하는등 합의서 도출을 위해 노력하였으나, 이러한 기본
          시각차를 좁히지는 못하였음.
            - 아 측 : 북측의 불가침선언 제의 저의 의심(주한미군 철수,
                     미.북한간 평화협정 체결등 목적)

0088

- 북 측 : 아측의 기본합의서를 동.서독간 합의서의 재판으로
  인식 (독일식 흡수통합에 대한 의구심)

(나) 주요쟁점
  1) 합의서 채택 문제
  가) 양측 기본입장 및 제안내용
    ㅇ 아 측
      - 「선」 기본합의서 채택, 「후」 불가침문제 및 고류, 협력문제
        등 협의, 해결
      - 「남북관계 개선을 위한 기본합의서」 제시
    ㅇ 북 측
      - 불가침선언 우선 채택
      - 「북남 불가침과 화해협력에 관한 선언」 제시

  나) 양측 합의서 제안 경과

	제 1차 회담	제 2차 회담	3차회담 준비를 위한 실무대표 접촉	제 3차 회담
아 측	ㅇ 남북관계 개선을 위한 기본 합의서	ㅇ 남북관계 개선을 위한 기본 합의서 * 북측의 회담 과정에서 준수 해야할 3개 원칙을 전문에 수용	ㅇ 남북관계 개선을 위한 기본 합의서 * 수정안	ㅇ 남북관계 개선을 위한 기본 합의서
북 측	ㅇ 회담과정에서 준수해야 할 3가지 원칙	ㅇ 북남 불가침 선언	ㅇ 북남고위급 회담 공동 성명 ㅇ 북남 불가침 에 관한 선언 ㅇ 북남 협력 교류에 관한 선언	ㅇ 북남 불가침 과 화해협력 에 관한 선언 * 아측이 2차 회담시 제의한 남북간 화해 협력을 위한 공동선언내용 대부분 수정

0089

2) 불가침 합의 문제

　ㅇ 아　측

　　- 남북간에 불가침에 관한 합의서가 채택되어야 한다는 입장이며,
　　　이를 회피할 이유없음.

　　- 단, 남북간의 기본관계 설정과 신뢰구축을 전제로 실천의지와
　　　확고한 보장장치가 수반된 불가침 합의서가 채택되어야 함.

　　- 기본합의서 채택후 정치.군사 분과위원회에서 협의할 불가침에
　　　관한 아측 방안 제시

　ㅇ 북　측

　　- 불가침선언은 불신의 근원인 군사적 대결상태를 해소키 위해
　　　가장 중대한 출발점

　　- 불가침선언 자체가 쌍방의 실천의지를 세계앞에 표명하는 공식
　　　선언이며, 가장 공고하고 믿음성있는 신뢰장치

3) 기　타

　ㅇ 아　측

　　- 의견접근 및 실현 가능한 문제부터 우선 합의 제의
　　　(이산가족문제 해결, 총리간 직통전화 설치, 운영등)

　ㅇ 북　측

　　- 3개 긴급과제(유엔가입문제, 북한방문 구속자 석방문제,
　　　팀스피리트훈련 문제) 해결 촉구

나. 여타 회담

(1) 남북국회회담 예비접촉

　ㅇ 다각적인 고류.협력문제와 불가침선언 문제등을 협의할 남북 국회
　　회담 개최 준비 목적

　ㅇ 1985년이래 10차에 걸쳐 접촉

0090

o 북측, 제 11차 접촉 (당초 90.7.19. 예정)을 일방적으로 연기
　　- 아측 국내정국 (야당의원의 사퇴서 제출)이 이유
o 본회담 형식이 주요쟁점
　　- 아 측 : 쌍무적 성격의 대표회담 (쌍방 합의제)
　　- 북 측 : 연석회의 성격의 대표회의 (일치 합의제, 모든 대표
　　　　　　　들이 동등한 자격으로 참석)

(2) 남북체육회담
o 남북한 체육교류와 92년 바르샬로나 올림픽 단일팀 구성 협의목적
o 90.11.29. 제 1차 회담 개최
　　- 양측의 입장차이로 구체적인 사항 합의 실패
　　　(아 측) 국제대회 단일팀 구성.참가와 남북체육교류 추진
　　　(북 측) 단일팀 구성문제 우선해결, 남북체육교류에 대해서는
　　　　　　　유보적인 자세
o 91.1.15. 제 2차 회담 개최
　　- 제 41회 세계탁구 선수권대회(91.4. 일본지바) 및 제 6회 세계청소년
　　　축구대회(91.6. 포루투갈)에 남북단일팀을 구성, 참가키로 원칙적
　　　합의
o 제 3차 회담(1.30) 및 제 4차 회담(2.12) 개최
　　- 상기 2개대회 단일팀 구성 참가관련, 쌍방간 쟁점 모두 타결,
　　　합의서 서명

(3) 남북적십자 실무대표 접촉
o 제 2차 고향방문단 및 예술단 교환과 제 11차 적십자 본회담 개최문제
　　협의 목적
o 89.11.27. 제 7차 접촉을 끝으로 결렬
　　- 적십자 인도주의 정신과 고향방문단 교환 목적에 배치되는 북측의
　　　혁명가극(꽃파는 처녀) 공연 주장이 요인

0091

ㅇ 90.11.8. 제 1차 남북고위급회담시 합의에 따라 제 8차 접촉

　　- 북측의 혁명가극 공연주장 철회 거부로 성과없이 결렬

ㅇ 북측은 혁명가극의 공연을 통해 최근 아국내 일부 대학생층에서

　　일고 있는 북한 혁명가극 관람 분위기를 더욱 조장하고, 나아가서

　　우리사회에 혼란을 조성해 보겠다는 의도

다. 남북간 교류

(1) 체육, 문화, 예술분야에서의 교류

　　ㅇ 90.9월 제 1차 고위급회담 개최 이후 비교적 활발

　　　- 제 11회 아시아 경기대회(90.9, 북경)에서의 남북 공동응원

　　　- 남북체육장관 접촉 (9.23, 북경 및 10.24, 서울)

　　　- 제 1회 남북 뉴욕영화제 (10.10-14, 뉴욕)

　　　- 남북통일축구대회 (10.11, 평양 및 10.23, 서울)

　　　- 범민족 평화통일 음악회 (10.18-23, 평양)

　　　- 송년 전통통일음악회 (12.8-13, 서울)등

　　ㅇ 현재 예정되어 있는 교류는 없으나, 북측이 통일전선전술 차원에서

　　　이들분야에서의 교류를 선호하고 있음에 비추어, 금년도에 비교적

　　　활발히 전개될 가능성

(2) 경제교류

　　ㅇ 88.10.7. 대북한 경제교류 허용 조치이후, 소규모의 남북간 간접

　　　교역 성사

　　　- 89.10-90.12월간 실적

　　　　· 반 입　　150건　　　4,330만불

　　　　· 반 출　　　4건　　　　23만불

　　　　· 계　　　154건　　　4,353만불

　　　- 주요 반입물품 ： 아연, 철강재, 무연탄등 중간 원자재와 1차 상품

　　　- 주요 반출물품 ： 담배필터, 의류, 설탕등

0092

o 북한은 지금까지 남북간 직접교역은 물론 간접교역까지 금지하고
  있음.

  - 북한은 수출품의 최종 목적지가 남한으로 밝혀지면 선적거부
    또는 계약 파기

  - 다만, 90.12. 코오롱 상사의 양말 제조기계(250만불 상당)를
    직접교역 형식으로 최초 반입.

0093

4. 에쿠아돌 槪況

가. 槪 觀

- ○ 國　　名 : Republica de Ecuador (에쿠아돌 共和國)
- ○ 首　　都 : 끼또(人口 : 約 110萬, 高度 : 2,850m)
- ○ 人　　口 : 965萬名
- ○ 面　　積 : 283,561㎢ (韓半島의 1.5倍)
- ○ 政府形態 : 大統領中心制(任期 4年)
- ○ 議　　會 : 單院制(71席), 與黨 : 民主左翼黨(ID)
- ○ 主要人士
  - 大統領 : Rodrigo Borja Cevallos(로드리고 보르하 세바요스)
  - 外　相 : Diego Cordovez (디에고 꼬르도베스)
- ○ 國民總生産(1987) : 100億弗
- ○ 1人當 國民所得(1987) : $1,069
- ○ 貿易('88) : 輸出 2,193百萬弗, 輸入 1,714百萬弗
- ○ 外換保有庫 : $110億
- ○ 氣候　　: 赤道가 通過하나 高地帶는 시원한편(年平均 13℃)
  　　　　　　低地帶는 高溫多濕

0094

2. 국내 정세

가. 정치 정세

1) 88.8.10. 중도좌익 성향의 민주좌익(ID) 당 출범을 전후하여 동당의
   정치성향 및 극좌계와의 야합등으로 정치, 경제, 사회적 불안 분위기가
   팽배하였으나, RODRIGO BORJA 대통령이 인근 베네수엘라와 페루의 소요
   사태 및 경제파탄등의 선례를 보아 급격한 개혁 정책보다는 점진적
   개혁 정책을 추구함에 따라 정치, 경제, 사회적 불안 분위기는 다소
   사라짐.

2) 에쿠아돌 정치의 특징인 심각한 지역대립은 수도 QUITO 를 중심으로한
   산악지방과 항구도시 GUAYAQUIL 을 중심으로 한 해안지방과의 반목으로
   주재국 정치 안정에 저해요소로 계속 작용해 오고 있음. 88.8.10. 이전
   LEON FEBRES CORDERO 정권의 GUAYAQUIL 정권이 RODRIGO BORJA 정권의
   QUITO 정권으로 옮겨짐에 따라, 수도 QUITO 와 항구도시 GUAYAQUIL
   양측 지지 세력간의 갈등이 심화 정치적 불안 요인이 되고 있음.

3) 또 다른 특징인 다수당 난립으로 90.6.17. 실시된 국회의원 선거에서
   총의석 71석(지역구 59, 전국구 12) 중 정부 여당인 민주좌익당(ID) 은
   26석에서 13석을 잃은 14석만을 확보하여 원내 제2당으로 잔락하였으며,
   기독사회당(PSC) 은 7석에서 16석을 확보하여 원내 제1당으로 부상
   하였음. 동 선거는 RODRIGO BORJA 대통령 재임 2년간의 실적에 대한
   사실상의 중간 평가 성격을 띄었던 것으로 여당의 패배는 BORJA 정권의
   경제정책 실패에 기인한 것으로 평가하고 있으며 어느 당도 원내 과반수
   의석을 확보하지 못함으로써 국정운영 혼란 및 행정부와 국회와의 마찰
   요인이 되고 있음.

0095

4) 위와 같이 야당이 대거 진출된 상황에서 90.8.10. 새로이 구성된 국회는
   우익성향인 인민세력 연합당(CFP) AVERROES BUCARAM 의원을 국회의장
   으로, 자유당 소속의 FLAVIO TORRES 의원을 부의장으로 각각 선출하였음.

5) 그 예로서 우익성향의 BUCARAM 국회의장을 주축으로 한 사회당은 국회
   청문회를 통해 90.8.27. 전 농림부장관 MARIO JAIL, 10.1 전 노동장관
   JUAN NEIRA 를 해임하였으며, 또한 주재국 제2의 실력자인 전 내무부
   장관 ANDRES VALLEJO 도 청문회를 통하여 의회의 다수가결로 해임시키는
   등 RODRIGO BORJA 행정부에 대한 공세강화로 국정운영에 혼란을 야기
   시키고 있었음.

6) 여당인 ID 당은 위와 같은 혼란을 예방하고 BORJA 대통령의 집권
   후반기에 안정적인 정책을 전개하기 위해 사회당, 인민민주당 및 우익
   정당 일부 의원들과 협조하여 지난 90.10. 전격적으로 BUCARAM 국회
   의장 대신 사회당 소속의 EDELBERTO BONILLA 의원을 새로운 국회의장
   으로 선출하였음.

7) 향후 에쿠아돌 국내 정세는 여, 야의 대결이 더욱 첨예화되고 국회의
   대 BORJA 행정부에 대한 견제가 심화될 것으로 예상될 뿐만 아니라,
   92년도 전반기에 실시될 총선을 겨냥한 각 정당간의 경쟁으로 주재국
   정세는 더욱 불안할 것으로 예상됨.

0096

나. 경제정세

1) 경제 정책

Borja 정권 출범이후 경제개발계획('89-'92)을 수립, 동 기간중
석유부문보다 비석유부문의 성장이 경제개발을 주도토록 계획하여
민간부문에 대한 투자를 증대시키는 한편 해외신시장 개척을 통한
수출증대로 산업성장을 추진하고 있음. 또한 88.8. 수입제한 조치가
자본재의 부족, 국내 생활활동의 위축을 가져옴에 따라, 점진적으로
규제를 완화하고 있음.

2) 외채 문제

가) RODRIGO BORJA 대통령은 89.2.1. CARLOS ANDRES PEREZ 베네수엘라
대통령 취임식 참석차 CARACAS 방문시 SELA 회의 연설 및 89.9.3-6간
BELGRADE 개최 비동맹 정상회담 중남미 대표 연설에서 외채문제의
심각성을 지적하고 이의 정치적 해결을 주장

나) 산유국인 에쿠아돌은 걸프 사태 발발이후 국제시장의 원유가
상승으로 인해 90년도말 외환보유고가 80년이후 최고치인 미화
603백만불을 기록하였으며, 외화 안정 기금으로 200백만불을 비축,
가용자원으로 보유하고 있음. 또한 연간 수입 규모가 미화 20억불
정도이며 장기계약에 의한 원유수출에 따른 외환유입과 91.1.21.
이래 주당 3 수크레의 평가 절하를 계속하고 있으므로, 외환
위기는 예상되지 않음.

0097

3. 대외정책

   에쿠아돌은 분쟁의 평화적 해결, 복수이념주의 채택, 제국주의, 식민주의,
   신식민주의를 배척하는 외교정책 기조를 유지하고 있으며, 이에 따라 상호
   존중, 호혜원칙에 입각 모든 국가와 수고하고 국제기구 및 역내 제국간
   협력 강화를 추구함을 일반 정책으로 채택하고 있음.

가. 비동맹 중시외교
   전례를 깨고 88.9.5 - 10 간 DIEGO CORDOVEZ 외상이 싸이프러스 비동맹
   외상회의에 직접 참석하는 한편 RODRIGO BORJA 대통령이 9.3 - 6 간
   BELGRADE 개최 비동맹 정상회의에 참석 중남미 대표로 연설하는 등 비동맹
   우선정책 추구

나. 유엔 안보리 비상임 이사국 피선
   에쿠아돌은 90년 말로 임기가 끝나는 콜롬비아에 이어 중남미 및 카리브
   지역 대표로 91-92년간 유엔 안보리 비상임 이사국으로 피선됨에 따라
   국제사회에서의 위치가 향상되었으며, 이에 상응한 국제사회에서의 역할을
   수행코자 하고 있음.

다. 역내 제국과의 협력 강화
   RODRIGO BORJA 대통령은 89.12.17 - 18 간 주재국 GALAPAGOS 섬에서
   안데안 5개국 정상회담을 개최한데 이어, 90.5.22 - 23 간 페루 CUZCO
   에서 개최되는 동 정상회담에 참가하였는바, BORJA 대통령의 페루 방문은
   1942.1.29. RIO DE JANEIRO 의정서 체결로 아마존 지역을 페루에 배앗긴
   이래 국가 원수로서는 처음으로 페루를 방문한 것으로서 양국간의 소원한
   관계가 다소 완화될 전망임. 또한 BORJA 대통령은 90.10.11 - 12
   베네수엘라에서 개최된 Rio Group 정상회담과 90.11.27 - 29 간 볼리비아
   수도 LA PAZ 에서 개최된 안데안 국가의 결속과 통합에 관한 정상회담에
   참석하였음.

0098

라 . 대미관계

1) 국회의사당 단상 전면의 대미비난 벽화 및 CITIBANK 의 에쿠아돌
   중앙은행 계좌 지불정지 조치등 일련의 사태들로 인하여 양국
   관계는 원만치 못하였음 .

2) 그러나 90.7.23 - 24 일간 BUSH 대통령 초청으로 미국을 공식
   방문한 BORJA 대통령은 미국으로부터
   o 에쿠아돌 상품의 미국 수입관련 , 특혜관세 부여 고려
   o 에쿠아돌의 대미외채 미화 2억불 경감 및 마약근절을 위해 5백
     5십만불 지원등의 약속을 받은 바 있어 향후 대미관계는 원만할
     것으로 전망됨 .

마 . 대쏘련 및 동구권 관계

1) 상호 존중 및 호혜원칙에 입각한 세계 모든 국가와의 관계 수립이라는
   대외정책에 따라 소련 , 폴랜드 , 체코등 대부분의 동구제국과 외교
   관계를 수립하고 있음 .

2) 쏘련과는 Velasco 정권 당시 노동조합 분쟁에 주에쿠아돌 , 쏘련
   대사관이 관련되있다고 주장 , 1971.1. 2명의 외교관을 추방하는 등
   관계가 악화된 바도 있음 .

3) 88.8.10. Rodrigo Borja 대통령의 중도좌익 노선에 따라 쏘련과는
   긴밀한 협조관계를 유지하고 있음 .

0099

바. 대중국 관계

1) 1972.11. 중국의 유엔 가입을 지지하였으며, 1980.1.2. 자유중국과 단교하고 중국과 외교관계를 수립함.

2) 중국은 1980.7. 끼또에 상주 대사관을 설치하고 대사대리를 파견하여 오다가 81.4. 초대 중국상주 대사를 임명(4.28. 신임장 제정)하였는 바, 에쿠아돌 정부도 81.7.1. 자국 상주 대사를 북경에 부임케 함으로써 상호 대사급 외교사절 교환하였음.

3) 90.5.2 - 8 간 Cordovez 외상 중국 방문

4. 정세 전망

가. 90.6.17. 중간선거 결과, 현 집권 세력인 ID 당이 원내 제2당으로 전락됨에 따라 국회의 행정부에 대한 견제가 더욱 심화될 것으로 예상되며, 특히 92년도 전반기에 실시될 총선을 겨냥한 각 정당간의 대결로 국내 정세는 더욱 불안할 것으로 예상됨.

나. 에쿠아돌의 인플레는 89년도 54.7%, 90년도 49.5% 이며, 91년도 경제 성장 목표는 3.0%로 설정되었으나, 걸프전으로 인한 미국등 세계경제가 침체 국면에 접어들 것이 예상됨에 따라 에쿠아돌 경제도 불안한 상황이 계속될 것임. 이에따라 금년도 인플레는 60%선에 달할 것이며, 경제 성장도 90년도 수준인 1.5% 이상의 성장은 어려울 것으로 예상됨.

다. 대외적으로는 현재까지의 정치적 선전효과를 노리는 비동맹 대변인 으로서의 역할보다는 이를 기초로 하여 집권 후반기에 접어들면서 국내 정치 및 경제안정의 실리추구에 역점을 두어 미국을 비롯한 대서방접근 정책으로 전환할 것으로 보임.

0100

5. 중남미 정세 및 전망

  가. 중남미 정세

    1) 경제통합 추진등 지역협력 강화
       역내협력을 강화함으로서 역내문제는 역내 국가들끼리 해결하고 외부
       세력, 특히 강대국의 간섭을 배제하는 한편, 역내 국가들끼리의 이익을
       보호하려는 성향이 점증되고 있음. ANDEAN 국가 및 남미 5국의 경제
       통합 움직임, Rio Group 회의, 아마존유역 국가회의 등 각국 정상들의
       회동등은 이러한 현상을 대변해 주는 좋은 예라고 할 수 있겠음.

    2) 탈강대국 독자노선 추구
       가) 미국이 계속 영향력을 행사하여 오던 중남미 제국에서 탈미 독자
           노선 추구 성향이 점증함에 따라 일시적 힘의 공백이 발생하여
           소련이 이 힘의 공백을 메우려 시도하였으나, GORBACHEV 취임이후
           화해 무드와 동구권 사태, 국내문제등으로 소련이 동지역 영향력
           확대에 미온적인 자세를 보임으로서 결국 역내 제국들은 이들
           세력으로부터 독립된 독자노선을 추구하는 경향이 나타나고 있음.
       나) 한편, 미·일을 포함한 서방의 대 개도국 원조 노력이 최근
           동구권의 민주화 움직임 이후 동 지역으로 전이되는 기미가 보이자
           이에대해 점차 불만을 표시해 가기 시자가고 있음.

    3) 다수의 사회주의 정권 출범
       에쿠아돌의 RODRIGO BORJA 정권, 베네수엘라의 CARLOS ANDRES PEREZ
       정권, 아르헨티나의 MENEM 정권등 최근 다수의 사회민주주의 정권이
       출범하여 중남미의 정치판도는 군부 통치에서 사회민주주의 정권들로
       변화되어 가는 경향임.

0101

나. 전   망

1) 군부세력의 퇴조와 사회주의 세력의 대두로 상징되어지는 현재의
   중남미 정치추세는 향후 당분간 계속되어질 것으로 전망됨.

2) 외채문제를 위요한 선진국과의 대립관계와 최근 동구권의 민주화
   추세로 인한 선진국의 대후진국 원조 노력의 대동구권 전이 현상등으로
   경제통합 노력등 역내국간 협력을 통해 경제난국을 타개하려 할 것이나
   경제발전 정도의 차이등 이들 국가들이 갖고 있는 한계로 인해 정치,
   경제적 상황은 계속 악화되어질 것으로 전망됨.

3) 일본이 미국을 앞지르고 세계 최대의 원조 제공국으로 부상하고 있는
   바, 중남미 제국들이 일본에 대해 큰 거부감을 가져본 적이 없다는
   사실과 일부에 있어서는 보완관계에 있다는 측면을 고려할 때
   경제력을 앞세운 일본이 중남미에서의 세력을 신장할 것으로 전망됨.

4) 미국은 90.6. Bush 미국 대통령의 Enterprise for the Americas 제안과
   91.12. 브라질, 알젠틴, 칠레, 우루과이, 베네수엘라 방문을 통해
   대중남미 관계 개선과 경제협력 증대를 도모하고 있으며 이러한 경향은
   지속될 것임.

0102

5. 한.에쿠아돌 관계

가. 對韓半島 政策

　ㅇ 韓國과 單獨修交國

　ㅇ 南.北韓間 對話에 의한 韓半島 問題의 平和的 解決支持

　ㅇ 我國과의 諸般 實質關係 增進希望

나. 主要 外交關係

　ㅇ 1962. 10　　外交關係 樹立

　ㅇ 1975. 2　　駐 에쿠아돌 大使舘 開設

　ㅇ 1982. 7　　駐韓 에쿠아돌 大使舘 開設

　ㅇ 1989. 5　　鄭 海瀜 大使 赴任

　ㅇ 　990. 7　　Bucheli 大使赴任

다. 主要人士 交流

　1) 訪　問

　　ㅇ 1988. 8　　김 정렬 大統領 特使

　　ㅇ 1989. 7　　김 중권議員 外 4名 議員使節團

　2) 訪　韓

　　ㅇ 1983. 3　　Valencia 外務長官

　　ㅇ 1985. 5　　Teran 外務長官

　　ㅇ 1987. 8　　Carrion 大法院長

　　ㅇ 1988. 5　　Cocios ID (民主左翼黨) 黨首

　　ㅇ 1990.4.29　　Diego Cordovez 外務長官
　　　　 - 5. 3

0103

라 . 通商關係

1) 兩國間 交易

(我國基準, 單位: 千弗)

年 度	輸 出	輸 入	貿易收支
1986	13,430	299,307	- 285,873
1987	11,928	116,143	- 104,215
1988	10,279	255,223	- 244,944
1989	12,938	58,274	- 45,336
1990	15,802	25,414	- 9,612

* 1988까지 선박수리등에 따른 금액 수출입 계상, 89 이후 수출입통계 제외로 수입액 급격 감소

* 原油輸入 減少로 對 에쿠아돌 輸入額 激減

2) 主要 交易 品目 (90)

　° 수출 : 전기기기(6,716불), 섬유류(3,675불), 고무제품(2,260불), 자동차, 기계류, 철강, 선박

　° 수입 : 광물연료(24,600), 코코아(422), 목제품(2.36)

　　* 에쿠아돌은 世界 最大의 바나나 生産國으로 91年以後 我國의 바나나 輸入 開放 政策에 따라 바나나 輸入이 增大될 것으로 豫想됨.

0104

바. 經濟協力

1) 無償援助

○ 91년 배정액 : 17만불 (사절단 방문관련 증액방안 검토중)

○ 90년 13.5만불 (외무성 기자실 기자재 및 컴퓨터 지원)

○ 89년 15.1만불, 88년 10.2만불

2) 技術協力

○ 연수생 초청

- 91년 계획 : 2명(수출진흥시찰 1, 고위정책 입안자 연수 1)

- 실 적 : 대외기술공여 21명(90년 1명)

건설기술자 4

KDI 연찬회 6

○ 전문가 파견 실적 : 4명

바. 協定締結 現況

○ 1983. 經濟技術協定, 外交官, 官用 査證免除協定

○ 1984. 漁業協定

○ 1985. 文化協定

사. 領事僑民現況(1990.12 基準)

○ 僑民數 : 31世代 1,279名

(Quito 208세대 894명, Guayaquil 103세대 385명)

○ 滯留者 : 27名 (Quito 18名, Guayaquil 9名)

0105

6. 에쿠아돌 · 北韓 關係

1. 公式 外交關係 不在

   ㅇ 世界 모든 國家와의 關係樹立 政策에 따라 대부분의 共産國家와도
   外交關係를 樹立하고 있으나, 我國과의 友好協力 關係를 重視, 北韓과
   行政府次元의 公式關係는 갖지 않고 있음.

2. 北韓의 對에쿠아돌 關係 改善 摸索

   가. 개 관

   88.8.10. RODRIGO BORJA 민주좌익당(ID) 당 정권 출범후 북한은 외교관계
   혹은 통상관계 수립 목적으로 고위사절단을 파견, 에쿠아돌 정계, 학계
   인사들을 접촉해 오고 있으며 기타 사절단 파견 및 주요 인사 방북 초청등
   국회, 학계 등 사회각계 침투를 집요하게 추진하고 있음.

   나. 북한인사 에쿠아돌 방문 증대

   1) 90.2.2-4. 제4차 중남미 공산당 대회에 참석한 주 자마이카 대사
      신명호등 3명 입국, EFREN COCIOS 국회 외무위원장, ALFREDO VERA
      문교장관등 면담, 수고 교섭

   2) 주체사상 세미나 개최
      ㅇ 일   시 : 90.4.2 - 4
      ㅇ 장   소 : 과야킬 시
      ㅇ 참가국 및 인원 : 35개국 129명(주재국인 56 명 포함)
      ㅇ 전세계 인민이 주체 사상으로 무장할 경우 사회의 주인, 전쟁압력,
        복종에서 탈피, 세계 평화와 자주를 건설할 수 있다는 요지의 선언문
        채택

0106

3) 90.4.5-11. 전페루 북한통상 대표부 대표 김찬식 등 2명 입국, 국회
   외무위원장, 문고장관등 면담, 수교 교섭

4) 90.5.22-28. 통상사절 배경락등 5명 입국, 상공회의소 소장 등 방문코
   양국간 통상관계 개선을 요청함.

5) 11.15-19. 노동당원 김형우등 2명 입국, 외고관계 수립, 문화, 통상,
   과학기술등의 상호 교류 제의

6) 12.10-21. 사회과학요원 김득수 등 일행 3명 입국, 주체사상 연구소장
   BURBANO 등 접촉, 91년도 주체사상 세미나 교류 문제 협의

7) 북한 9.9 절 행사에 중앙대학교 총장 JURADO 등 고수 8명 방북

다. 북한의 외고관계 수립 공식 제의

1) 90.11.15 일자로 주페루 북한대사 김경호는 에쿠아돌 정부에 대해
   에.북한과의 외고관계 수립 또는 정부 차원의 통상관계 수립을 공식
   제의한데 대해 에쿠아돌은 상호 협력과 자국의 경제, 문화발전 기여
   여부에 관해 신중히 검토하고 있는 것으로 알려짐.

2) 또한 주페루 북한대사 김경호는 90.11.15 일자로 RODRIGO BORJA
   대통령, CORDOVEZ 외무장관, VERDUGA 내무장관, JOVIN 상공장관,
   NICOLAS ISSA 정부여당 당수겸 국회의원, ALEMAN 외무차관 등에게 금년
   4월초 방북을 희망하는 초청장을 보냈으나, 에쿠아돌 정부는 동 초청에
   대해 소극적 반응을 보였음.

0107

7. 한.에쿠아돌 현안

1. 에쿠아돌 국회 신.구 외무위원장 방한 초청

　가. 초청 개요

　　1) 주 에쿠아돌 대사가 1990.10.2. Efren Cocios 국회 외무위원장 외
　　　2인의 국회의원에 대한 방한 초청을 건의해 온 데 대해 1990.11월
　　　박정수 외무위원장 명의 초청장을 전달, 아측 체재비 부담 조건으로
　　　초청

　　2) 91.1월부터 에쿠아돌 국회 외무위원장이 교체되고, 90.5月 신.구 외무
　　　위원장 부부가 자유중국 정부 초청으로 대만을 방문함을 계기로 한국
　　　방문을 희망하여 옴에 따라 아측이 항공료를 지원 방한 초청토록 수정
　　　건의

　　3) 이에 대해 정부는 91.2. 최근 북한의 에쿠아돌 국회에 대한 세력
　　　부식 기도가 강화되고 외교관계 수립 또는 통상대표부 설립을 위한
　　　외교적 노력이 가중되고 있음을 고려하여 주 페루 대사관의 대주재국
　　　국회 활동을 지원키 위해 신.구 외무위원장에 대한 항공료를 지원
　　　방한 초청 방침 결정

　나. 경　위

　　○ 1989.11.13　　　주 에쿠아돌 대사, 에쿠아돌 국회의장, 외무위원장외
　　　　　　　　　　　1-2인 국회의원 방한 초청 건의
　　○ 1989.11.16　　　본부, 방한 초청 사업 승인 (차관 전결)

0108

o 1989.11.12   Nicolas Issa 국회 부의장, 90.1월 대만·일본 방문
                      계기 방한 희망으로 김재광 국회 부의장 명의
                      초청장을 발송(체재비 부담 조건)하였으나 항공료
                      지원 불가 방침으로 방한 포기

o 1990.4 - 7   Wilfrido Lucero 국회의장, 쏘련·중국 방문계기
                      방한 희망하였으나 아측 국회의장 교체와 국내정치
                      일정으로 방한 초청치 못함.
                      - 동 국회의장은 방한이 무산되자 90.7.1-6 방북

o 1990.10 - 11   주 에쿠아돌 대사, Efren Cocios 국회 외무위원장 외
                      2인 방한 건의, 국회 박정수 외무통일 위원장 명의
                      초청장 발송

o 1990.1.25   주 에쿠아돌 대사, 91.1월부터 주재국 국회 외무
                      위원장이 교체되고 신.구 외무위원장 부부가 5월
                      대만 방문함을 계기로 양인 부부를 방한 초청토록
                      수정 건의 (체재비, 항공료 부담 조건, 부인 항공료는
                      대만정부 부담 예정)

다. 현   황

o 91.3. 현재 초청 예산이 확보된 상태이며, 방한 초청 방침을 피초청
   인사에 통보하고 구체적인 방한 시기등 회신 대기중

0109

2. 共同委 開催 提議

가. 現 況

º 90.5. 兩國 外務長官會談時 '꼬르도베스' 長官은 83年度에 締結된
韓.에쿠아돌 技術協力 協定에 따라 政府.民間의 共同委 開催를 90年度
下半期에 끼또에서 開催할 것을 提議

나. 我側 立場

º 我側은 91年 下半期中 開催를 위해 外交經路를 通해 具體化 될 수
있도록 하고 隣接國과 連結하여 推進할 것을 檢討中

3. 무역역조 개선

가. 현 황

º 아국의 대에쿠아돌 수출은 년평균 $1천 3백만 - $1천 5백만인데
비해 아국은 에쿠아돌로부터 광물자원을 수입해오고 있고 또한
91.1 부터 바나나 수입 자유화 조치에 따라 다량의 주재국 바나나가
수입될 전망으로 금년도 예상 수입액은 $1억 5천만을 상회할 것으로
추정되어 약 10배의 무역적자가 예상됨.

º 에쿠아돌로 부터 광물자원 수입은 원료 공급선의 다원화 정책에
따라 불가피하고, 바나나 수입도 농산물 수입개방 및 양국간 경협
차원에서 필요한 것이기는 하나, 동 무역 역조 개선을 위해 에쿠아돌
측의 관심과 노력이 요망됨.

0110

나 . 아측입장

에쿠아돌측에 무역역조 현황을 상기시키면서 에쿠아돌의 주요 개발
프로젝트 등에 참여할 수 있도록 협조 요청

4. 協定締結

가 . 投資保障協定

o 85.4月以來 兩側에서 2次에 걸쳐 代案提示를 通해 大體的인 文案
合意에 이르렀으나, 에쿠아돌측에서는 한시적 送金制限 揷入을
主張하고 있어 我側으로서는 수용곤란한 立場

o 現在 에쿠아돌側에서 我側代案 檢討中

나 . 海運二重課稅防止協定

o 85.4月以來 계속 代案提示를 通해 交涉을 繼續하여 왔으나 國內法上
稅金賦課 範圍의 差異로 難航

o 現在 에쿠아돌側에서 我側代案 檢討中

5. 經濟協力基金(EDCF) 支援檢討

o 에쿠아돌側에서 Azuay 판유리工場建設 ($750萬規模) 에 我國이 EDCF
資金 供與希望

o 關係部處 會議에서 妥當性 未洽 結論, 現在 推進 保留 狀態임.

0111

6. 에쿠아돌産 바나나 輸入 自由化

가. 現　況
  ㅇ 90年末까지 에쿠아돌은 我國에 대해 에쿠아돌産 바나나 輸入에 대한 制限緩和, 撤廢要求해 왔으며, 我國은 段階的인 農水産物 輸入開放 政策에 따라 91.1.1 부터 輸入 自由化

나. 我側 立場
  ㅇ 바나나 輸入은 現在 完全 自由化되었으며, 政府의 輸入 制限은 없음. 輸入物量은 전적으로 兩國 바나나商間 契約 條件에 좌우됨.

0112

원 본

| 관리
번호 | 91
-리리 |

외 무 부

종 별 :

번 호 : EQW-0115

일 시 : 91 0407 1430

수 신 : 장관(국연, 미남)

발 신 : 주 에쿠아돌 대사

제 목 : 특사 도착 보고

한우석 특사는 예정대로 4. 6 (토) 당지에 도착하였음. 끝.

(대사 정해웅 - 국장)

19 예고:91.12.31.일반
의거 일반문서로 재분류됨

검토필(1991.6.30.)

국기국   미주국

91.04.08   07:44
외신 2과 통제관 CE
0113

관리 91
번호 -2/95

원 본

외 무 부

종 별 : 지 급

번 호 : EQW-0117   일 시 : 91 0408 2130

수 신 : 장관(국연,미남) 사본:주 유엔 대표부(중계필)

발 신 : 실무 교섭단장 한우석

제 목 : 실무 교섭단 활동 보고   (PART 1)

연:EQW-0115

1. 소직은 4. 8(월) CORDOVEZ 외무장관을 예방, 훈령에 따라 장관 친서와 각서를 전달하고 아국의 금년도 유엔가입 추진계획을 설명하고 동 외무장관의 지지를 요청한 바, CORDOVEZ 장관의 반응을 다음과 같이 보고함.

- 유엔 회원국에 배포한 메모란덤을 통해 한국이 금년중 유엔 가입신청 계획임을 표명하였다고 유엔 현지공관으로부터 보고받았음. 에쿠아돌은 유엔의 보편성 원칙을 지지한다는 점에서 한국의 입장은 에쿠아돌의 기존정책과 부합함

- 한국의 유엔가입 노력과 관련, 중국의 입장이 중요한 것으로 생각되는 바, 이 문제에 대한 중국의 태도를 타진해 보고자 노력중임. 안보리에서 중국이 거부권을 행사하게 되는 상황은 피해야 할 것으로 봄... - 중남미 제국의 지지를확보하는 방안의 일환으로 4 월중에 소집되는 리오그룹에 한국의 유엔가입 문제를 설명하고 중남미 제국의 협찬과 이해를 얻는것이 좋을 것으로 생각됨.

2. 소직은 에쿠아돌의 지지와 적극적 협조를 다짐한 장관의 답변에 사의를 표명하고 리오그룹의 한국입장 지지 설득, 유엔 현지 대표단의 적극적인 지원 활동, 중국의 설득등을 위하여 적극 협조해 줄것을 당부하였음. CORDOVEZ 장관은 면담에 이어 소직을 비롯하여 양측 면담 배석자 및 한국관련 에쿠아돌 기업인등 10 명을 초청, 오찬을 주최함. 동 장관은 오찬석상에서 한국이 외교관계가 없는안보리 이사회의 쿠바, 모잠비크의 지지를 확보하는 문제, 중국이 거부권을 행사하는 상황을 피하는 방안의 하나로 안보리에서 사전에 컨센서스를 도출하는 가능성, 비동맹 회원국과의 사전교섭에서 한국의 입장을 지지하도록 하는 문제등을제기하고 자신이 특별한 관심을 갖고 최선의 노력을 해 주기로 함.

- 동 장관은 한국정부가 자국산 바나나에대해 시장을 개방해준 덕택에 에쿠아돌산

국기국   장관   차관   1차보   미주국   청와대   안기부

바나나가 대량으로 한국에 수출되고 있음에 사의를 표명함.

    - 또한 동 장관은 90. 5 월 방한시 대통령 예방등 일정을 주선하고 환대해 준데 대해 사의를 표시함.- 동 면담에는 에쿠아돌측의 ESCUDERO 차관보, SANCHEZ 대사(장관 보좌관), 아측의 주 에쿠아돌 대사, 배점철 서기관, 황의승 서기관이 배석함.

    // 이하 EQW-0118 (PART 2) 로 계속.//

원 본

외 무 부

관리 번호 91 -2196

종 별 : 지 급

번 호 : EQW-0118   일 시 : 91 0408 2220

수 신 : 장관(국연,미남) 사본: 주 유엔 대표부(중계필)

발 신 : 실무 교섭단장 한우석

제 목 : 실무 교섭단 활동 보고   (PART 2, EQW-0117 계속분)

연:EQW-0117

3. 소직은 외무장관 면담에 앞서 외무부의 VEINTIMILLA 유엔담당 국장, SALAZAR 유엔담당 차관보, ALEMAN 외무차관을 차례로 면담, 유엔가입 문제, 한반도정세, 봉일문제 및 양국간 협력문제등에 관해 설명하고 협의하였음. 이들은 다같이 한. 에쿠아돌 관계의 중요성을 역설하고 한국의 봉일문제와 유엔 가입문제에 대한 전적인 이해와 지지를 표명함. 쌍무관계에 관하여도 에쿠아돌측은 한국의 기술, 경협지원 사업에 사의를 표명하고 한국의 부자와 개발사업 참여를 희망하였음.

4. 소직은 정해용 대사이하 공관직원의 노고로 주재국 정부 요로와의 관계가 훌륭하게 유지되고 있음을 알 수 있었으며, CORDOVEZ 장관의 친한적이며 적극적 지지와 협조용의 표명에 감명을 받았음. 양자관계 증진과 금후 총회대책의 일환으로 대 에쿠아돌 경협강화와 주 유엔 에쿠아돌 대표부와의 협조강화 조치를 건의함.

5. 소직 일행은 에쿠아돌 일정을 마치고 4. 9 멕시코 향발 예정임. 끝

(대사 한우석)

예규문서 91.12.31 일반

검토필(1991.6.30)

국기국   장관   차관   1차보   미주국   정와대   안기부

에쿠아돌 방문보고서

1. 실무고섭단 구성
   o 실무고섭단장 : 대사 한우석
   o 수   행 : 미주국 남미과 사무관 황의승

2. 주요일정

   4.6(토)   에쿠아돌 키또 도착
   4.8(월) 11:00   Hernan Veintimilla 외무부 유엔국장 면담
            11:30   Juan Salazar 유엔담당차관보 면담
            12:00   Mario Aleman 외무차관 면담
            12:45   Diego Cordovez 외무장관 면담
            13:30   Diego Cordovez 외무장관 주최 오찬
   4.9(화)   에쿠아돌 출발
                       (멕시코, 아르헨티나, 브라질 공동위원회 참석)

3. 외무부 주요인사 면담내용
   (1991.4.8. 에쿠아돌 외무부)

   가. Diego Cordovez 장관
       o 외무장관 친서와 각서 전달
       o 아국의 금년도 유엔가입 추진계획 설명, 에쿠아돌의 지지요청

앙 고 재	91년 4원 할	담 당 과	장 국	장	차 관 보
		정대수			

0117

(Cordovez 장관)

- 유엔회원국에 배포한 메모랜덤을 통해 한국이 금년중 유엔가입
  신청 계획임을 표명하였다고 주유엔 에쿠아돌 공관으로부터 보고
  받았음. 에쿠아돌은 유엔의 보편성원칙을 지지한다는 점에서
  한국의 입장은 에쿠아돌의 기존정책과 부합함.

- 한국의 유엔가입 노력과 관련, 중국의 입장이 중요한 것으로
  생각되는 바, 본인도 이 문제에 대한 중국의 태도를 타진해
  보고자 노력중임. 유엔안보리에서 중국이 거부권을 행사하게
  되는 상황은 피해야 할 것으로 봄.

- 중남미 제국의 지지를 확보하는 방안의 일환으로 4월중에 소집
  되는 리오그룹에 한국의 유엔가입 문제를 설명하고 중남미제국의
  협조와 이해를 얻는 것이 좋을 것으로 생각됨.

  * 리오그룹 : 콜롬비아, 멕시코, 파나마, 베네수엘라, 알젠틴,
                우루과이, 브라질, 페루, 칠레, 에쿠아돌(10개국)

o 에쿠아돌의 지지와 적극적 협조를 다짐한 장관의 답변에 사의표명.
  리오그룹의 한국입장 지지 설득, 유엔 현지대표단의 적극적 지원
  활동, 중국의 설득등을 위하여 적극 협조해 줄 것을 요청

(Cordovez 장관)

- 한국이 외교관계가 없는 안보리의 쿠바, 모잠비크의 지지를
  확보하는 문제, 중국이 거부권을 행사하는 상황을 피하는 방안의
  하나로 사전에 컨센서스를 도출하는 가능성, 비동맹 회원국과의
  사전에 컨센서스를 도출하는 가능성, 비동맹 회원국과의 사전
  고섭에서 한국의 입장을 지지하도록 하는 문제등 다각적인 방안을
  고려, 노력을 기울이는 것이 필요할 것으로 생각됨. 한국의
  유엔가입 추진과 관련, 이에 대해 특별한 관심을 갖고 본인으로서
  할 수 있는 최선의 노력을 다하겠음.

0118

ㅇ Cordovez 장관의 남북관계 문의에 대해 최근의 남북관계 상황과
  북한이 팀스피리트 훈련을 구실로 91.2월로 예정되었던 제 4차
  남북고위급회담을 무기 연기하였음을 설명

(Cordovez 장관)

- 북한의 김일성 정권은 확립된 정권으로서 남북통일은 김일성
  사후에나 가능할 것으로 생각됨. 중국은 북한의 권력세습에
  대해 좋지 않게 생각하고 있는 것으로 봄.

- 한국정부가 에쿠아돌산 바나나에 대해 시장을 개방해준 덕택
  으로 에쿠아돌산 바나나가 대량으로 한국에 수출되고 있음에
  사의를 표함. 바나나와 석유는 에쿠아돌의 주요한 2대 수출
  품목이며, 세계 석유시장의 불안정으로 에쿠아돌로서는 바나나
  수출시장의 안정적 확보가 중요한 관건의 하나임.

- 90.5월 방한시 대통령 면담등 일정을 주선하고 환대해 준데 대해
  감사함.

나. Mario Aleman 외무차관

ㅇ 남북한 문제와 관련, 에쿠아돌의 대아국 지지 입장에 사의표명.
  금번 제 46차 총회에서 아국이 유연가입을 추진할 계획임을 밝히고
  안보리이사국으로서 에쿠아돌의 대아국 지지를 요청

(Aleman 차관)

- 에쿠아돌은 한국과의 우호적 외교 및 경제, 통상관계가 증진
  되고 있음에 만족함. 이러한 이유에서 북한과의 어하한 형태의
  관계수립도 받아들이지 않고 있으며, 최근 북한으로부터 에쿠
  아돌 정부의 여러 요인이 방북초청을 받았으나 수락하지 않았음.

0119

- 유엔총회 및 안보리에서 유엔가입문제를 포함한 한국의 모든
  요청에 대해 긍정적으로 고려할 것이며 한국의 유엔가입은 국제
  사회의 평화와 발전에 기여할 것으로 생각함.
- 최근 국제사회는 크게 변화하고 있으며 어느 국가든 새로운 현실을
  인식하지 않으면 고립될 것임. 현재의 상황은 한국의 유엔가입에
  적절한 시기로 생각되며 이러한 노력에 대해 이해와 지지를 보냄

○ 양국관계 발전에 대해 만족표명. 양국간 교역증가, 아국의 대
  에쿠아돌 경제협력 및 기술공여 지속, 에쿠아돌 개발사업에의 한국
  기업의 참여 및 투자, 이를 위한 양국간 투자보장협력, 이중과세
  방지협정의 체결희망 표명

(Aleman 차관)
- 에쿠아돌을 포함한 중남미 제국은 심각한 경제위기를 겪고
  있으며 한국등 우방국의 지원과 투자를 필요로 하고 있음.
  특히 한국과는 수산 및 석유개발분야에서의 협력을 희망함.
- 한국의 에쿠아돌에 대한 경제협력과 기술공여에 대해 사의를
  표함. 금년부터 에쿠아돌산 바나나가 한국에 수출되고 있어
  교역이 더욱 증진될 것으로 기대함. 최근 페루와 에쿠아돌
  지역에 콜레라가 전파되고 있어 유럽 몇개국이 에쿠아돌산
  바나나의 위생문제에 대해 우려를 하고 있는 것으로 보이나
  에쿠아돌의 바나나 재배 및 처리는 현대기술로 이루어지고
  있으므로 콜레라감염 우려는 없음.

○ 에쿠아돌 거주 1,500여명의 한국교포에 대한 에쿠아돌 정부의 지원에
  사의표명 한국민이 에쿠아돌의 국가발전에 기여하기를 희망한다는
  의사전달

0120

(Aleman 차관)

- 한국이민은 부지런하며 에쿠아돌의 국가발전에 기여하고 있음.
  에쿠아돌은 모든 나라에 국경을 개방하고 있음.

다. Juan Salazar 유엔담당 차관보

ㅇ 아국의 유엔가입 노력 및 이에 대한 중국등 주요국가의 태도,
  북한의 단일의석 유엔가입 주장의 허구성 설명, 에쿠아돌의 한국
  입장 지지 요청

(Salazar 차관보)

- 에쿠아돌은 항상 유엔헌장의 기본원칙에 충실하고자 노력해
  왔음. 한국의 유엔가입 문제도 유엔 보편성원칙에 따라 고려
  되어야 할 것임. 현재의 국제상황은 한국에 유리한 것으로
  평가되며, 이같이 좋은 기회를 잘 활용해야 할 것으로 생각됨.
  한국은 지난 수년간 유엔문제에 잘 대처해 왔으며 본인은 개인적
  으로 한국문제에 대해 낙관적인 견해를 갖고 있음.
- Cordovez 장관은 한국을 잘 이해하고 있고 대단히 현실적으로서
  유엔문제에 정통함. 또한 중남미 제국의 한국에 대한 지지입장을
  이끌어 내는 문제에 있어서도 에쿠아돌이 협조할 수 있을 것으로
  생각됨. 유엔총회 이전에 상호 긴밀한 협의가 필요할 것으로 봄.

ㅇ 소련은 한국의 유엔가입에 대해 긍정적이나 중국의 태도는 불명확
  함을 언급하고 에쿠아돌등 우방이 명시적으로 한국입장 지지를 표명해
  줄 것과 중국 설득에 협력해 줄 것을 요청

0121

라. Hernan Veintimilla 유연담당 국장

　o 안보리 이사국으로서 에쿠아돌의 유연내 협조와 중남미 제국의 협력
　　확보를 위한 지원 및 중국을 설득하는데 영향력을 행사해 줄 것을
　　요청

　　(Veintimilla 국장)

　　- 한.에쿠아돌 양국은 전통적인 우호관계를 발전시켜 왔으며
　　　에쿠아돌은 한국문제에 대해 기본적으로 우호적인 입장임.

　　- 아직 에쿠아돌 정부의 공식입장을 표명한 바는 없으나 본인은
　　　개인적으로는 한국의 유연가입을 지지하고 있으며 한국의
　　　상황과 입장을 이해함.

　o 동구제국과 소련의 변화, 독일의 통일등 국제정세가 크게 변화하고
　　있음에도 북한이 아직 변화의 징후를 보이지 않고 있음을 설명.
　　에쿠아돌 정부가 한국의 유연가입을 지지하는 공식입장을 표명해
　　줄 것을 요청

　　(Veintimilla 국장)

　　- 에쿠아돌이 한국의 유연가입 노력에 대한 지지입장을 공식적으로
　　　정립하도록 하기 위해노력을 다하겠음.

4. Cordovez 장관 주최 오찬

　o 일　　시　:　4.8(월) 13:30-15:30

　o 장　　소　:　호텔 키토

0122

o 참석자

에쿠아돌측	아 측
Diego Cordovez 외무장관	한우석 대사 (실무교섭단장)
Hernan Esudero 차관보	정해웅 주에쿠아돌 대사
Jaime Sanchez 장관보좌관	배점철 주에쿠아돌 서기관
에쿠아돌 실업계인사 3명	황의승 남미과 사무관

o 오찬시 협의내용

- Cordovez 장관 면담내용에 포함

5. 관찰 및 건의

o 에쿠아돌은 아국과의 전통적인 우호, 협력관계를 높이 평가하고
유연가입문제를 포함하여 한국의 통일문제, 남북대화등과 관련하여
아국의 입장을 이해하고 지지하는 입장을 보임.

o 특히, Cordovez 외무장관은 친한적인 입장을 갖고 있을 뿐 아니라
아국의 유연가입 노력에 대해 적극적인 지지와 협조 용의를 표명하였는
바, 동 장관은 유연사무차장을 억임한 인사로서 유연과 중남미 지역
외교무대에서 영향력을 갖고 있음을 고려할때 Cordovez 장관의 이와
같은 적극적 대아국 지지는 아국의 유연가입 노력에 실질적으로 기여할
수 있을 것으로 판단됨. 이를 활용키 위해 주유연 에쿠아돌 대표부와의
협조를 강화함이 긴요함.

o 에쿠아돌은 아국과의 경제관계, 무역증진에 큰 관심과 기대를 갖고
있는 것으로 보임. 에쿠아돌과의 양자관계를 증진시키고 유연 및
기타 국제무대에서의 외교적 지지 기반을 확충하기 위해 대에쿠아돌
경협 강화가 필요한 것으로 판단됨.   끝.

0123

외교문서 비밀해제: 남북한 유엔 가입 4

남북한 유엔 가입 지지 교섭 3: 중동, 아프리카, 그 외

초판인쇄 2024년 03월 15일
초판발행 2024년 03월 15일

지은이 한국학술정보(주)
펴낸이 채종준
펴낸곳 한국학술정보(주)
주 소 경기도 파주시 회동길 230(문발동)
전 화 031-908-3181(대표)
팩 스 031-908-3189
홈페이지 http://ebook.kstudy.com
E-mail 출판사업부 publish@kstudy.com
등 록 제일산-115호(2000. 6. 19)

ISBN 979-11-6983-947-1 94340
      979-11-6983-945-7 94340 (set)

이 책은 한국학술정보(주)와 저작자의 지적 재산으로서 무단 전재와 복제를 금합니다.
책에 대한 더 나은 생각, 끊임없는 고민, 독자를 생각하는 마음으로 보다 좋은 책을 만들어갑니다.